KB113565

조연의 반격은 없다

초판 1쇄 발행일 2020년 06월 22일
초판 1쇄 발행일 2021년 02월 22일

지은이 | 박귀리
펴낸이 | 김기선

편집부 | 김아름, 박신혜, 신현정, 현혜원, 김수린, 한혜정
표지디자인 | MUI
내지디자인 | 한주희

펴낸곳 | 와이엠북스(YMBOOKS)
출판등록 | 2012년 7월 17일 (제2014-17호)
주소 | 서울시 도봉구 노해로 379, 802호(창동, 대성빌딩)
전화 | 02)906-7768 / 팩스 | 02)906-7769
E-mail | ymbooks@nate.com

ISBN 979-11-322-5574-1 (04810)
ISBN 979-11-322-5572-7 (set)

값 11,000원

조연의 반격은 없다

박귀리 장편소설

Ym BOOKS

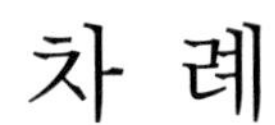

차 례

2부

Episode 9.
발레리아

"아슈타르 산 허브 차. 페퍼민트로."

시종의 말에 가장 어린 하녀가 몸을 일으켰다. 주근깨가 얼굴의 반을 뒤덮는, 다소 수더분한 인상의 하녀는 식사 준비로 소란스러운 하녀들 틈을 지나 옆 창고로 건너갔다. 이윽고 하녀가 준비해 온 티 세트는 황성에서도 특히 비비안느 황녀가 즐겨 마시는 황실 납품 최고급 허브 차였다. 황금빛 라벨이 장식된 양철 상자는 보는 것만으로도 배가 부를 정도로 사치스러운 외관이었다.

"여기요."

하녀는 티 세트를 시종에게 건네려 했다. 그러나 젊은 남 시종은 뒷짐 진 채 묵묵히 어린 하녀의 얼굴만 응시할 뿐이다.

"저어. 더 필요한 게 있을까요?"

하녀가 영문을 모르는 얼굴로 몸을 낮출 즈음, 시종이 고개를 돌려 부산스러운 주방을 탐색하기 시작했다. 그와 발레리아의 눈이 마주친 건 시종의 눈이 넓은 주방을 한차례 훑고 난 뒤였다. 시종은 발레리아를 향해 턱짓했다.

"네가 그나마 괜찮군. 저것을 들고 나를 따라오도록."

발레리아는 손질하던 마늘을 놓고 얼떨결에 티 세트를 받아 들었다. 그런 그녀를 응시하던 시종이 미간을 찌푸리며 한 소리 했다.

"어느 분 앞으로 가는 줄 알고 그 꼴인 거냐? 멍청하기는. 몸가짐을 바로 해라."

"당황해서 그랬어요. 죄송해요."

곱게 말하면 될 것을 꼭 저렇게 사람의 신경을 건든다. 발레리아가 열심히 손을 닦고 품새를 정리할 동안 멀찍이 선 시종이 혀를 찼다.

"당황? 황성의 하녀가 할 법한 변명인가? 이곳은 무식한 것들에게 자비롭지 않다. 생각이 얕다면 입이라도 조심해라."

싸늘하게 노려보던 시종이 이내 등을 돌렸다. 발레리아는 티 세트를 양손에 들고 시종의 뒤를 따랐다. 고용인들이 오가는 통로는 일층에서 크게 세 갈래로 나눠지는데, 시종의 걸음은 동쪽으로 향했다. 걷는 내내 발레리아는 긴장으로 심장이 터질 것만 같았다.

'아아, 세상에. 동쪽은 빌헬름 전하의 구역이잖아.'

그렌페르크 제국의 황성은 대륙에서도 독보적인 크기를 자랑하며 그 외관 또한 비범하다. 상아를 덮어 태양에 새하얗게 빛나는 성벽은 그렌페르크 제국이 자랑하는 황실의 아름다움과 자존심이었으며 동시에 사치의 절정이었다.

그런 황성은 현재 알게 모르게 세 개의 세력으로 나뉜 상태였다. 하녀인 발레리아는 성내 소문으로만 들어왔지, 그 실체를 접할 기회가 없었다. 당연한 일이었다. 아무리 황성 소속의 고용인이라고 해도 그들의 지위는 땅을 기었다. 발레리아처럼 별 볼 일 없는 하녀에게 귀족이라면 모를까, 황족을 마주할 기회는 몹시 적었기 때문이다. 물론 완전하게 불가능한 일은 아니었다. 장부에 구멍이 나거나 귀족과 놀아난 고용인이 있을 시 즉흥적인 구경거리가 발생하곤 했으니까.

"답답하군. 걸음을 늦추지 말고 빨리 움직여라."

"아, 예."

창문 너머에 위치한 정원의 거대한 대리석 분수로 향했던 고개가 급히 정면으로 향한다.

'빌힐름 전하라…. 나도 그분을 만나 볼 수 있는 때가 올까?'

어쩌면, 하는 기대에 안 그래도 쿵쿵 뛰었던 심장이 더 가빠지는 기분이었다. 그들이 도착한 곳은 3층의 가장 안쪽에 있는 응접실로, 그간 들었던 뒷이야기에 의하면 빌힐름 황자가 자신의 측근들과 자주 자리를 찾는 공간이었다. 문 앞에 멈춰선 발레리아는 마른침을 꿀꺽 삼켰다.

'바보 같은 발레리아. 더, 더 신경 쓰고 왔어야 했는데!'

머리 모양이 바보 같지는 않을까? 손톱 끝에 마늘 껍질이 끼어 있지는 않을까? 방금까지는 느껴지지 않았던 걱정이 물밀듯 밀려왔다. 발레리아는 고개를 숙이고 열심히 입술을 깨물었다. 립스틱이 없으니 이런 식으로라도 혈기를 돌게 만들어야 했다.

이윽고 문이 열렸다. 나타난 방은 창문틀부터 발아래에 깔린 카펫까지 눈이 돌아갈 정도로 화려했다. 적어도 하녀의 눈으로 보기에는 그러했다. 정말로 높은 사람을 만나러 왔구나, 하는 현실감에 발걸음이 꼬였다. 발레리아는 후들후들 떨리는 다리를 겨우 진정시키며 테이블 위에 티 세트를 내려놓았다.

'아.'

그러나 곧 엄청난 실망감이 그녀를 찾아왔다. 이곳에 빌힐름 황자는 없었다. 황자가 기다리고 있을 거라 기대한 자리에는 한눈에도 고귀한 출신으로 보이는 여자가 앉아 있었다. 백자기처럼 하얗고 맑은 피부에 가는 허리. 기다란 목, 여유로운 표정, 생기가 도는 발간 뺨에 기다란 속눈썹은 나비처럼 팔랑거렸다. 그녀가 아는 전형적인 귀족 여식 그 자체였기에 긴장감이 물밀

듯 빠져나갔다.

'나는 정말 멍청한 게 맞나 봐.'

그 빌힐름 전하과 눈이 맞을 수 있을 거란 망상에 젖어 있었다니. 시종이 자신을 지목했다는 사실에 주제 파악도 못하고 들떴던 것 같다. 반반하게 생긴 얼굴 때문에 젊은 귀족들의 눈길도 몇 번 받아본 적이 있던 터라 더욱 그러했다.

'반반해 봤자 하녀는 하녀지. 나라도 하얗고 어여쁜 이 귀족 아가씨가 더 탐나겠다.'

티 세트를 모두 내려놓고 뒷걸음질 치며 힐긋, 여자를 바라봤다. 눈에 띄는 외모의 여자였으나… 글쎄. 여자는 그것으로 끝이었다. 탐스러운 적발과 선명한 녹안이 흰 피부를 돋보이게 했지만, 저 정도의 미인은 발레리아도 더러 본 적이 있었다. 책을 읽던 여자가 가볍게 손짓하자, 시종이 발레리아를 떠밀었다. 허브 차라도 우려내라는 의미일까 싶었다. 명령한 대로 차를 우려내면서, 발레리아는 여자에 대한 인상을 결론지었다.

'별 볼 일 없는 귀족 아가씨. 이 정도면 모자람 없는 완벽한 설명이겠지.'

발레리아는 나름 자신이 상대방의 실체를 잘 꿰뚫는다고 자부했는데 눈앞의 여자는 특히나 더 판단하기가 쉬워 보였다. 눕듯이 앉아 있는 자세, 식기가 있음에도 맨손으로 간식을 집는 모습, 교양 없이 크게 벌어지는 입, 숨길 마음이 없어 보이는 하품까지. 보나마나 뻔했다. 약혼이 무산된 빌힐름 황자에게서 뭐 하나라도 얻어내기 위해 친부를 졸라 쫓아왔을 터였다. 한데 그분이 이토록 부족해 보이는 여자를 상대하실 리 있나?

'우습기는. 우리 황자 전하를 업신여기는 일이나 마찬가지야.'

빌힐름 황자가 측근으로 둔 귀한 신분의 여자들은 하나같이 눈에 총기가 돌았다. 그들은 몸가짐이 바르고 현숙하며 총명했다. 한데 눈앞의 여자는 총기는커녕 방탕하고 모자라 보이기만 하니, 빌힐름 전하께서 거들떠보실

리 없었다. 찻잔을 들어 향을 맡은 여자가 천천히 고개를 주억였다.

"나가 봐."

천천히 뒷걸음질 치려 했으나 시종이 발레리아의 등을 다시 한번 밀어냈다. 그는 눈짓으로 가만히 서 있을 것을 명하고 응접실을 나갔다. 발레리아는 저 홀로 여자 앞에 남겨진 상황에 의구심이 들기는 했으나, 두렵지는 않았다. 여자가 자신에게 무엇을 바라고 있을지 불 보듯 뻔했기 때문이다.

'빌힐름 전하에 대해 물어보겠지. 시녀들은 하나같이 저를 피하니까 이제는 하녀인 내게까지 손을 뻗은 거야. 그래봤자 내가 대답해 줄 건 별로 없지만.'

탁. 책을 접은 여자가 발레리아를 향해 화사한 웃음을 보이며 말했다.

"네 이름이 뭐니?"

상상했던 것보다 훨씬 부드러운 목소리였다.

"발레리아 몰타입니다."

"가문이 있구나."

"우드벨 백작님께서 제 친부의 숙부님 되십니다."

"한데 황성에서 하녀 노릇을 하는 건가?"

"저를 받아 주신 것만으로도 감사하게 생각하고 있습니다."

인심 좋은 귀족은 먼 인척도 가족처럼 대하지만, 대개는 아니다. 발레리아는 아버지의 노름으로 집이 파산한 후 우드벨에 의탁하려 했으나 하루 만에 쫓겨났다. 당시를 떠올리면 운 좋게 황성까지 와 하녀 일을 하는 생활에 불만을 가질 수 없었다. 곱게 자란 아가씨는 절대 이해하지 못할 암울한 시간들이었다. 여자는 발레리아의 사정을 캐물었고, 딱히 숨길 생각도 없었기에 있는 그대로 말했다. 가만히 듣던 여자가 발레리아를 위로했다.

"이런. 굉장히 안타까운 사연이네. 안 좋은 기억을 되살리게 해서 유감이야."

"아닙니다."

"내 이름은 아니?"

그 물음에 발레리아는 조심스레 고개를 숙였다. 황성에서 지내고 있는 귀족은 한둘이 아니었기에 모두를 알지는 못했다.

"죄송합니다, 아가씨. 저는 하녀라 귀족분들에 대해선 잘 알지 못합니다."

이 정도면 나름 예의 바른 대처겠지. 한데 발레리아의 대답을 들은 여자가 응접실이 떠나가도록 대찬 웃음을 터트린 게 아닌가?

"귀족? 아하하하! 내가 귀족로 보이니? 그것 참 영광이야. 나는 제도 근처를 떠돌던 집시 출신이거든."

예의이고 뭐고, 발레리아는 너무 놀라 숙였던 고개를 번쩍 들고 말았다. 집시 출신이라니! 아무리 멍청한 티가 난다고 해도 그렇지, 그런 떠돌이에게선 느낄 수 없는 기품이 풍기는 여자가? 여자는 찻잔을 빙그르르 돌리며 이야기를 이었다.

"우연히 빌힐름 전하의 눈에 들어 여기까지 왔지. 물론 잠자리 친구는 아니야… 정신적으로 고단하던 시기에 서로가 서로에게 위로가 되어 주었다고 할까? 이제는 버려진 인형 취급을 받고 있지만. 고귀한 핏줄을 지닌 사람들이 대개 그렇잖니. 신기한 것에 쉽게 흥미가 생기고, 쉽게 흥미가 지는 거야. 그러면 내 꼴이 나는 거고."

길어지는 말을 듣고 있자니 집시 출신이라는 사실을 납득할 수 있었다. 사용하는 단어들이 신랄하면서 천박하기 그지없었다.

"사실 너를 부른 건 따로 이유가 있어서야."

그의 말을 들으니 잠시나마 들었던 생각이 더욱 확고해졌다. 그녀를 통해 빌힐름 전하의 총애를 되찾을 생각일 터였다. 발레리아는 절대 경거망동하지 않겠다고 다짐했다. 여자가 나긋한 웃음을 흘리며 말했다.

"으음. 대단한 건 아니니 기대하지 마. 이곳에서 지낸 지… 이제 일주일인가? 슬슬 지루해지기 시작했거든. 다들 나를 없는 취급하며 상대해 주지도 않고. 그저 내게는 대화를 나눌 친구가 필요할 뿐인데."

발레리아는 침을 꿀꺽 삼켰다. 이상하리만치 긴장감이 차올랐다.

"그래서 최근에는 하녀라도 데리고 다녀야겠다고 생각하기 시작했어. 이왕 데리고 다닐 거면 예쁜 아이를 데리고 다니는 게 좋잖아? 내 체면에도 훨씬 도움 될 테고. 그래서 시종에게 가장 반반한 하녀를 데리고 오라고 부탁했지."

"그 말씀은…."

여자가 눈을 얇게 뜨며 웃었다. 단 한 번의 미소였을 뿐인데, 발레리아는 어쩐지 남의 보석을 훔쳐보는 기분이 들었다.

'왜지?'

곰곰이 생각해 보면 이상한 일이 아니었다. 무려 빌헬름 황자가 눈독 들이던 여자지 않은가? 이 집시의 목소리와 태도, 표정에 사람의 이목을 집중시키는 무언가가 존재한다는 건 마땅한 사실일 수 있었다. 그리 여기니 편견에 갇혀 있던 시선이 조금은 넓어진 듯했다. 여자에게서는 특별한 생기가 느껴졌다. 화사한 태양 같은 생기가 아닌, 진창에서 피는 독초 같은 생기였다. 황금을 들이키고 초콜릿을 피부에 두르는 귀족들에게선 보이지 않는 세상 밖의 생경한 바람 냄새가 났다. 그 때문일까? 가벼운 몇 마디도 귀담아듣게 된다. 여자가 발레리아에게 말했다.

"어때, 내 친구가 될 생각 있어?"

친구. 여자가 말하는 친구의 의미가 수평적인 관계는 아닐 터였다.

"내가 비록 귀족들에게 천대 받아도 전하의 천대는 받지 않아. 그분은 더 이상 나와 어울려 주지 않으시지만, 여전히 후원을 아끼지 않으시거든. 그래도 서로를 위로했던 기억이 꽤 좋게 남으셨나 봐. 나로서는 참 다행이지 않니?"

발레리아는 경거망동하지 않겠다는 직전의 다짐이 점차 희미해짐을 느꼈다.

"나도 이곳에 그리 오래 있지는 않을 거야. 길어 봤자 겨울을 넘지 않겠지."

이제 막 겨울의 초입이니 그들의 관계도 사 개월이면 끝난다는 의미였다.

"설마, 발레리아. 여기서 평생 썩을 마음은 없을 거라고 봐."

그 순간 발레리아는 느꼈다. 어쩌면, 이 빌어먹을 하류 인생의 종지부를 찍을 날이 도래할 수도 있다고. 원대한 꿈을 지닌 채 추락하는 하류들은 많다. 하지만 발레리아는 생각을 달리했다. 추락도 기회를 놓치지 않는 사람만이 경험할 수 있는 것 아닌가?

그녀 인생에 이 여자는 처음이자 마지막 기회일 수 있었다. 천박한 집시 출신에 빌힐름 전하의 총애를 잃었어도 물질적인 후원이 여전하다면 가능성이 있었다. 이곳을 떠나 풍요로운 생활을 누릴 수 있는 가능성이. 다른 하녀들이 똑같은 하루를 이 화려한 황성의 뒤뜰에서 보낼 동안, 이 기회를 붙잡고 여자를 잘 이용하기만 한다면…. 더 이상의 고민은 필요 없었다. 발레리아는 여자 앞에 무릎 꿇었다.

"아가씨를 즐겁게 해 드릴 수 있도록 최선을 다하겠습니다."

여자의 눈동자에는 당혹도, 기쁨도 느껴지지 않았다. 그녀는 발레리아의 대답을 당연시하는 듯했다. 역시 이상한 일이었다. 더없이 가벼워 보이는 인물인데, 어째서인지 눈을 읽을 수 없다. 속이 훤히 보인다고 생각했던 게 바로 아까까지의 일이었는데…. 자리에서 벌떡 일어난 여자가 발레리아를 일으키고 부드럽게 껴안았다.

"내 제안을 받아 줘서 정말 고마워. 장담컨대 오늘은 황성에 온 이래 가장 즐거운 날일 거야."

탐스러운 적발이 발레리아의 뺨을 건드렸다. 그녀는 두 손을 가지런히 모으고 얌전히 여자의 품에 안겼다.

"내 이름은 수잔이야. 앞으로 잘 부탁해, 발레리아."

그날 발레리아의 기억 속에 가장 선명하게 남은 것은, 수잔에게서 아무런 향기도 나지 않았다는 점이다.

그날부터 발레리아는 틈만 나면 수잔에게 불려 갔다. 불려 간 것으로 끝이 아니라 수면을 제외한 하루의 반나절 이상을 그녀의 옆에서 보냈다. 다른 하녀들이 땀을 뻘뻘 흘리며 걸레질을 하고 도마와 싸울 때 발레리아는 수잔의 옆에 앉아 아슈타르 산 페퍼민트 차를 음미했다. 수잔은 발레리아가 바라는 대로 물질적인 풍요가 충분했다. 하루는 그녀가 양철 상자에 둘러진 황금 라벨을 신기한 눈으로 쳐다보자 수잔이 귀엽다는 듯 웃으며 말했다.

"그런 게 좋니?"

다음 날, 시종이 발레리아의 방에 똑같은 브랜드의 차를 스무 상자 놓고 사라졌다. 그날 발레리아는 자신이 정말 다른 하녀들과 '달라졌다'는 사실을 실감했다. 동료 고용인들의 반응은 크게 두 가지였다. 몹시 시기하거나….

"집시의 뒤나 닦아 주는 년."

경멸하거나. 후자의 경우는 대개 황성의 시녀들이었다. 황족의 수발을 드는 고귀한 출신의 여자들은 한낱 하녀가 자신들 못지않게 호사를 누리는 걸 달가워하지 않았다.

"멍청하기도 하지. 황자의 이목도 끌지 못하는 철 지난 꽃에게 뭘 바라는 걸까나."

"네 아가씨가 똑똑하기를 해, 매력적이기를 해? 얼굴 말곤 가진 게 없어서 그 꼴이 된 거야."

누군가는 그녀에게 꽤 진심 어린 조언을 하기도 했다.

"하녀면 하녀답게 굴어라. 괜히 좋지 않은 꼴 보지 말고. 너처럼 굴다가 쥐도 새도 없이 사라진 아이들이 한둘인 줄 아느냐."

기세등등한 시녀들의 폭언은 수잔 앞이라고 조용해지지 않았다. 혹자는 둘이 지나가면 소리 높여 보란 듯이 비웃기도 했다. 하지만 수잔은 그들의 비웃음을 귓등으로 넘겼다. 얼마나 여상하던지, 처음에는 무시 받는 그녀에게 동정심을 느꼈던 발레리아도 이제는 무던하게 넘길 수 있게 될 정도였다.

"사람들은 모두 똑같아. 내가 가지지 못한 것을 남이 가지면 시기하고, 내 자리를 타인이 위협하면 경멸하지. 눈앞에서 날 조롱하는 자들? 그들에게 너무 감정적으로 대응하지 말렴, 발레리아. 자신의 속마음을 꽁꽁 숨긴 채 여우처럼 구는 것보다는 훨씬 나으니까."

그녀의 상황이 여의치 못했다면 헛소리한다며 코웃음 쳤을 것이다. 그러나 수잔은 그녀가 확언했던 대로 차고 넘칠 만큼 부유했다. 발레리아는 그러한 사실이 몹시 의아했다. 수잔은 정말 빌헬름 전하의 총애를 잃은 게 맞나? 혹시 황자 전하의 약점이라도 쥐고 있는 게 아닐까? 그렇지 않고서야 이런 호사를 누릴 수 없을 텐데.

어느 순간부터 수잔에 대한 인상이 조금씩 바뀌기 시작했다. 수잔은 발레리아가 보아 온 여자 중 가장 묘한 여자였다. 습관처럼 짓고 있는 미소보다 창밖을 응시할 때의 서늘한 얼굴이 훨씬 더 어울렸다. 아양 떨 듯 높은 음성으로 대화를 나눌 때보다 늦은 밤이 되어야 들을 수 있는 차분하고 선명한 음색이 더 귀에 박혔다. 수잔이 발레리아 인생의 가장 큰 전환점이 되어 줄 '그 일'을 시켰을 때의 목소리도 그러했다.

"지금부터 네게 떠오르는 태양의 제조법을 알려 줄 거야."

"떠오르는 태양이요?"

발레리아의 되물음에 수잔이 짧게 웃었다.

"내가 즐겨 마시는 적포도주 제조법이야. 사실 제조법이라 표현하기에도 민망할 만큼 간단하고 편리하지."

수잔이 발레리아 앞에서 와인 잔에 술을 따랐다. 그리고 그 옆의 적색의 액체가 든 자그마한 유리병을 열어, 극미한 양을 잔 안에 떨어뜨렸다.

맛에 변화가 생길지 의문일 정도로 적은 양이었다.

"그 붉은 액체는 뭔가요?"

"피처럼 보이지?"

"네."

"이건 아주 귀한 재료야. 이 재료가 떠오르는 태양의 제조법의 심장이나 마찬가지지. 제조는 이것으로 끝이야."

그리고 수잔은 찰랑이는 포도주, 떠오르는 태양을 창문 밖으로 쏟아 부었다. 그녀의 행동에 발레리아가 의아한 얼굴을 했다.

"차라리 저에게 주시지 그러셨어요? 어떤 맛일지 궁금했는데."

"너는 절대 마셔서는 안 돼."

빈 와인 잔 또한 쓰레기통으로 직행했다.

"그리고 이 제조법을 아는 이 역시 너와 나 이외에 없어야만 하지. 알겠니? 그 누구에게도 이 유리병을 빼앗기면 안 된다는 뜻이야."

발레리아는 영문도 모르는 채 수잔이 내민 유리병을 받아 들었다. 분위기를 보아 중요한 물건인 듯해 일단 품 안쪽에 넣어 두었다. 이걸 내게 왜 주는 걸까? 잠시 머리를 굴리던 발레리아가 수잔에게 물었다.

"제가 해야 할 일이 있을까요?"

"아니."

방긋 웃은 수잔이 전시장에서 와인 잔 두 개를 꺼냈다. 그리고 그 안에 적포도주를 채우며 말을 이었다.

"나서서 무언가 할 필요는 없어. 그저 누군가 네게 떠오르는 태양을 요구한다면, 그 요구를 들어 주면 된단다."

그날 발레리아는 술에 진창 취한 채 잠들었다. 이른 아침에 일어나야 했으나 잡일을 하기 위해서가 아닌, 수잔의 시중을 들기 위함이었으므로 힘들지 않았다.

수잔의 말뜻을 완전히 이해하게 된 건 그로부터 사흘이 지난 후였다.

"발레리아 몰타?"

남자의 부름에 발레리아는 심장이 목구멍 밖으로 튀어나올 뻔했다. 평범한 시종이었다면 아무렇지도 않았을 것이다. 그러나 그녀를 찾아온 시종은 황성에서 발에 차이는 그저 그런 시종이 아니었다. 무려 황제의 침실을 지키는 시종이었다.

"네, 제가 발레리아 몰타입니다. 무슨… 일이시죠?"

"폐하의 명이다. 떠오르는 태양을 진상해라."

그날부터였다. 그날부터 발레리아는 매일같이 황제의 침실에 떠오르는 태양을 한 잔씩 진상했다. 처음 황제의 앞에 섰을 때, 발레리아는 감히 눈을 마주칠 수 없었다. 황제 또한 발레리아에게 일말의 관심도 없는 듯했다. 만인지상 황제에게 한낱 하녀가 눈에 밟힐 리 없었다. 그러나….

"너는 눈이 맑군."

떠오르는 태양을 바친 지 사흘째 되는 날. 황제가 처음으로 그녀를 아는 체했다. 발레리아는 얼굴이 뜨거워져서 감사하다는 대답만 겨우 할 수 있었다. 눈이 맑다고? 믿을 수 없었다. 다른 이도 아닌 황제에게서 그런 소리를 듣다니. 하루하루가 흐를수록 그들의 대화는 길어졌다. 어느 날부턴가는 황제의 정부가 하던 일을 발레리아가 대신했다. 그녀는 황제가 떠오르는 태양을 음미할 동안 노인의 두 다리를 주물렀다. 황제의 육신에 손을 대는 것은 귀족에게도 허락되지 않는 일이었다. 수잔은 이렇게 말했다.

"생각해 봐. 날마다 네게 세상에서 가장 달콤한 술을 바치는 청년이 있어. 사지가 멀쩡하고 얼굴도 꽤 준수한 청년 말이야. 네 머릿속에 그 청년은 과연 어떤 존재로 각인될까?"

발레리아는 소리 없이 경악했다. 그녀의 말은 즉, 이 모든 상황이 수잔의 계획이었다는 뜻이었으므로. 그렇게 며칠의 시간이 흘렀다. 황제의 입에서 발레리아가 거론되는 일이 잦아졌다. 그렇게 나흘 무렵이 되었을 땐 수잔보다 황제의 곁에 머무는 시간이 더 많아질 정도였다.

발레리아는 천국의 외나무다리에서 춤추는 기분을 만끽했다. 다른 이도 아닌 무려 황제가 그녀를 옆에 두려 하고 있지 않은가? 며칠이면 사라질 마음이라 해도 상관없었다. 아니, 발레리아 자신만 잘한다면 고작 며칠로 끝날 총애가 아닐 수 있었다. 특히 잠자리에서 황제의 마음에 든다면 어떻게든….

"그 술을 마신 황제와 첫 번째로 몸을 섞는 건 무조건 너여야만 해."

발레리아는 수잔의 그 짧은 한마디를 이해하기 위해 열심히 머리를 굴렸다. 그리고 나름의 결론을 내지었다. 아마, 수잔에게서 받은 유리병의 액체에는 옳지 못한 성분이 함유되어 있을 것이다. 아마, 수잔이 자신을 부른 것은 이 자리를 선물하기 위해서였을 것이다. 그리고 다짐했다. 수잔의 줄을 놓으면 안 된다고.

"황제 폐하를 어떻게 하실 작정이신가요?"

쉬이 물을 질문이 아니란 걸 알면서도, 발레리아는 궁금증을 참을 수 없었다. 수잔은 대체 어떤 목적을 이루기 위해 그녀를 이용하는 걸까? 수잔은 대수롭지 않은 낯으로 대답했다.

"뼛속까지 발라 먹은 후에 조용히 묻어야지."

처음에는 지독한 농담이라고 여겼다. 하지만 내면 깊숙한 곳에서 두려움이 스멀스멀 올라오고 있었다.

“아! 물론 농담이야, 발레리아. 너무 진지하게 받아들이지 말렴. 그분을 내가 감히 어찌하겠어?”

부드러운 웃음과 함께 수잔이 덧붙인 말을 들으며, 발레리아는 생각했다. 그녀라면….

“그러실 거라고 생각했어요.”

수잔이라면, 가볍게 던진 말이 아닐 수도 있다고. 그때 발레리아는 자신의 다짐을 내버렸다. 그녀를 이 자리까지 올려 준 수잔에게는 늘 고마움을 느끼고 있었지만, 그 마음은 생존과 별개의 일이니까. 발레리아는 황제를 해할, 혹은 그 정도 수준으로 위험한 행동을 불사할 생각이 전혀 없었다.

‘수잔 아가씨를 선택했을 때와 지금 상황은 다르지.’

이제 그녀의 왼손에는 황제도 쥐어져 있지 않은가? 그러나 발레리아는 태생이 모질지 못하기도 하였고, 자신을 선택해 준 수잔의 손을 바로 내칠 수도 없었다. 황제와 수잔 사이에서 아슬아슬하게 거리를 유지한 채로 며칠이 흘렀던가. 결국은 우려했던 최악의 상황이 찾아오고 말았다.

“곱게 밝히거라. 누구의 사주느냐.”

겨울비가 우수수 떨어지던 날의 저녁. 황제의 침실에는 처음 보는 낯의 기사와 측근들이 발레리아를 기다리고 있었다. 그녀에게 진실을 요구하는 황제의 시선이 그 어느 때보다 살벌했다. 발레리아는 황제의 측근이 손에 쥐고 있는 떠오르는 태양을 떨리는 시선으로 훔쳐봤다. 두려움으로 입이 열리지 않았다. 황제가 말했다.

“가문의 수장이 될 후계자들은 날 때부터 독에 대한 면역을 기르지. 무지한 너를 위해 말해 주자면… 황실은 제국에서 가장 오랜 역사를 지닌 독 연구가들의 요람이다. 그들을 옆에 두고 자라온 짐 역시 마찬가지야.”

말을 마친 황제가 이제껏 보아 온 그 어느 때보다 상냥한 미소를 만면에 보였다.

"발레리아. 짐은 널 믿고 싶다. 너는 짐이 보아 온 아이 중 가장 순수하고 어여쁜 아이란다. 네가 자진해서 날 해하려 하진 않았을 것이라 생각한다. 그러니 바른대로 말하거라."

황제의 차분한 목소리와 표정이 발레리아에게 안도감을 선물했다. 지금이라는 생각이 퍼뜩 들었다. 그야말로 하늘이 내린 기회지 않은가. 신임을 얻어 황제의 정부로서 새로운 삶을 시작할 기회! 바닥에 엎드린 발레리아가 쥐어짜는 목소리를 내뱉었다.

"수잔…."

"더 크게 말하라!"

측근의 호통에 발레리아가 조심스레 고개를 들며 입을 열었다. 그녀는 품 안에 항시 품고 다녔던 유리병을 조심스럽게 꺼내어 황제에게 내밀었다.

"수잔이라는, 황성에 거주하는 집시가 있습니다. 그 여자가 제게 이것을 주었습니다. 그러나 도, 독이라는 소리는 처음 듣습니다. 그저 술을 제조하는 방법 중 하나라고…."

가까운 자리에 선 남자가 유리병을 빼앗아 액체를 확인했다. 냄새와 형태를 유심히 살피던 남자가 모호한 표정으로 황제를 향해 고개를 돌렸다.

"혈액 같습니다, 폐하."

혈액이라니? 남자의 판단을 납득할 수 없었던 발레리아가 급히 끼어들었다.

"혈액이 아닙니다! 그 여자가 제게…!"

모두의 시선이 그녀에게로 향했지만, 발레리아는 말을 이을 수 없었다. 그 여자가 내게 무어라고 말했지? 단 한 번이라도 저 액체가 무엇인지에 대해 언급한 적이 있던가? 발레리아가 굳어 있을 동안 황제의 관심은 식어 갔고, 곧 그의 시선이 그녀로부터 떨어졌다.

"경. 성분을 알아내기까지 얼마의 시간이 필요하겠는가?"

"이틀이면 충분합니다."

측근들이 자리를 떠나고, 발레리아는 황제의 침실 안쪽에 자리한 비밀스러운 공간에 갇혀 이틀을 보내야 했다. 이틀 동안 황제는 그녀를 찾아오지 않았다. 발레리아는 이대로라면 황제의 총애를 잃을 수 있다는 두려움에 뜬눈으로 이틀을 지냈다.

'내 마음만은 진심이라고 강조해야 해. 폐하를 한 번이라도 더 뵙고 싶은 마음이었다고. 나, 나는 정말 아무것도 몰랐잖아? 그러니 거짓말은 절대 아니지….'

제아무리 냉철한 황제라도, 짧게나마 정을 나눴던 여자를 그냥 내치지는 않을 것이다. 아직 신뢰를 회복할 수 있는 기회는 남아 있다. 그래, 대처만 잘할 수 있다면.

하지만 다가온 이튿날 밤. 유리병 속 액체에 관하여 논하는 남자의 주장에 애써 붙잡았던 평정심이 무너졌다.

"순수한 혈액입니다. 그 외에는 어떤 불순물도 발견하지 못했습니다."

처음에는 머릿속이 하얗게 얼어붙었다. 이 자리에서 목숨을 잃을 수도 있다는 공포가 숨구멍을 틀어막는 기분이었다. 발레리아는 울먹이는 목소리로 외쳤다.

"그, 그럴 리 없습니다, 폐하! 저는 날마다 폐하께 바치는 술잔에 저 액체를 더했습니다. 그 여자가 직접 저에게 말했어요! 똑똑히 들었단 말입니다. 폐하를 뼛속까지 발라 먹은 후 조용히 묻어 버리겠다고!"

황제에게서는 그 어떤 동요도 느껴지지 않았고, 그럴수록 발레리아의 불안감만 커질 뿐이었다. 얼마 지나지 않아 황제가 나직한 목소리로 그녀를 불렀다.

"발레리아."

“네, 네. 폐하… 저는 절대 폐하를….”

“그리도 목숨이 귀중하다면 한 번 더 기회를 주마. 짐을 만족스럽게 하는 답을 내놓기만 하면 돼.”

“폐하를 위해서라면 무엇이든 하겠습니다.”

그녀와 마주하는 황제의 눈빛이 예전 같지는 않았으나, 발레리아는 그가 자신에게 기회를 주는 것만으로도 다행이라 여겼다. 이윽고 황제가 의자에 등을 기대며 발레리아에게 물었다.

“그 수잔이라는 여자가 너를 짐에게 보냄으로써 무엇을 얻었느냐?”

“…그건.”

없었다. 놀랍도록 아무 것도 없다는 사실이 발레리아의 목구멍을 틀어막았다. 수잔은 빌헬름 황자의 손님이었고, 그것이 다였다. 그녀의 삶은 황성에서 호화로운 음식과 아름다운 풍경에 둘러싸여 사치를 누리는 게 전부였다. 그런 수잔에게 황제를 해할 이유가 과연 존재할까? 제대로 답하지 못하자, 황제가 시종장에게 명을 내렸다.

“수잔이라는 집시를 데려와라.”

명을 받든 시종장이 다시 돌아온 건 그로부터 몇 분 지나지 않아서였다.

“폐하.”

놀랍게도 수잔은 혼자가 아니었다. 그녀의 곁에는 바라보는 것만으로도 눈이 멀 것처럼 황홀한 아름다움을 지닌 여자가 함께였다.

“네가 여기까지는 무슨 일이냐, 비비안느.”

생각지도 못한 인물의 등장이었다. 비비안느는 애교 섞인 웃음을 지으며 대답했다.

“일이랄 것까지 있나요? 친우와 함께 즐거운 시간을 보내고 있었는데… 폐하께서 찾으신다고 하니 제가 직접 소개하기 위해 따라왔지요.”

“너는 어릴 때부터 마음이 곱고 포용력이 넓은 아이였지… 이제는 집시

와 시간도 갖는 모양이로구나."

"폐하. 부디 그런 불순한 표현으로 수잔을 모욕하지 말아 주세요. 제 친우가 떠돌아다닌 시간이 길기는 했으나, 엄연히 존중받을 만한 가문의 핏줄입니다."

"호오. 그것 참 재밌는 이야기로군. 존중받을 만한 가문 태생의 집시라… 그런 경우는 있을 수 없다고 생각했는데 말이지."

대답과 달리 황제는 그리 흥미가 동해 보이지 않았다. 그가 조용히 선 수잔을 향해 물었다.

"이름이 무엇이냐."

집시에게 성이 있을 리가. 그러나 수잔의 입에서 나온 이름은 발레리아에게 무척이나 낯선 이름이었다.

"아그레인 캐롤드입니다."

실내에 이상하리만치 긴 정적이 돌았다. 그 기이한 분위기를 눈치챈 발레리아가 어깨를 움츠리고 시선을 낮추었다.

"아. 이런 얼굴들이로군요."

모두가 숨을 죽이고 있는 탓에, 자그마한 수잔의 목소리가 그 어느 때보다 선명하게 들렸다. 이런 얼굴들이라니, 무슨 의미일까.

"그렇군."

황제의 대답은 짧은 감탄사와 다름없었다. 힐끔 살핀 황제는 무척이나 낯선 얼굴을 하고 있었다. 무언가 깊게 골몰하는 눈동자. 딱딱하게 굳은 채로 눈앞의 상황을 마땅히 받아들이는 표정.

"그래, 그랬어. 그랬지. 그런 일도 있었어. 빌힐름이 그대를 이곳으로 데려온 것으로 알고 있다. 맞느냐?"

수잔이 대답했다.

"그렇습니다, 폐하. 하녀로 일하고 있던 저를 누이라 칭하며 거두었죠. 빌힐름 전하는 이곳이 저의 집이라 했습니다."
"틀린 말은 아니다. 그동안은 어디에서 지냈지?"
"트리비아체와 잉고르드입니다."
두 번째로 긴 침묵이 맴돌았다. 그들의 대화를 멍청하게 엿듣고 있던 발레리아가 입술을 깨물 정도로 불편하고 긴 침묵이었다. 얼음장 같은 고요함을 깨뜨린 건, 이번에도 역시 황제였다. 그의 목소리는 읽어내기 힘든 모호한 감정으로 얼룩져 있었다.
"짐을 기억하지 못하는 모양이군."
"예. 저는 2년 전에 모든 기억을 잃었습니다."
"저런."
짧게 혀를 차는 황제에게선 일말의 안타까움도 느껴지지 않았다. 다만 놀란 것은 확실해 보였다.
"짐이 그대를 부른 이유에 대해서는 알겠나?"
"저의 개인적 의견을 말씀드리자면, 썩 좋은 이유에서는 아닐 것 같습니다."
"지금으로부터 오래되지 않았어. 저녁 식사 자리에서였지. 그대가 내게 말을 걸었던 장면이 떠오르는군. 기억하는가?"
"물론입니다. 폐하께서는 떠오르는 태양을 마음에 들어 하셨죠. 당시 저는 하녀인 발레리아 몰타가 제조하고 있는 술로, 마음에 드신다면 그 아이를 부르라 말씀드렸습니다."
뒤쪽에 앉아 한참 딴짓을 하던 비비안느 황녀가 명랑한 목소리로 함께 끼어들었다.
"아아, 그거 굉장히 낭만적인 이름이네요. 떠오르는 태양이라니. 어떤 맛일지 궁금한걸요."
"궁금해할 필요 없다, 비비안느. 네 친우가 짐에게 추천한 술은 몹시 고약한 놈이었으니까."

단호한 부정에 비비안느 황녀가 동그란 이마를 사랑스럽게 구겼다.

"고약하다니요. 폐하께요? 흐음…."

덜컥 겁이 난 발레리아가 목청이 찢어지라 외쳤다.

"제 증언에는 일말의 거짓도 없습니다, 폐하!"

"그따위는 중요하지 않다, 발레리아. 짐이 원하는 답은 마지막 질문에 대한 답뿐이다."

발레리아는 마른침을 삼켰다. 강압적인 시선으로 자신을 내려다보는 귀족들 사이에서 그녀는 다시금 깨달았다. 자신의 위치가 고작 하녀에 불과하다는 사실을. 어떻게 처신해야 할지 이틀간 방 안에 꼼짝 않고 갇혀 고민했으나, 당장 닥친 위기에 아무런 생각도 나지 않았다.

"곧… 곧 폐하를 위협하게 될 테니 그전에 미리…."

사위는 고요했으나, 그 누구도 발레리아의 목소리에 귀 기울이지 않다는 것이 느껴졌다. 발레리아는 다시 한번 더 절망했다.

"분명 제게 폐하를 해한다고…."

"누가 짐을 해한다는 거냐. 확실하게 말해라."

눈동자만 굴리던 발레리아가 팔을 뻗어 수잔을 가리켰다. 모두의 고개가 수잔에게로 향했고, 발레리아는 잠시나마 숨통을 틀 수 있었다. 하지만 수잔의 반응은 놀랍도록 평온했다. 그녀는 고개를 갸웃하며 황당하다는 듯 작게 웃음을 터트렸다.

"이건 너무나 갑작스러운 흐름인데요. 폐하, 괜찮다면 제가 발레리아와 대화해도 되겠습니까?"

제국의 주인인 황제 앞임에도 수잔의 기세는 당당했다. 그렇다고 거만한 어투나 자세는 아니었던 터라 누구도 그녀의 태도를 지적하지 않았다. 황제가 옅게 고개를 끄덕이자 수잔이 발레리아 앞으로 가까이 다가왔다. 안 그래도 새하얗게 어지럽던 머릿속이 더 황망해지는 기분이었다. 발레리아는 몰려오는 죄책감과 두려움에 그녀의 눈을 마주할 수 없었다.

"내가 왜 폐하를 해할 거라 생각하는 거니?"

이번에도 멍청하게 대응한다면 끔찍한 결말을 맞이하게 될 수도 있다.

'나는 진실만 말하고 있어. 불리한 건 내가 아니라 저쪽이야.'

발레리아가 대답했다.

"아가씨께서는 저에게 붉은 액체가 든 유리병을 주셨던 적이 있습니다."

"아아, 그래. 분명 그랬던 적이 있지."

긍정하는 대답에 발레리아가 용기를 끌어 올렸다.

"그리고 그 액체를 술과 섞어 폐하께 대령하라고 말씀하셨습니다."

그에 물끄러미 그녀를 내려다보던 수잔이 말했다.

"무언가 잘못 알고 있구나, 발레리아."

"네?"

발레리아가 바닥에 처박고 있던 고개를 들어 올렸다. 너른 창문에서 쏟아지는 빛이 그녀의 머리 위로 수잔의 그림자가 지도록 했다. 그늘진 수잔의 얼굴에는 평소 보였던 명랑한 웃음이나 가벼운 시선이 존재하지 않았다.

"내가 언제 그 술을 폐하께 대령하라고 했지? 멍청한 짓을 했구나. 아아, 이제야 네가 왜 그 자리에서 그 꼴이 되었는지 알겠어."

수잔이 곤란하다는 듯 머리를 저으며 눈을 감았다. 발레리아는 필사적으로 머리를 굴렸다. 그녀가 정말 자신에게 그런 말을 한 적이 없었나? 몇 주나 흐른 일인데 선명하게 기억날 리 만무했다. 하지만 그런 말을 하지 않았을 리 없어. 하지 않았다면 자신이 황제에게 술을 바치는 일도 없었을 것이다. 발레리아는 목소리를 쥐어짜며 억울함을 호소했다.

"폐하 앞에서 감히 거짓을 입에 담으시다니요, 아가씨! 분명 그날 아가씨께서…."

"쉿. 발레리아, 진정해."

각막이 베일 정도로 서늘한 수잔의 시선에, 발레리아는 저도 모르게 입을 닫았다. 그녀의 얼굴을 확인한 수잔이 황제에게 말했다.

"폐하. 아무래도 발레리아가 큰 착각이라도 한 모양입니다. 제가 이 아이에게 유리병을 준 것은 맞습니다. 이슬라의 환청이 들어 있는 유리병을요."

"뭐라. 이슬라의 환청?"

황제가 미심쩍은 어조로 수잔을 훑었다.

"그 값비싼 약제를 그대가 어찌 지니고 있는 것이냐."

이슬라의 환청이라면 황성에서 일하게 된 이후 간간이 소문을 들은 적 있었다. 동대륙과의 무역 길을 뚫은 거대 상단과 귀족 가문에서도 구하기 힘들다던 최고급 약제, 아니 마약이지 않은가. 수잔의 대답은 간결했다.

"비비안느 전하께서 구해 주셨습니다. 다름 아닌 저를 위해서요."

이번에는 모두의 시선이 비비안느 황녀에게로 향했다. 황녀는 꿈결 같은 화사한 금발을 늘어뜨리며 우아한 자세로 의자에 앉아 있었다. 비비안느 황녀의 나른하면서도 교태 어린 목소리가 방을 울렸다.

"으응. 그랬던 적이 있지. 제 사랑스러운 친우의 말이 맞습니다, 전하. 아그레인을 위해서라면 그 정도야 손쉬운 일이니까요."

"네가 무엇을 하든 짐이 크게 상관하지 않는단 걸 알 거다, 비비안느."

"물론이지요. 항상 감사하게 생각하고 있습니다, 폐하."

"그러나 빌힐름과 함께 제국의 기둥이며 짐의 자부심인 네가 이슬라의 환청에 절어 산다는 소식은 그리 기쁜 소식이 못 되는구나."

비비안느 황녀가 눈을 크게 떴다. 그러고는 참을 수 없다는 듯 몸을 굽히고 웃음을 터트렸다.

"아하하! 네에? 자부심? 세상에나, 폐하. 저를 그리 귀한 딸로 여겨 주시다니…."

발레리아는 기쁨에 젖어 잦아드는 비비안느 황녀의 목소리에서 그녀가 얼마나 감격스러워하는지 느낄 수 있었다. 발레리아가 아름다운 비비안느 황녀의 얼굴에서 눈을 못 떼는 동안, 황녀가 조곤조곤 말을 이었다.

“여흥거리로 사용하지는 않았습니다. 모두 아그레인의 긴장을 풀어 주기 위해서였으니까요. 폐하께서도 아시겠지만, 곧 황실 사냥 대회가 열리지 않습니까. 사랑스러운 아그레인이 별 볼 일 없는 사냥 실력을 내세워 성과를 내고 싶다 하더이다. 그것도 폐하께 바칠 성과를요! 얼마나 고운 마음씨인지.”

이 무슨 헛소리란 말인가? 비비안느 황녀가 수잔을 찾아온 적은 있었다. 하지만 황녀는 황성을 방문한 모든 손님들에게 친절했으며 관심을 기울이려 노력하는 여자였다. 그 누구도 둘의 친분이 두터워서라 여기지 않았다. 황녀가 수잔과 개인적인 만남을 가진 건 고작 두 번에 불과했다. 반나절 이상을 수잔과 붙어 있는 발레리아가 누구보다 잘 알았다.

‘그렇다면, 내가 폐하께 불려오기 시작한 이후에는?’

황제의 시선이 시종장에게로 향했다. 시종장, 카이로 백작이 고개를 숙이며 말했다.

“근래 두 분이서 자주 사냥을 즐기셨습니다.”

가슴 속에 응어리져 있던 불안감이 점차 커져가기 시작한다.

‘아니야, 진실만 말하고 있는 건 나야. 진실은 밝혀지게 되어 있어.’

수잔이 방긋 웃으며 시종장의 말을 받았다.

“한데 제가 피를 못 보는 성정인 터라…. 전하와 함께 사냥을 즐긴 직후에는 늘 밤을 새거나 잠에 들더라도 악몽을 꿨습니다. 전하께서 제게 이슬라의 환청을 선물해 주신 이유도 그 때문입니다.”

황제의 곁에서 경청하던 측근이 턱을 쓸며 덧붙였다.

“애초 이슬라의 환청이 약제로 사용되었던 이유는 극소량을 투입하면 긴장이 풀리면서 쉬이 잠들 수 있기 때문입니다. 다만 값이 천정부지라 잘 사용하지 않을 뿐이지요."

무언가 이상하다.

"또 이슬라의 환청은 혈액과 특별한 반응 없이 잘 섞이기 때문에 둘을 섞어 효능을 죽이고 양을 늘리기도 합니다. 굳이 둘을 섞는 이유는 이슬라의 환청이 지닌 특유의 고약한 향이 혈액과 만나면 감쪽같이 사라지기 때문입니다. 다만 혼합액이 오래되면 이슬라의 환청은 모두 산화되고 혈액만 남습니다. 유리병 안에 순수한 혈액만 남아 있던 것이 그 이유에서라면 말이 됩니다."

발레리아가 원했던 건 이런 분위기가 아니었다. 어디서부터 문제가 생긴 거지? 황제가 수잔을 불렀을 때부터? 불려온 수잔이 비비안느 황녀를 대동했을 때부터? 아니면 한참 거슬러 올라가 그녀가 수잔의 제안을 받아들였을 때? 수잔이 말했다.

"제가 발레리아에게 약을 믿고 맡겼던 이유도 그 때문이었습니다. 한데 그 약이 폐하께 올라가고 있어서였다니. 어쩐지 최근 며칠은 계속 악몽을 꾼다고 했지요. 이토록 황당한 일이 일어날 줄은…."

짧은 정적이 흘렀다. 발레리아는 수잔의 그림자 속에서 천천히 고개를 들어 그녀의 하얀 뺨을 올려다봤다. 그늘 아래에 차분하게 가라앉은 녹안이 발레리아를 응시한다. 표정도, 시선도 모두 생기 없는 인형처럼 느껴졌다. 이해할 수 없었다. 나는 왜 이 여자를 모자라고 철없는 여자로 여겼을까? 그런 의문이 들기 시작하자 문득 등 뒤로 소름이 일었다. 그녀는 수잔을 이길 수 없었다. 비비안느 황녀가 그녀를 돕는다면 더더욱.

"또 할 말이 있느냐, 발레리아."

하지만 발레리아는 살고 싶었다. 황제의 물음에 열리지 않는 입을 억지로 열었다.

"폐하를… 해할 거란 농은 왜 하셨어요?"

"흐음."

수잔이 눈을 얇게 뜨고 말을 아끼는 사이, 뒤쪽에서 까르르 웃는 웃음소리가 들렸다.

"아아, 재밌어라! 역시 네 하녀는 황성에 있을 만한 아이가 아니야, 아그레인. 내가 그간 그렇게 말렸잖니. 대체 저 하녀의 어디가 그렇게 마음에 든 건지 모르겠네."

실컷 웃은 비비안느 황녀가 허리를 펴며 말했다.

"며칠 전에 아그레인과 차를 마시면서 그 이야기를 했었어요, 폐하. 기억나시죠? 작년에 늑대 몰이를 하다가 미쳐 날뛰던 사냥개요."

"키볼트 말이로군."

"네에. 폐하를 덮치려 했지만, 자비로운 폐하께선 그 미친개를 가엾게 여겨 죽이지 않으셨죠. 올해도 그 아이를 풀어놓으실지 궁금해서요. 아그레인과 웃으며 떠들었죠, 올해도 그 개새끼가 똑같은 짓거릴 한다면 쏴 버리겠다고요! 중간은 홀라당 빼먹은 주제에 저 혼자 아주 단단히 오해한 모양이네요."

가녀린 목소리에서 나왔다고는 믿기 힘들 만큼 자극적이고 거친 어투였다.

"저는 아그레인과의 시간을 방해받는 걸 싫어해요. 아그레인의 하녀도 방 밖에 서 있도록 했었죠. 뭐어… 이야기가 자세히 들리지 않았다면 그런 착각을 할 법도 하네요."

짧은 정적이 흘렀다.

"발레리아."

수잔의 부름에 발레리아가 주먹을 꽈악 쥐었다.

"폐하께 사죄하렴."

욱한 마음에 고개를 들었다. 때로는 질 것을 알면서도 자신의 뜻을 관철하고 싶을 때가 있다. 지금이 그러했다. 그러나 황제와 눈이 마주치는 순간, 그런 마음은 순식간에 증발하고 말았다. 남자의 관심은 이미 발레리아에게서 멀어져 있었다. 아니, 멀어진 것으로 모자라 무관심했다. 그를 진정으로 사랑한 것도 아닌데 가슴이 미어졌다. 발레리아가 할 수 있는 것은 하나밖에 없었다.

"저의 무지와… 멍청함을 부디… 용서해 주십시오, 폐하."

황제의 시선이 기다렸다는 듯 그녀로부터 떨어졌다. 얇게 뜬 눈이 수잔과 비비안느 황녀 사이를 오갔다. 옅은 의문이 섞인 얼굴로 그녀를 응시했다.

"네가 이토록 타인에게 관심을 보이는 건 처음이구나, 비비안느."

비비안느 황녀가 부드럽게 입꼬리를 끌어올렸다.

"아그레인은 제 운명의 반쪽이에요. 저는 남은 일평생을 아그레인와 함께하기로 마음먹었어요. 우리는 분명 제국에서 가장 아름답고 현명하며 사랑스러운 단짝이 될 거예요. 정말로요."

"빌힐름이 데려온 아이가 아니더냐."

"빌힐름은 믿음직스럽지 않아요."

방 안에 눈에 띌 정도로 확연한 긴장감이 돌기 시작했다. 그러나 제 알 바 아니라는 듯, 비비안느는 태연한 표정으로 자신의 손톱을 매만졌다.

"전 빌힐름과 달라요. 가진 것을 죽이는 한이 있어도 절대 잃어버리지 않을 자신이 있어요. 그러니 폐하도 저의 사랑스러운 아그레인을 귀엽게 봐주세요."

그리고 친부에게 부탁이라도 청하듯 장난스럽게 눈웃음을 지었다.

황제의 반응은 이를 데 없이 간결했다.

"재밌겠구나."

그 한마디를 마지막으로, 발레리아는 황제로부터 버려졌다.

쾅.

문이 닫혔다. 발레리아는 무척이나 익숙한, 이제는 어쩌면 자신의 방처럼 느껴지기까지 하는 수잔의 방을 천천히 훑었다. 어쩌면 이 풍경이 그녀가 보는 마지막 장면일 수 있었다. 이곳으로 오는 내내 도축장으로 끌려가는 기분이었다. 수잔의 입장에서 발레리아는 배신자나 다름없을 테니, 그녀의 미래란 불 보듯 뻔한 것이었다. 방에 들어서자마자 깊게 숨을 들이쉰 수잔이 그녀의 뺨을 내리쳤다.

"읏!"

발레리아는 이를 악물었다. 돌아간 뺨이 홧홧했다.

"어땠니?"

억센 손길과 달리 수잔의 음성은 온화했다.

"높은 곳에 올라서니 많은 것들이 보이지 않던? 평생 모르고 살았던 풍경과 세상, 그리고 그 모든 것을 발아래에 둔 황홀함까지. 네가 폐하 곁에서 느껴 온 것들 말이야."

목이 콱 막히는 기분에 발레리아는 고개를 숙였다.

"그 광경은 사람의 욕심과 열정을 끓어오르게 해. 더 많은 세상을 보고 싶게 하고 느끼고 싶게 하지. 나는 그런 욕심과 열정을 지닌 사람이 참 좋더라. 하지만 멍청하고 무지한 건 최악이야."

"죄송, 죄송합…."

"걱정하지 마, 발레리아. 폐하는 더 이상 너 따윈 신경 쓰지도 않으시겠지만, 자비로운 나는 아니란다."

무슨 의미일까. 발레리아는 미친 듯이 뛰는 심장이 목구멍 바깥으로 튀어나올 것 같아 숨을 멈추었다. 그녀를 바라보는 수잔의 시선은 목소리만큼이나 따스했다. 다소 음울해 보이는 낯만 빼면 이전까지의 일이 모두 환상처럼 느껴질 정도였다.

"그러니 계속 더 높은 곳을 갈망하도록 해. 원하는 바를 이루기 위해서 최선을 다하는 거야. 내 비위를 넘지 않는 선에서 날 이용해도 좋아. 대신 이것만은 반드시 기억해."

고개를 길게 뺀 수잔이 발레리아에게 속삭였다.

"네가 오늘처럼 눈치 있게만 군다면… 우린 더 많은 것들을 가질 수 있다는 것을."

아아. 살았다! 살았어, 나는 죽지 않아. 수잔이 다시 발레리아를 거두었다. 그 속내는 알 수 없었지만, 발레리아에게는 그저 살아갈 수 있다는 기쁨을 느끼는 것만으로도 충분했다. 또한 그녀는 확신했다. 이곳에 그녀가 아는 수잔은 더 이상 존재하지 않다는 것을.

"네. 명심하겠습니다, 아가씨."

낯선 얼굴을 한 이 여자의 이름은…. 그래, 아그레인 캐롤드일 것이다.

Episode 10.
태풍의 눈

그렌페르크 제국.

잉고르드, 캐롤드, 조나단 등 개국공신 다섯 가문의 추앙을 받았던 레그윈 가문의 핏줄을 뿌리로 둔 국가. 그렌페르크 제국은 100년 전 정복군주 메르셀린 2세의 시대를 기점으로 영토를 무한하게 확장해 갔으며 현 세대인 다나한 2세에 이르러선 대륙의 정점에 위치한 지 오래다.

다나한 2세는 첩이 많았다. 첩 태생의 반쪽짜리 황족을 다 모으면 두 손으로 세기 힘들 정도였으니, 그렌페르크의 역사상 가장 황실 계보가 복잡한 시기라 할 수 있었다. 그중 황후 소생은 딱 둘이 존재했는데, 이란성 쌍둥이인 빌힐름 조나단 레그윈과 비비안느 조나단 레그윈이 그들이었다.

오랫동안 보수적인 성향을 유지해 온 황실은 황후 소생이 이란성 쌍둥이란 사실을 달갑게 여기지 않았다. 그러나 제국의 둘뿐인 적자임은 엄연한 사실이었기에 쌍둥이들은 그에 맞는 권리를 누리며 황위 후계자로 키워졌다. 그래, 둘의 대우는 몹시 공정했다. 빌힐름 황자와 비비안느 황녀가 열 번째 생일을 맞이하기 전까지는.

"그 시기가 기점이었습니다. 그 시기부터 빌힐름 전하와 비비안느 전하의 처우가 극명하게 바뀌었죠. 마치…."

싱긋 미소 지은 남자가 고개를 쭈욱 내밀고 내게 속삭였다.

"주인과 주인이 기르는 개의 관계처럼."

흠흠. 남자가 헛기침을 했다. 둘뿐인 공간임에도 자신의 가벼운 입이 두렵기는 했나 보다. 텅 빈 응접실을 살핀 남자가 이어서 말했다.

"그래서 비비안느 전하께서 더 대단하시다는 겁니다. 황실의 핍박과 무시를 견뎌 내고 이 자리까지 올라오시지 않았습니까?"

"사랑에 빠진 눈이로군요, 백작."

"사랑이요? 그럴 만하지요. 비비안느 전하께 빠지지 않을 자가 과연 존재하기는 할까요. 아름답지만 강인하며, 여리지만 강단 있으신 분이시죠. 제 평생 그분만큼 대단한 여성은 보지 못했습니다."

침이 튀지는 않을까 우려될 만큼 수다스러운 남자였다. 듣자 하니 어린 나이에 부모를 여의고 작위를 이었다는데, 그런 것치고는 듬직하기보다 한없이 가볍다.

"그래서 다들 당신을 우러러보는 게 아니겠습니까, 아그레인 양."

은근한 목소리에 고개를 들어 그와 눈을 맞추었다. 남자, 벨버른 백작은 황성에 자리를 잡은 귀족들 중 가장 젊은 축에 속했다. 기껏해야 나와 두세 살 정도 차이나는 듯했다.

내가 집시 태생이 아닌 캐롤드의 핏줄임이 밝혀진 후, 귀족들의 태도에도 변화가 생겼다. 대단한 변화는 아니었다. 애초에 캐롤드의 핏줄이라고 해봤자 황실로부터 가문의 재산을 돌려받은 것도 아니었으니, 내게는 사실상 껍질뿐인 명예에 불과했다.

요점은 비비안느가 나를 퍽 아낀다는 점이다. 황녀의 총애를 받는, 멸문한 공신 가문 출신의 미혼녀. 황녀의 눈에 띄고 싶어 안달이 난 자들에게는 꽤 괜찮은 먹잇감이지 않을까 하는 게 내 생각이었다.

벨버른 백작이 상냥한, 아니 생크림을 듬뿍 바른 눈길로 내 얼굴을 훑었다.

"당신이 집시라고 했을 때, 저는 그 소리를 믿지 않았습니다. 떠돌아다니는 여성이라 생각하기에는 기품이 넘쳐흘렀기 때문입니다. 이토록 아름답고…."

고루함에 하품이 나오기 직전이었다. 갑작스러운 노크 소리에 벌떡 일어선 발레리아가 문으로 다가갔다. 방문자와 짧게 대화를 나눈 그녀가 이내 뛰듯이 걸어와 내 귓가에 속삭였다.

"아가씨. 조나단 부인께서…."

그러나 그녀가 채 말을 마치기도 전에 방으로 들어온 중년의 여자가 있었다.

"여기 있었군, 벨버른 백작."

까칠한 음성의 여자는 가슴을 내민 채 우리 앞에 섰다. 새하얗게 분칠한 얼굴과 드높게 올려 묶은 흑발이 극명한 대조를 이루는 여자였다. 조나단 부인. 황실 외친인 조나단 후작 가문의 어른이자 죽은 황후의 자매. 조나단 부인은 방문자임에도 불과하고 내 쪽으로는 그 흔한 고갯짓도 없었다. 서늘한 시선으로 벨버른 백작을 타박할 뿐이었다.

"오늘 저녁이면 힐마르티노 후작께서 도착하실 거란 소릴 못 들었소? 약속 시간이 10분밖에 남지 않았는데 여기서 무얼 하는 거요?"

벨버른 백작이 난처한 표정으로 두 손을 허벅지에 비볐다.

"하하, 조나단 부인! 여기까지 절 찾으러 오시다니. 급히 따라가도록 하겠습니다. 그럼, 아그레인 양."

곁을 지나치기 전에 슬쩍 다가온 백작이 내 귓가에 속삭였다. 얼굴이 보이지는 않았으나 대충 어떤 눈빛일지 상상이 갔다.

"나는 당신에게 몹시 좋은 감정을 지니고 있습니다. 다음에도 저의 방문을 흔쾌히 맞아 주었으면 좋겠군요."

좋은 감정이라. 그 감정이 내게 덕을 줄 수 있다면 거절할 이유가 없었다. 아무런 감흥이 떠오르지 않는 얼굴에 억지로 웃음을 끼워 넣었다. 내 웃음을 본 백작은 만족스러운 걸음으로 방을 벗어났다. 그 뒷모습을 응시하던 조나단 부인이 냉랭한 목소리로 내게 말했다.

"윗사람이 오면 몸을 일으켜 맞이해야 하는 법이오, 아그레인 양."

마찬가지로 날 향해서는 고개도 돌리지 않은 채였다. 깊게 생각할 필요도 없었다. 즉시 일어서서 까칠한 조언에 대답했다.

"제가 뭘 몰라 실수했네요. 죄송합니다, 부인."

"그대의 행동은 곧 비비안느 전하의 행동이 되니 무얼 하든 심사숙고한 후 움직여야 할 거요."

힐끔, 눈동자만 굴려 날 훑은 조나단 부인이 방을 벗어났다. 이놈이고 저놈이고 와서 하는 짓이 사람 신경 건드리는 짓밖에 없다니.

"고리타분한 것들."

다시 의자에 앉아 식은 차를 들이켰다. 황성에 비하면 잉고르드는 몹시 평화로운 땅이었음을 다시금 실감했다. 이 질릴 정도로 널따란 건물에는 명예에 죽는 척하며 시궁창보다 더럽게 구는 이가 한둘이 아니었다.

귀족들은 대체로 하녀들보다 시기와 참견이 심했다. 하나라도 더 가지겠다는 듯 욕망에 충실한 모습이 짐승처럼 느껴질 정도였다. 개중에서도 조나단 부인은 그나마 품위와 절제를 지킬 줄 아는 자였다. 사사로운 일에 간섭하려 해도 어디나 예법에 한해서였다. 천한 신분을 박해하긴 하지만 이는 귀족이라면 누구나 가질 태도이니 큰 문제가 되지 않는다.

그래서인지 벨버른 백작과 같은 속물을 대하는 것보단 딱딱한 조나단 부인과 대화하는 게 훨씬 편했다. 하지만 편한 건 편한 거고, 답답한 건 답답한 거지.

"나는 잠시 나갔다 와야겠다. 누구든 날 찾으면 어딜 갔는지 모르겠다고 해."

"네."

발레리아의 대답을 듣고 방을 나왔다. 조금의 기척도 느껴지지 않는 기다란 복도가 날 맞이했다. 이런 풍경으로는 가슴의 옥죄임이 나아지지 않는다. 나는 황성을 벗어나 후원을 건넜다. 후원 너머에 위치한 호화스러운 별채는 내 눈에도 퍽 익숙한 건물이었다.

어디선가 시린 바람이 불었다. 꿈속에서, 나는 이 안에 발을 디딘 적이 있다. 그리고 내 세계를 다시 정립한 그 '그림'을 만났었다. 『태양이 흐르는 강』을.

별채의 계단을 올라 복도 한쪽 벽면을 장식한 『태양이 흐르는 강』 앞에 섰다. 이틀에 한 번꼴로 왔기 때문일까? 이제는 눈을 감아도 앞에 선한 느낌이었다.

잉고르드를 나와 황성의 객식구가 된 지 벌써 한 달이 넘게 흘렀다. 변한 것은 없다. 시간이 흐를수록 쌓여 가는 것은 의문뿐이었다. 사방이 막힌 벽 안에 홀로 선 듯 하루하루가 숨통을 옥죄는 기분을 느껴야 했다. 새삼 과거의 내가 참 대단하다 싶었다.

'당시의 아그레인은 이 그림을 볼 때마다 어떤 기분이었을까?'

적어도 지금의 나는 그 어떤 감흥도 느끼지 못했다. 그때의 나와 지금의 나는 참 많은 점이 달랐다. 무엇보다, 지금의 나는 아무리 노력해도 미래를 볼 수 없었다. 어떤 짓거릴 해도 미세한 낌새조차 느껴지지 않았다. 어쩌면 두 번 다시 미래를 못 볼 수도 있단 생각이 들 정도였다.

"눈을 떼지 못하는군요."

그때, 익숙하고도 온화한 목소리가 들려왔다. 이렇게 들으니 기이하게도 비비안느가 떠올랐다. 이란성 쌍둥이라 그런 걸까. 한참 다른 음성임에도 유사한 분위기가 풍기다니. 나는 그림을 올려다보며 조용히 대답했다.

"이토록 추상적인 그림은 처음이라서요. 눈길을 잡아끄는 무언가가 있는 것 같아요."

"며칠 전에도 당신은 그 자리에 서서 『태양이 흐르는 강』을 감상했었지요."

"절 보셨었나요?"

몸을 틀어 목소리의 주인, 빌힐름을 응시했다. 그 역시 턱을 들어 올려 그림의 전면을 훑고 있었다. 언뜻 보이는 시선이 오랜 연인을 마주하듯 차분하고도 따스했다. 이윽고 빌힐름의 시선은 내게로 향했다. 그의 눈빛은 잉고르드에서 마주한 분위기 그대로였고, 그랬기에 나는 거리낌 없이 하고 싶은 말을 뱉어 낼 수 있었다.

"인사라도 해 주시지 그랬어요. 이곳에 온 후 뵌 적도 손에 꼽는데."

마지막으로 만난 게 언제였더라. 일주일이 흘렀나?

발레리아에게 했던 말 중에서 빌힐름과 관련된 부분은 조금의 거짓도 없었다. 황성에 도착한 이후, 빌힐름은 내게 더는 관심을 보이지 않았다. 그의 무관심은 조금도 예상하지 못했던 부분이라, 의아함을 넘어 언뜻 두려움이 일 정도였다.

이 남자에게 나는 단순히 소유해야 마음이 놓이는 물건에 불과했던 걸까? 차라리 그렇게 간단하게 답을 내릴 수 있었다면 이토록 불안하지도 않았을 것이다. 빌힐름은 태연한 얼굴로 답했다.

"안 그래도 그 이야기를 하려 했습니다. 앞으로는 아그레인 양이 사흘에 한 번 나를 찾아왔으면 합니다."

기다렸다는 듯 들려온 소리에 입을 닫았다. 빌힐름에게서 느끼는 두려움의 원인이 바로 이것이었다. 그가 정확히 무엇을 원하는지 알지 못한다는 것. 그가 바라는 목표를 알아내지 못한다면 나는 계속해서 끌려갈 수밖에 없다.

"무슨 생각을 하는지 물어봐도 되겠습니까?"

나는 최대한 아무렇지 않은 표정으로 고개를 털었다.

"생각이랄 것까지 있을까요. 그저 전하께 그 이름을 들으니 퍽 새로운 기분이라."

"새로운 감정을 느낀 건 오히려 내 쪽 같은데요. 몇 주 전까지만 해도 나의 손님 자격으로 황성에 머물겠다더니… 갑작스럽게 이름을 밝힌 이유가 뭡니까?"

붉은 눈동자가 내 낯을 세밀하게 살폈다. 민망할 때는 어떤 식으로 행동해야 하더라. 손을 들어 귀 밑을 살짝 쓸며 대답했다.

"굉장히 속물적인 이유에서예요. 그래야 조금이라도 더 편하게 지낼 수 있을 것 같아서요."

빌힐름에게선 어떠한 반응도 없었다. 다만 그의 시선만은 귀 밑에서 다시 허리춤으로 떨어지는 내 손을 따라 내려갔다.

"시간이 조금 걸리겠지만… 내 눈에 비친 당신은 여전히 아그레인입니다."

"기억을 잃었어도 그때의 저와 지금의 제가 비슷하다는 의미일까요."

"다르다고 해도 상관없습니다. 우리는 다시 제자리를 찾아갈 테니까."

제자리. 그 자리로 돌아가느니 창문 밖으로 그를 밀어내고 나 역시 따라 떨어지는 게 나을 터였다. 하지만 빌힐름의 눈에 비친 아그레인은 아무 것도 몰라야 했다. 이해하지 못하겠다는 눈짓으로 짧게 웃자, 그 역시 부드럽게 미소 지으며 말했다.

"내 물음에 대한 대답을 아직 못 들은 것 같군요."

사흘에 한 번씩 얼굴을 보자는 제안 말인가? 이기기 위해서는 나를 알고 적을 알아야 한다. 거절할 이유가 하등 없는 제안이었다.

"저야 환영이죠. 언제쯤 찾아뵈면 될까요?"

"내일 해가 진 후 당신에게로 보낼 시종을 기다리시면 됩니다."

"좋아요."

그 대화를 끝으로 우리는 몇 분을 더 함께 『태양이 흐르는 강』을 감상했다. 이후 빌힐름은 해야 할 일이 있다며 나를 먼저 별채 밖으로 배웅했다.

그와 멀어지며 나는 익숙하지 않은 상념에 잠겼다. 빌힐름과 함께하는 공간은 일 분 일 초도 마음이 놓이지 않았으나, 기이하게도 오늘만큼은 오히려 더 멀어지는 게 불안했기 때문이다.

난 이 불편한 감정의 근원을 알고 있다. 어떤 다짐으로 이곳에 도달했든, 황성에 있어 나는 이방인에 불과하다. 또한 그런 내게 유일하게 이어진 끈이 빌힐름이었다. 원하지 않아도 나의 관심과 시선은 그를 좇을 수밖에 없는 것이다.

'아, 젠장.'

당장 손에 잡히는 무엇이라도 내던지고 싶은 충동이 강하게 일었다. 답답함에 방을 벗어났는데, 얻은 것이라곤 내 자신이 초라하단 깨달음이 전부라니.

길을 틀어 후원이 아닌 서쪽 숲으로 향했다. 높다란 자작나무 사이를 거닐면서 잉고르드를 떠올렸다. 떠올려도 그따위의 땅을 떠올리는 내가 참 우스웠다. 내게는 정말 돌아갈 곳이 없구나 싶었다.

"으으읍!"

"보기와 달리 근성이 있구나."

얼마나 걷고 있었을까? 멀지 않은 곳에서 숨넘어가는 소리가 들려왔다.

"네가 동쪽 구역을 뻔질나게 드나든다는 걸 아는데 왜 자꾸 모른다는 말만 반복하는 거냐?"

이어서 들려온 목소리에서 노래하듯 청령한 음율과 미세한 즐거움이 느껴졌다. 피해 가야 하나? 그러기에는 이미 늦은 듯했다. 나는 숨을 죽인 채 가까운 나무에 몸을 밀착하고 귀를 기울였다.

“크… 그건 제가 전하의 취향을 가장 잘, 하아. 알기 때문….”

“취하앙? 무슨 취향? 말귀를 못 알아먹니? 좋아. 어디까지 가나 보자.”

아직 완전히 내려앉지 않은 초겨울의 어둠 속, 나무 사이로 어렴풋이 움직이는 사람들이 보인다. 무릎을 꿇고 있는 자는 시종 복장을 하고 있었다. 곧 장신의 남자가 시종의 입을 천으로 틀어막았다.

“으으읍! 으읍!”

서걱. 짧은 소리였지만 등 뒤로 소름이 일었다. 시종이 울부짖는 소리가 났다. 불현듯 이곳에 오래 있으면 안 된다는 위기의식이 고개를 들었다. 시선을 그들에게로 고정한 채 최대한 조용히 걸음을 옮겼다. 아니, 옮기려고 했다. 그 여자와 눈이 마주치지만 않았더라면.

아. 숨 쉬는 것도 잊을 만큼 기이하고 섬뜩한 안광이었다. 사람의 심장을 쥐어짤 만큼 강렬한 눈빛을 가진 이는 리히튼을 제외하곤 처음이었다. 그래서일까? 답지 않게 두 발이 묶여 버렸다. 내가 굳은 채로 서 있을 동안 안광의 주인이 서서히 가까워졌다. 나는 숨 쉬는 방법을 잊은 것처럼 가만히 그 자리에 서 있었다. 다가온 여자에게선 코가 아플 정도로 짙은 바람의 향이 풍겼다.

“익숙하지 않은 실루엣.”

단번에 알아차렸다. 남자를 추궁하던, 음율을 지닌 묘한 음성의 주인이 바로 이 여자였다는 사실을.

“처음 보는 얼굴.”

볕에 그을린 옅은 갈색 피부에 밤보다 까만 흑발이 마치 그를 이방인처럼 느껴지게 했다. 왼쪽 눈 아래에 박힌 점이 시선을 사로잡았다. 눈동자의 색은 바늘처럼 얇고 긴 소나무의 이파리보다 더 채도 높은 초록빛이었다. 여자는 짚고 있던 지팡이로 내 턱을 들어 올렸다. 차가운 흙의 감촉이 가슴 위로 떨어졌다.

“한데 그런 것치곤 천박해 보이지는 않구나.”

여자에게서 풍기는, 독특하게 무르익은 고아한 분위기가 다소 천진해 보이는 웃음과 함께 흩어졌다. 여자가 내게 물었다.

“성함이 어찌 되시는지?”

안광만으로 리히튼을 떠오르게 하는 여자. 감상은 그것으로 충분했다. 이 이상 엮일 필요가 없다는 의미다. 나는 적의를 최대한 누그러뜨리며 대답했다.

“그쪽의 모습이 너무 섬뜩해서 입이 쉬이 열리지 않네요.”

여자가 천천히 지팡이를 내렸다. 사르르 웃는 낯이 어쩐지 정반대의 분위기를 지닌 비비안느를 떠올리게 했다.

‘리히튼에 비비안느라.’

갈수록 좋지 않다.

“입까지 놀릴 줄 알다니. 예쁘장한 것들은 얼굴값을 하곤 하지. 첫인상도 썩 괜찮아.”

“별채를 방문한 후 돌아가는 길입니다. 그 외에 다른 의도는 없었어요.”

“내가 물은 질문과 영 딴판인 대답이지 않니?”

웃음을 잃지 않고 있지만 고압적인 시선은 여전하다. 나는 천천히 뒷걸음질 치다가 몸을 돌려 후원으로 달려갔다. 이런 곳에서 개죽음당할 수도 있단 생각이 들자 절로 몸이 움직였다.

“끌고 와.”

발돋움을 한 즉시 뒤통수에서 들려온 음성이 나를 더 숨 가쁘게 내달리도록 했다. 그러나 추격은 오래가지 않았다. 팔뚝을 잡아채는 우악스런 손길에 뜀박질을 멈추고 중심을 잃고 비틀거렸다.

“하아, 하아….”

그래, 이런 식으로 도망칠 수 있을 리 없지. 제아무리 미친년이라도 빌힐름의 손님인 이상 내게 해를 끼칠 순 없을 터였다. 그 사실을 알았기에 발버둥 치지 않고 남자의 손에 순순히 끌려갔다. 상류층의 의복을 걸친 탓인지 거칠지는 않았다.

그렇게 나는 여자와 다시 마주 보게 되었다. 여전히 웃음을 잃지 않은 얼굴이었다. 아니, 오히려 눈이 더 얇게 접혀진 것 같기도 했다. 그녀는 느릿느릿한 어조로 말했다.

"내 이름은 힐마르티노 조나단. 그렌페르크 제국의 남쪽 요새를 지키는 후작이다."

힐마르티노 조나단. 조나단 가문의 가주이자, 비비안느를 지지하는 세력 중 잉고르드 공작의 다음 가는 세력. 죽은 황후와 조나단 부인의 자매. 힐마르티노 후작이 여자라는 소리는 들었으나, 이렇게 젊을 줄은 몰랐다.

"네년은 대체 얼마나 대단한 년이기에 내 앞에서 그리 건방진지 궁금하구나."

여자, 힐마르티노가 하얀 이를 드러내고 웃었다. 상황에 어울리지 않는, 진심으로 즐겁게 여기는 미소였다. 이마 위로 식은땀이 흐르는 착각이 일었다. 이제 어떡해야 하지. 최대한 몸을 낮춰 비위를 맞춰야 하나? 아니면 비비안느나 빌힐름의 이름을 대고 적당히 빠져나가야 하나?

시선을 살짝 내려 힐마르티노의 등 너머를 살폈다. 비명을 지르며 바닥을 구르는 시종의 모습이 눈에 담겼다. 당장 비친 여자의 성향을 고려하면… 비위를 맞춘다고 해서 저런 꼴을 면할 수 있을 것 같지는 않았다. 나는 곧장 사죄의 의미로 고개를 숙였다.

"무례를 용서해 주십시오, 후작 각하. 저는 아그레인 캐롤드입니다."

"…캐롤드?"

나와 관련된 그 어떤 소식도 알지 못하는 듯한 물음이었다. 그러고 보니 오늘 저녁에 힐마르티노 후작이 입성한다고 했었지.

"네가 그 캐롤드란 소리냐?"

반복되는 되물음에 고개를 들었다. 이전까지의 여유는 어디로 가고 살벌한 눈빛이 날 응시하고 있었다.

"네."

"하."

짧은 헛웃음을 뱉은 힐마르티노가 고개를 젖힌 채 마른세수를 했다.

"하하하하!"

무엇이 저렇게 즐거울까? 머리를 저으며 웃음을 갈무리한 힐마르티노가 상냥한 음성으로 말했다.

"그랬군, 아그레인 양. 좋아! 건방지게 굴만 했다고 치지. 너라면 그럴 수 있어. 가던 길 마저 가렴."

날 붙잡았던 남자가 곁에서 떨어져 시종에게로 등을 돌렸다. 그러나 힐마르티노는 지팡이를 짚고 농밀하게 웃는 낯 그대로 날 바라봤다. 몸을 틀어 후원을 향하는 길에도, 힐끗 고개를 돌리니 힐마르티노는 그 자리 그대로 서 있었다.

'웬 미친년에게 잘못 걸려서는.'

방으로 돌아온 즉시 발레리아에게 물었다.

"너 혹시 힐마르티노 조나단 후작에 대해서 아니?"

잠시 멈칫한 발레리아가 처음 보는 묘한 표정으로 고개를 주억였다.

"아, 그분이 벌써 돌아오실 때가 되었군요."

"아는 부분만 설명해 줘."

"조나단 후작은 겨울 초입에서 이른 봄까지 황성에 거주하세요. 정확히는 비비안느 전하의 곁을 보좌하시는 것으로 알아요."

올해를 넘겨 내년 봄까지 부대끼고 살아야 한다니. 적어도 나만은 그때까지 황성에 남아 있지 않았으면 했다.

“조나단 후작은 비비안느 전하의 최측근이자 가장 총애하는 여자예요. 그러니까, 아가씨께서 황성에 오시기 전까지는 그랬죠.”

“그 여자는 나를 알고 있겠구나.”

“황성에서는 매일 스무 통이 넘는 서신이 오고 갑니다. 그중에 조나단으로 가는 서신도 있지 않았을까요?”

제국의 남쪽 요새와 수도는 거리가 가깝다. 또한 힐마르티노 후작 즈음 되면 서신을 주고받지 않았더라도 도착하자마자 황성의 상황을 보고받았을 터였다.

“숲속에서 시종의 손가락을 하나하나 분지르고 있던데 말이야.”

“하녀들 중 그분을 두려워하지 않았던 이가 없었습니다.”

그렇겠지. 귀족들 중에는 고약한 취미와 성정을 지닌 이들이 많고, 그 피해는 대개 고용인들이 감당하기 마련이었다. 그중에서도 힐마르티노의 존재감은… 고작 한 번 마주친 내가 느끼기에도 안광의 잔상이 잊히지 않을 만큼 독보적이었으니까.

“너도 손가락을 잃고 싶지 않다면, 발레리아. 당분간 나 없이 성을 나가지 말도록 해.”

“예.”

그 어느 때보다 진심이 묻어 나오는 대답이었다. 힐마르티노를 제외하고서라도, 발레리아는 황제의 관심을 잃은 뒤부터 내게 퍽 충실했다. 적어도 당분간은 발레리아까지 신경 쓸 필요는 없을 것 같았다.

다음날, 중천에 뜬 해가 조금씩 내려가기 시작할 무렵에 후원으로 향했다. 본래라면 비비안느와 동행해야 하지만 오늘은 조금 달랐다. 비비안느는 서로 죽고 못 산다던 힐마르티노와의 재회 때문인지 어제부터 모습을 보이지 않고 있었다.

"몇 마리를 준비할까요?"

"평소의 반으로."

비비안느 없이 사냥총을 사용하는 건 처음이었다.

비록 황제의 손님이지만, 작위를 갖지 않은 내게 놀거리란 손에 꼽는다. 황제의 애첩이라도 됐으면 조르고 졸라 서재라도 사용했을 텐데 내겐 그럴 권위가 없었다. 그나마 말이 통할 또래의 여자들은 수가 적었고 나머지는 나를 없는 취급하거나 이용하려 애쓰는 자들이었다. 무료함과 부정적인 상념에 젖기 시작했을 때, 내가 할 수 있는 일은 사냥이 전부였다.

"올려."

총을 고정한 채 명하자 시종이 하늘 위로 거위를 날렸다. 탕! 총성과 함께 허공으로 새하얀 깃이 휘날렸다. 내 총을 받아 든 발레리아가 탄을 갈아 끼웠다.

'너의 눈빛은 강렬하고 아름다워, 아그레인.'

문득 비비안느에게서 처음으로 사냥을 배웠을 때가 떠올랐다.

'대개 그런 자들이 사냥을 잘하지. 사냥감을 놓치지 않고 끝까지 쫓거든. 그러니 나를 한 번 믿어 봐…. 너는 훌륭한 사냥꾼이 될 수 있을 거야.'

그리 말하며, 비비안느는 선 자리에서 열 마리의 거위를 사냥했다. 열세 번의 총성이 터질 동안 그녀의 말간 낯은 눈 하나 깜짝하지 않았다.

황성에 입성한 순간부터 비비안느는 나에게 끊임없이 관심을 내보였다. 내가 그녀를 낯선 이로 대해도 비비안느의 태도는 여전했다. 정적인 빌힐름의 손님이라는 위치가 무색하게 나는 항상 비비안느에게만 불려갔다. 그리고 빌힐름은 그런 우리에게 아무런 관심도 보이지 않았다. 어떻게 그럴 수 있을까?

'이것만은 확실해. 비비안느는 내가 기억을 잃었다는 사실을 알고 있었어.'

어떻게? 빌힐름이 친절하게도 그녀에게 나의 상황을 귀띔해 준 걸까? 아니면 리히튼과 그 정도 깊이의 대화까지 나누는 사이여서? 비비안느의 속은 빌힐름에 견줄 만큼이나 깜깜하다. 그래서 나는 그녀의 곁에 서는 게 빌힐름과 한 공간에 있는 것만큼이나 불편했다.

"오늘은 혼자 계시는군요."

그때, 누군가 등 뒤로 가까이 다가왔다. 총구를 내리고 몸을 돌렸다. 그리고 가까운 곳에 보이는 벨버른 백작에게 대답했다.

"그 이유에 대해서 아실 거라고 생각해요."

나의 말에 그가 짧게 웃었다.

"힐마르티노 각하께서도 그렇고, 두 분 모두 전하의 신뢰를 받는 분들 아니십니까? 전 당연히 비비안느 전하께서 당신과 동행하셨으리라 여겼습니다."

"전하께서 힐마르티노 각하와 재회하는 자리에 절 데려가시다뇨? 저를 놀랍도록 좋게 평가하시네요."

"제 눈으로 직접 보아 온 것만 말씀드리는 겁니다."

비비안느가 힐마르티노와 관련해 어떤 언급도 하지 않았다고 말한다면… 나를 향한 벨버른 백작의 관심이 시들해질 수 있었다.

'쓸모 있는 남자를 이런 식으로 버릴 순 없지.'

나는 거짓말로 대답을 적당히 포장했다.

"오랜 친우와의 재회잖아요. 제가 감히 방해할 순 없죠. 겨울이 지나가지 않는 한 후작 각하를 뵐 기회는 언제든 있으니까요."

"사려 깊으시군요. 아그레인 양만 괜찮다면 옆의 빈자리를 제가 채워도 되겠습니까?"

"물론이에요."

벨버른 백작이 좋은 티를 숨기지 못하고 내 옆에 섰다. 내 대답이 어쩔 줄 알고 사냥총을 미리 준비해 온 걸까. 벨버른의 제안을 허락하기는 했으나 나를 위한 허락은 아니었다. 그는 나의 보잘것없는 부분에 대해 관심이 너무나 많았다. 더불어 조금도 궁금하지 않은 자신의 이야기를 떠벌떠벌 흘렸다.

"비비안느 전하께 배우셔서 그런지 며칠 사이에 실력이 눈에 띌 정도로 느셨습니다."

준비된 사냥감의 수가 두 명이 즐기기엔 턱없이 부족했기에 사냥은 일찍 막을 내렸다. 해가 지지는 않았으나 어쩐지 먹구름이 낄 것 같은 기분이 들었다.

"듣기 좋은 말만 해 주시니 몸 둘 바를 모르겠네요."

"그런 김에 저녁 식사 후 술 한잔하시겠습니까?"

너와 한참 동안 헛소리를 나눴는데 여기서 더 나누자고?

"정말 아쉽지만, 거절해야 할 것 같아요. 이미 선약이 있어서요."

일정이 정해져 있어서 다행이었다. 없었어도 억지로 만들었겠지만.

"이런. 혹시 어떤 분과의 선약인지 여쭈어도 되겠습니까?"

"빌힐름 전하와의 선약이에요."

서운함을 표했던 벨버른의 얼굴이 급속도로 굳어 갔다. 감정에 꽤 솔직한 편이네. 나는 문제라도 있느냐는 눈길로 그를 응시했다. 시선을 낮춘 벨버른이 조심스러운 음성으로 내게 속삭였다.

"감히 한 말씀 드리자면… 좋은 시기는 아닌 것 같군요."

그 말의 속뜻은 명확했다. 힐마르티노가 돌아온 시기에 비비안느가 아닌 빌힐름을 찾아가는 건 오해의 소지를 불러일으킬 수 있다는 의미겠지. 설마 내가 그런 점도 고려하지 못했을까.

호감 있는 이에게나 보일 법한 밝은 웃음을 혼신의 힘을 다해서 지었다. 사냥총을 발레리아에게 맡기고 벨버른의 곁을 지나치며 그의 어깨에 살짝 이마를 기댔다.

"걱정 고마워요, 백작님."

멀어지는 등 너머로 그의 시선이 끈덕지게 따라붙는 게 느껴졌다. 얼마 지나지 않아 뒤에서 그의 커다란 외침이 들려왔다.

"아그레인 양! 내일도 같은 시간에 만날까요?"

'이 짓거리를 다시 하라고? 내가 미쳤니?'

못 들은 척 귀와 머리를 매만지며 성안으로 돌아왔다. 벨버른의 부름은 그와 나 사이의 거리가 멀어질 만큼 멀어지고 나서야 조용해졌다. 그날 저녁은 달이 보이지 않을 만큼 하늘이 흐릿했다. 저녁 식사를 가볍게 마친 후, 나는 약속 시간에 맞춰 빌힐름을 찾아갔다. 분명 황성 동쪽 구역에서 지내고 있음에도 통로를 지나치는 기분이 익숙하기보다 어색하다.

빌힐름의 문 앞을 지키던 시종은 내 얼굴을 확인한 즉시 조용히 문을 열었다. 그러나 들어선 방 안에는 아무도 없었다. 아니, 딱 한 명 나를 기다리고 있기는 했다. 빌힐름의 호위 기사 중 한 명이.

"카인 경?"

"저를 아십니까?"

냉랭한 얼굴로 되묻는 눈길에는 의문이 서려 있었다. 그러고 보니 크로허츠에서는 베일을 쓰고 있었지. 실수를 무마하기 위해 화제를 돌렸다.

"빌힐름 전하께서는 어디 계시죠?"

"잠시 기다리라는 전언을 보내셨습니다."

급작스러운 일이라도 생긴 것일까. 카인의 말대로 의자에 앉아 문이 열리기를 기다렸다. 하지만 십 분이 삼십 분이 되고, 더 흘러 분침이 한 바퀴를 돌아도 문은 열리지 않았다. 그렇게 저녁 여덟 시가 되었을 때. 나는 앉은 자리에서 천천히 일어섰다.

"카인 경, 제가 전하를 더 기다려야 된다고 생각하나요?"

한 시간이나 시간을 낭비했지만, 짜증나기보다는 궁금했다. 무슨 일로 나와의 약속을 어긴 걸까? 카인이 담담한 목소리로 말했다.

“내일 이 시간에 다시 오시면 될 것 같습니다.”

마치 미리 짜 놓은 것만 같은 답과 얼굴이었다. 빌힐름의 방을 나오면서 불현듯 내가 여기서 무얼 하고 있나 의문이 들기 시작했다. 처음에는 그저 더 바쁜 일이 있었겠지 싶었지만, 걸음을 이을수록 그 반대쪽으로 마음이 기울었다. 확신컨대 빌힐름은 일부러 나를 기다리게 했다. 그리고는 심지어 물까지 먹였다.

“빌어먹을 새끼.”

눈앞에서 워낙 고분고분 굴어, 그간 깜빡 잊고 있었다. 빌힐름이 개자식이라는 걸. 방으로 돌아온 후 발레리아가 조심스럽게 다가와 먼저 말을 걸었다.

“아가씨. 빌힐름 전하를 뵈러 갔다 오신 거 맞으시죠?”

아. 좋지 않은 감은 항상 들어맞더니. 역시 무언가가 있구나, 싶었다.

“무슨 일이라도 있었어?”

“빌힐름 전하께서 저녁 만찬을 즐기고 계신다고 들었습니다. 한데 아가씨와 선약이 있다고 하셨기에… 알려 준 하녀가 거짓말을 했나 싶어서요.”

나는 친절하게 대답해 주었다.

“꽤 믿을 만한 하녀네. 거짓말을 한 건 그 하녀가 아니라 빌힐름 황자 쪽이거든.”

발레리아가 역시, 하는 표정을 지었다. 하긴. 어느 정도 확신이 있었으니 내 앞에서 말을 꺼냈겠지. 만찬이라. 힐마르티노의 입성 때문인가.

“그것 말고는 다른 소식 없니?”

“아… 듣기로 빌힐름 전하의 혼인 상대가 곧 정해질 것 같다고 했어요. 마가렛 헨서웨이라는 이름이었던 같습니다. 아가씨보다 조금 이르게 황성에

왔다는데 비공식적인 빌힐름 전하의 새로운 연인이라고 했습니다."
"아아."
"오늘 만찬의 파트너도 그 여자였다고 합니다."
한마디로 말해서 빌힐름에게도 비비안느에게도 나는 뒷전이라 이거군.
"이걸 좋아해야 하는 걸까, 발레리아."
"예?"
내게 필요한 건 그들의 총애가 아니다. 하지만 둘의 관심을 쥐고 있으면 원하는 바를 더 쉽게 얻을 수 있다는 걸 안다.
"흐음… 아니야."
고작 비비안느와 빌힐름의 관심사 따위로 고민해야 하는 시간들. 잉고르드에서 보낸 가을에 비하면 너무나 평화로운 겨울의 초입. 경험에 의하면 이런 안온함은 항상 거센 태풍을 몰고 왔다. 급한 일도 없겠다, 어디 한번 그 태풍을 여유롭게 기다려 볼까.

어디선가 짙은 피 냄새가 났다. 머리가 띵할 정도로 선명한 비린내와 시야를 가로막는 캄캄한 어둠. 나는 어디인지 모를 이 공간이 잉고르드라는 사실을 인지하고 있었다. 그리고 무심코 깨달았다.
이것이 꿈속이란 것을.
'어흑, 어흐흑….'
한치 앞도 안 보이는 시야 너머에서 누군가 울고 있었다. 이윽고 가쁜 숨소리와 함께 발소리가 났다. 누군가 내 어깨를 잡아채고 더없이 간절한 얼굴로 눈을 맞추었다.
레이나?
'수잔, 수자안! 제발 나를 살려 줘, 수잔!'
레이나, 네가 왜 이곳에…?

'리히튼 공작은 널 죽일 거야.'

레이나의 손톱이 어깨를 파고들었다. 핏줄이 터져 붉게 물든 눈동자가 고통으로 일그러진 채 나를 올려다봤다.

'나를 빌힐름 전하께 보내 줘, 수잔… 제발. 그분만이 널 구할 수 있어.'

구해? 누가, 빌힐름이? 나를? 본능적으로 레이나의 몸을 뒤로 밀어냈다. 방금 전까지만 해도 나를 꽉 움켜쥐고 있던 그의 손이 힘없이 떨어져 나갔다. 속삭이는 목소리가 점차 멀어진다.

밝아지는 시야 속에서 눈을 떴을 때, 나는 침대 위에 누워 있었다.

"하아."

땀으로 축축하게 젖은 이마를 거칠게 닦아 냈다. 기분 나쁜 꿈이었지만, 덕분에 잊고 있던 이름을 떠올릴 수 있었다. 레이나. 잉고르드에서의 첫 파트너이자, 빌힐름의 간자였던 하녀. 발레리아가 내 시중을 들기 위해 올라온 즉시 그녀의 이름을 물었다.

"여기 레이나라는 이름을 가진 하녀가 있었니?"

그녀는 의아한 얼굴로 곧장 고개를 저었다.

"아니요. 맹세코 처음 듣는 이름이에요."

없다고? 그럼 그날 살아서 도망친 레이나는 어디로 간 거지? 그녀가 내게 거짓말을 한 걸까. 아니면 애초부터 하녀가 아니었던 것일까. 물론, 지금 당장 그녀의 생사여부를 안다고 해서 나의 처지가 달라지지 않을 것이다.

그래서 그런 것일까? 레이나라는 이름은 몇 시간 되지 않아 머릿속에서 흐릿해졌다. 하지만 찝찝함은 여전했기에, 점심 식사를 마친 즉시 방을 벗어나 별채로 향했다.

어느 순간부터였을까. 잠에 들 때마다 파도처럼 밀려오던 과거의 기억들이 더는 떠오르지 않게 되었다.

내가 계속해서 황성의 별채를 찾아가는 것도 그러한 이유에서였다. 『태양이 흐르는 강』을 지겹도록 보다보면 어느 순간 한 번쯤은 과거의 기억이 되살아나지 않을까, 싶어서. 되살아난 그 기억이 나의 끊긴 이정표를 다시 이어 주지 않을까, 싶어서.

그렇게 흘러간 시간이 벌써 한 달 반이었다. 손가락 사이로 빠져나가는 시간들 틈에서, 무언가 단단히 놓치고 있는 기분이 들었다. 그러나 안타깝게도 내게는 그것이 무엇인지 알 도리가 없었다.

"또네."

낙엽이 짓뭉개지는 소음과 함께 간드러지는 음성이 귓등을 울렸다. 두 다리가 멈추고 몸이 긴장으로 굳었다. 내 예상이 맞다면 이 목소리의 주인은 절대 달가운 인물이 아니었다.

"또야. 숲속을 헤매는 이유가 무얼까. 돌아갈 곳이 이 수풀 사이에 있기라도 한 걸까?"

후. 옆에서 얼굴을 들이민 힐마르티노가 귓가에 바람을 불고 까르르 웃었다. 미친 짓은 해가 져 있을 때만 하는 게 아니었구나. 나는 그녀로부터 한 발자국 물러섰다.

"왜 그렇게 생각하세요?"

"고작 두 번 마주친 사이에 대단한 뜻이 있을 리가? 단순히 그런 표정처럼 보여서라고 말하면 되려나."

"제게 관심이 많으시네요."

힐마르티노의 복장은 상복이라도 걸친 듯 머리부터 발끝까지 까맸다. 어두운 피부톤에 의복까지 검으니 죽음을 알리러 온 사신처럼 느껴졌다. 힐마르티노는 여자치곤 큰 신장인 나보다 한 뼘은 더 컸다. 그녀는 뒷짐을 진 채 말했다.

"너를 향한 관심은 굳이 내가 아니더라도 많을 거란다. 황성에는 너처럼 예쁘고 쓸모없는데 권력에 가까운 여자를 시기하는 사람이 많거든."

"그 말씀은 각하의 관심도 시기라는 뜻일까요."

뒷짐을 푼 힐마르티노가 입을 가리고 웃었다. 긍정도, 부정도 없이 그저 웃기만 한다. 눈동자가 보이지 않을 정도로 얇아진 눈매에서 만연한 즐거움이 엿보였다.

'전형적인 기분파야.'

기분파는 대하기가 쉽다. 아무리 미친년이라도 이럴 땐 뭐 하나 흘리지 않을까?

"황성의 사람들은 다들 날이 서 있는 것 같아요."

젖힌 고개를 제자리로 고정시키며, 힐마르티노가 대답했다.

"날이 뭉개진 것들은 이미 다 죽고 없기 때문이지."

"제가 비비안느 전하께 무얼 받게 될까 전전긍긍하는 사람들이 대부분이에요."

"그것도 당연하단다. 나의 아름답고 황홀한 비비안느의 사랑을 바라는 이가 한둘이 아니거든."

비비안느의 이름을 입에 담는 힐마르티노의 낯은 행복 그 자체였다. 상상하는 것만으로도 좋아 죽는 모습을 보니 배알이 꼴렸다. 이유는 없다. 단순히 성격이 더러워진 탓인가.

"물론, 나 역시 마찬가지이고."

웃음이 사라진 힐마르티노의 얼굴에는 그림자만 남았다. 나는 그러한 얼굴에 대고 조용히 말했다.

"정작 당사자인 저는 비비안느 전하의 생각을 조금도 모르겠는걸요."

힐마르티노는 눈 하나 깜빡하지 않고 내 목소리에 귀를 기울였다.

"비비안느 전하께선 왜 저 같은 아이를 옆에 두시는 걸까요?"

기다란 자작나무 사이로 바람이 불었다. 얼마나 긴 정적이었던가? 한참 만에 눈을 감았다 뜬 힐마르티노가 흩날리는 흑발을 등 뒤로 넘겼다.

"네가 어디서 쓰레기 같은 것들만 상대해 온 건진 몰라도…."

우리의 거리가 다시 좁혀졌다. 등을 숙인 힐마르티노가 내 두 눈을 응시하며 또박또박 한 글자씩 읊었다.

"나를 이용하려면 조금 더 성의를 갖추는 편이 좋을 거다. 생긴 건 이래도 팔 하나는 가볍게 물어뜯거든."

어이가 없었다. 본인이 개새끼인 걸 자랑하는 건가. 침을 뱉어 주고 싶었으나… 아직은 아니었다.

이곳은 잉고르드가 아닌 황성이다. 내가 그 어떤 짓을 해도 말없이 지켜보기만 하던 리히튼은 황성에 존재하지 않았다. 이는 즉 예전처럼 홧김에 침실로 침입해 화풀이를 할 만한 상대가 없다는 뜻이었다. 나는 그저 가만히 고개를 숙였다.

"그렇게 들렸다면 죄송합니다, 각하."

흐흥. 작은 웃음소리가 멀리 흩어졌다. 몸을 돌린 힐마르티노가 나무에 묶여 있던 말의 등 위로 올라탔다. 갈기에 윤기가 도는 커다란 흑마였다.

"어여쁜 아그레인. 네 말대로 너 같은 아이는 황성에 차고 넘치지."

나를 향해 싱긋 웃은 힐마르티노가 기다란 손가락으로 말의 목을 쓸어내렸다.

"전하께서 어떤 생각이실지 알게 된다면 내게도 귀띔해 주렴. 너무 궁금해서 어제는 밤잠도 설쳤단다."

"노력해 보겠습니다."

"노력? 재미있는 단어를 쓰기는! 아, 그러고 보니 가장 중요한 말을 잊을 뻔했구나."

말머리를 돌리려던 힐마르티노가 떨어졌던 시선을 다시 내게로 향했다.

그냥 평생 잊고 가 주었으면 싶은데.

“올해 사냥 대회에서 내 파트너는 네가 될 거다. 이제 사흘 정도 남았을 텐데, 이 일정에 참여하려고 어찌나 급하게 달려왔는지.”

할 수 있는 말이 없었다. 아니, 많았으나 차라리 입을 다물고 힐마르티노를 쳐다보기만 했다. 내 반응을 기대했던 건지, 한동안 말이 없던 그녀가 픽 웃음을 흘렸다.

“떨떠름한 티를 숨기지 않네? 깜찍해라. 나는 걸리적거리는 것들을 가장 혐오하니까, 알아서 잘 준비해 오도록 해.”

미친년은 멀리하는 게 옳다. 다행스럽게도 내가 멀리하기 전에 당사자가 먼저 자리를 떴다.

‘저 괴팍한 여자와 사냥 대회를 함께 출전해야 한다고?’

비비안느가 허락한 일이 분명할 텐데, 대체 무슨 생각으로 이런 결과를 만든 건지 모르겠다. 정말로… 하나부터 열까지 의지대로 흘러가기는커녕, 모든 게 엉망이었다. 당장 오늘 일어나는 일조차 조종 범위 밖이지 않은가. 덕분에 새로운 사실을 하나 깨달을 수 있었다. 나는 내 의지대로 흘러가지 않는 세상을 끔찍하게 싫어한다는 걸.

저녁 식사가 끝난 후 어제와 마찬가지로 빌힐름을 찾아갔다. 이번에는 혼자가 아닌 발레리아와 함께였다. 오늘은 빌힐름이 제때 나를 기다리고 있을까? 어쩌면 오늘도 어제와 같을 수 있을 거란 생각이 들었다. 그리고 그 생각은 빌힐름의 방으로 들어선 즉시 확신이 되었다.

“책이라도 가져올 걸 그랬네요. 그렇죠?”

카인은 어제 그 자리에 그대로 서서 나를 응시했다. 기시감이 느껴지는 풍경이었으나 의식하지 않고 의자에 앉았다. 다행히 오늘은 무료하게 시간을 허비하지 않아도 되었다. 테이블 아래를 뒤져 찾아낸 카드로 발레리아와 게임을 즐겼다. 내 행동이 마음에 들지 않은 듯 카인은 내내 인상을 구기고 있었지만 알 바 아니었다. 그렇게 한 시간이 흐를 동안, 문은 여전히 닫혀 있었다.

"내일도 이 시간에 이곳으로 오면 될까요?"

나는 카드를 정리하지 않은 채 자리에서 일어섰다. 그리고 나를 대신해 뒷정리하려는 발레리아의 손을 잡아끌었다. 이런 건 티를 내려고 하는 거야.

"예."

카인의 대답은 어제보다 훨씬 더 딱딱했다. 난 그 얼굴에 대고 환한 미소를 지으며 한마디를 남겼다.

"전하께 세 번은 싫다고 전해 주었으면 해요. 이런 식으로 시간 낭비할 생각은 없어서."

그리고 난장판이 된 테이블을 그대로 둔 채 방을 벗어났다. 황자의 방을 어지럽힌 게 마음에 걸렸는지 발레리아는 걷는 내내 뒤를 돌아봤다.

"아가씨. 그래도 정리하고 왔어야 하지 않을까요?"

"불만이면 한 소리 하러 오겠지."

그럴 일은 없을 테지만. 발레리아의 표정이 여전히 어두운 걸 보면 나의 행동을 기이하게 여기는 듯했다. 하긴, 근래 빌힐름과 교류가 없었던 것은 물론 물을 두 번이나 먹은 내가 이리 대처하는 게 이상해 보일 터였다. 그렇게 계단을 내려가 방으로 향하던 길이었다. 뒤에서 돌연 나를 부르는 목소리가 들렸다.

"아그레인 양."

계단 위쪽에 선 벨버른 백작이 빠른 걸음으로 내려와 내 앞에 섰다. 이 남자는 한 번이라도 그냥 지나치는 적이 없다.

"백작님."

"오늘 얼굴 보기가 영 어렵더군요."

"절 찾고 계셨어요? 죄송해요, 일전에도 말씀드렸듯 빌힐름 전하와의 선약이 있었어요."

"아! 기억납니다. 한데 그분은…."

벨버른 백작이 다소 복잡한 눈빛으로 내 얼굴을 응시했다. 어떤 의미인지는 단번에 눈치챌 수 있었다.

'말해야 하나 말아야 하나 고민하는 모양이지.'

아무래도 어디선가 빌힐름의 얼굴이라도 보고 온 듯했다. 그것도 내가 동행하고 있지 않은 자리에서.

"어떤 말씀을 하시려는지 잘 알아요. 황성 생활이라는 게 제 마음대로 되지 않네요."

이번만큼은 진담이었다. 내 진심이 전달되었는지 벨버른 백작이 짧은 한숨을 내쉬었다. 그래, 내가 생각해도 우스운 처지인데 네 눈에는 얼마나 안쓰럽게 보이겠어.

"충분히 이해합니다, 아그레인 양. 황성이 다 그렇죠. 제 형님은 이곳을 거미줄이라고 표현하셨습니다. 성에 발을 딛는 순간 벗어날 수 없는 거미줄에 갇혀 먹이가 되길 기다리는 기분이라더군요."

"정말 재치 있는 분을 형님으로 두셨어요."

그런 형님을 밀어내고 작위를 계승한 걸 보면, 형님이 겁먹고 도망이라도 간 모양이었다. 나를 가만히 내려다보던 벨버른 백작이 한 발자국 앞으로 다가와 내 손을 잡았다. 이 정도의 불쾌함은 이제 아무렇지 않게 숨길 수 있었다.

"힘들고 지친다면 언제든 절 찾아오셨으면 합니다. 아그레인 양의 문제라면… 어떤 방법을 찾아서라도 도움이 되어 드리고 싶습니다."

"그 말 기억해 둘게요."

무의미한 대화가 더 길게 이어질라, 발레리아를 데리고 계단을 마저 내려갔다. 그녀의 귀에 대고 작게 속삭였다.

"이 얼굴은 참 쓸모가 많아. 그렇지?"

내내 굳어 있던 발레리아의 표정이 그제야 짧은 웃음과 함께 살짝 풀렸다. 하지만 그녀의 풀린 얼굴이 되레 나의 잠들어 있던 상념을 수면 위로 끌어냈다. 이런 식으로 해서 언제쯤 잃어버린 과거의 나를 완전히 되찾을 수 있을까.

'여기서 더 위험을 감수해야 무엇이라도 얻어 낼 수 있으려나.'

한데 감수해야 한다면 어떤 식으로? 빌힐름을 찾아가 나 또한 과거의 너를 알고 있다고 고백해야 하나? 안달이 나는 쪽은 누가 보더라도 빌힐름이 아닌 나다. 그 사실은 빌힐름도 비비안느도 알고 있을 터였다. 어쩌면 리히튼 역시.

'리히튼은 어디까지 봤을까.'

그가 언급한 나의 바람이란 정확히 무엇이었을까? 복수? 자유? 방으로 돌아가 밤새 고민해 봐도, 마땅한 해답은 나오지 않았다.

이틀은 빠르게 흘렀다. 한 치도 다를 바 없이 똑같은 하루였다. 낮에는 흐릿한 하늘에서 소나기가 퍼부을까 걱정돼 사냥을 나가지 않았고, 저녁에는 빌힐름을 찾아가 하염없이 기다리기만 한 후 돌아왔다. 발레리아와 무료한 시간을 보낼 때면 창밖에 펼쳐진 너른 자작나무 숲을 바라봤다. 황성의 서쪽과 동쪽에 넓게 분포된 새하얀 자작나무 숲은 낙엽이 떨어져 반쯤 발가벗겨져 있었다. 저 너머 어딘가에 나와 리히튼을 가두었던 새장이 존재하겠지. 하지만 나는 단 한 번도 그 흔적을 찾으려 시도한 적이 없었다. 숲의 안쪽이 마치 바닥없는 까만 늪처럼 느껴져 몸을 들이밀 수 없었던 것이다.

똑똑.

문이 열리고, 그 너머에서 발레리아가 티 카트를 몰며 들어왔다. 이윽고 저녁 식사대용으로 부탁한 간식이 테이블 위에 차려졌다.

"곧 약속 시간인데 다 드실 수 있으시겠어요?"

"상관없어, 그리 배고프지도 않으니까. 너는 네 볼일을 보렴. 천천히 먹을 생각이야."

고개를 끄덕인 발레리아가 저만치 놓인 벽난로에 다가갔다. 근래 날씨가 쌀쌀해 한 번씩 불을 붙이고 있었다. 발레리아는 그 앞에 무릎을 굽히고 앉아 품의 작은 종이를 찢어서 던져 넣었다.

처음에는 지인에게서 받은 서신인가 싶어 관심을 두지 않았다. 그러나 발치에 떨어져 있던, 발레리아의 것으로 보이는 엽서를 발견했을 때는 조금 달랐다.

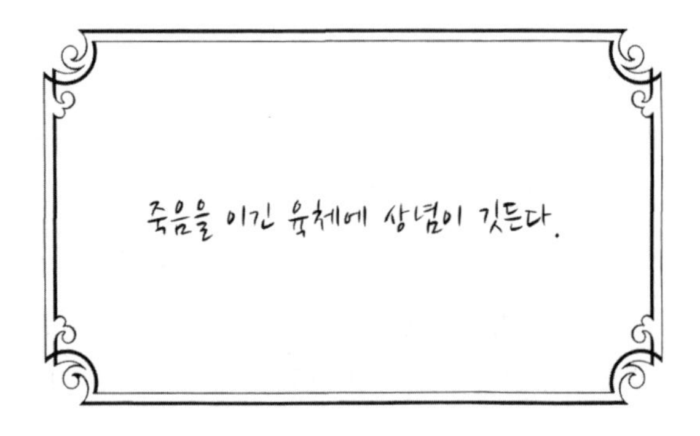

마치 암호구처럼 보이는 문장이지 않은가.

"발레리아, 그게 뭐니?"

한참 종이를 찢고 있던 발레리아가 내게 고개를 돌렸다.

"아, 서신입니다. 며칠 전부터 하루도 빠짐없이 이상한 엽서가 도착하고 있어서요. 분명 수신자는 제 이름이 맞는데… 전부 같은 내용이라 소름 끼치기도 해서 모두 태워 버리려고 해요."

엽서랄 것도 없었다. 글이 적히지 않은 엽서의 앞부분은 그저 까만색 잉

크로 칠해져 있을 뿐이었다. 게다가 발신자와 발신 주소는 텅 빈 상태. 무시하기에는 계속 눈에 걸렸다. 몸을 일으켜 발레리아에게 다가갔다. 그녀의 말대로 남아 있는 엽서 세 장 모두에는 같은 글귀가 적혀 있었다.

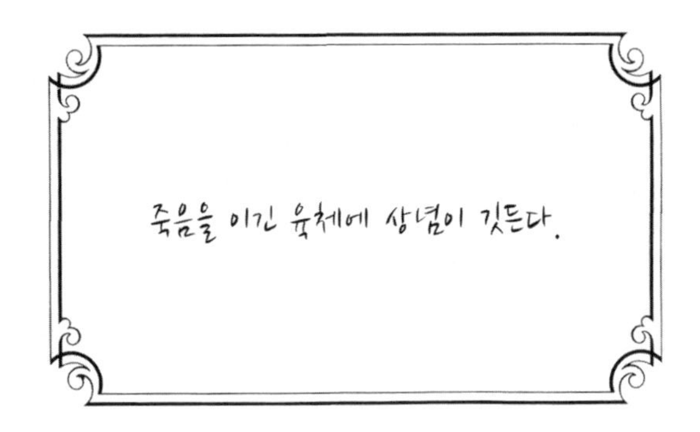

죽은 육체.

"정확히 언제부터 왔어?"

"열흘 정도 된 것 같아요."

열흘 전이면 내가 황제 암살범으로 몰렸던 시기 즈음이었다. 그 시기부터 발레리아에게 도착하기 시작한 엽서. 죽음을 이긴 육체. 상념.

"혹시 그동안 크게 아팠던 적 있니?"

"네? 아니요. 아주 어릴 때라면 모르겠지만, 큰 이후에는 없습니다."

그럼 내게는 있었나? 문득 뇌리에 스치는 이름이 있었다. 나는 홀린 듯 일어서 테이블로 다가갔다. 빵 옆에 놓인 나이프를 쥐고 손끝을 갈랐다. 그리고 지문 위에 맺히는 핏방울을 빵 위에 떨어뜨렸다.

"아가씨?"

아무런 변화가 없다. 모든 게 이상하리만치 그대로였다. 동그란 핏방울은 빵의 표면을 타고 부드럽게 떨어졌다. 썩거나, 탄 부위는 존재하지 않았다.

"베이셨나요? 연고를…."

"괜찮아. 약은 필요 없어."

이것 때문이었어.

'이것 때문에, 황제가 내 혈액을 마셔도 내상을 입지 않고 멀쩡했던 거야.'

비비안느로부터 이슬라의 환청을 얻었던 일이 거짓은 아니었던 터라, 황제 시해 사건은 유야무야 넘어갈 수 있었다. 하지만 당시 유리병 안에 들어 있던 적색 액체는 내 혈액이 맞았다. 특수 재질의 유리병이 아닌 이상 닿는 족족 녹여 버리는 그 혈액. 뒤늦게 깨달았다는 사실이 너무나 멍청하게 느껴졌다. 확실했다. 이유는 모르겠지만, 체내의 잉고르드 독이 모두 해독되어 있었다.

"하."

대체 어떻게? 급히 서랍으로 달려가 잉고르드에서 챙겨 온 가방을 뒤졌다. 짐이라고 해 봤자 별거 없었다. 내가 찾는 것은 그중에 포함된 작은 유리병이었다. 혹여나 잠결에 삼키기라도 한 줄 알았는데, 유리병에 든 검은 액체는 그대로였다. 리히튼이 내게 보낸 해독제. 한데 해독제를 마시지 않았는데도 저절로 해독되다니?

'얘, 수잔. 너 요즘 안색이 밝다. 건강해진 것 같아 다행이야.'

잉고르드를 벗어날 즈음 그런 소리를 자주 듣긴 했다. 그래. 곰곰이 생각해 보면 불안정했던 몸의 상태가 어느 날부터인가 말도 안 되게 좋아져가고 있었다. 사흘에 한 번꼴로 쓰러지거나 밤마다 찾아오는 악몽에 잠들지 못하고, 예민해진 오감에 제대로 된 휴식도 취하지 못했던 때의 내가… 지금은 어떻지?

'독에 적응했기 때문이라고 생각했는데. 그때부터 이미 해독되어 가고 있던 건가.'

그럼 리히튼과의 내기는?

"…가씨."

그가 내게 해독제랍시고 준 이 유리병은?

"…가씨?"

죽음을 이긴 육체에 깃드는 상념은?

"아가씨!"

길게 숨을 들이켰다. 혼돈으로 가득 찼던 뇌가 기지개를 펴는 느낌이었다. 발레리아가 걱정스러운 표정으로 내 앞에 무릎을 꿇었다.

"괜찮으세요? 이제 곧 나가실 시간이에요."

그녀의 말대로 시계의 시침이 저녁 6시에 안착해 있었다. 마음은 급했으나 잡념을 떨치고 천천히 자리에서 일어났다. 어차피 또 빌힐름을 기다려야 할 테고, 그때 생각을 정리하면 된다. 찬물을 삼키고 방을 나섰다. 조심스레 쫓아오던 발레리아가 내게 몸을 기울이며 말했다.

"오늘 조금 이상하신 것 같아요. 아가씨의 이런 모습은 처음 봅니다."

"이런 모습이라면?"

"여유를 잃으신 모습이요."

그 말은 즉 이전까지는 퍽 여유로워 보였단 소리일 터였다.

"황성에 오기 전까지는 늘 이런 꼴이었지."

혼돈스러워하고, 괴로워하고, 고통스러워하고. 잉고르드에서의 나날에 비하면 황성은 휴양지나 다름없었다. 실제로 빌힐름의 손님이라는 지위를 얻기도 했고, 잉고르드의 독은 모두 치유되었으니 이보다 더 안온한 일상은 없을 터였다.

하지만 내 안에 잠재된 이성은 아니었다. 나의 이성은 이 안정감을 진절머리 낼 정도로 혐오했다. 나의 이성은 이 평화를 누리기 위해 황성에 오지 않았다. 오히려 나는….

"오늘은 빌힐름 전하의 시종들이 보이지 않네요."

고개를 드니 그녀의 말대로 문 앞이 텅 비어 있었다. 하지만 시종이 자리를 비웠다는 이유로 약속을 어길 순 없었기에, 노크를 한 후 방 안으로 들어섰다. 늘 우리를 기다리던 카인 역시 방 안에 없었다.

'이제는 아예 나를 없는 사람 취급할 생각인 건가?'

이쯤 되니 그들이 어디까지 갈지 궁금해졌다.

"아, 아, 아가씨?"

자연스레 의자 위로 몸을 누이려 할 때였다. 발레리아가 당혹감에 젖어 덜덜 떠는 목소리로 나를 불렀다. 그 순간, 문득 머릿속을 빠르게 스치는 무언가를 느꼈다. 쉬이 정의할 수 없는 그 기묘한 감각에 방향을 틀어 발레리아에게로 다가갔다. 커다란 침대 옆에 서 있던 그녀의 고개가 삐걱거리며 나를 향한다. 푸른 눈동자에는 말로 형용할 수 없는 광대한 공포가 서려 있었다.

나는 그런 발레리아의 곁에 나란히 섰다. 우리의 앞에 놓인 것은, 몹시 놀랍게도, 난도질당한 벨버른 백작의 시체였다.

"아아."

아주 찰나의 순간이었다. 벨버른 백작의 시체를 인지하자마자 머릿속을 스쳤던 그 기묘한 섬광의 정체를 깨달았다.

"빌힐름."

이건 빌힐름이 나를 위해 파 놓은 덫이었다. 오직 나를 위해 준비한 덫. 그래, 빌힐름 네가 내 앞에서 계속 웅크리고 있을 이유가 없었다.

"아가씨, 어서 이 일을 알려야…."

발레리아가 덜덜 떨리는 손으로 내 손목을 잡았다. 나는 땀에 젖은 그녀의 이마를 훔쳐 주며 고개를 저었다. 벨버른의 다리 옆에 떨어져 있는 커다란 검이 굳지 않은 핏물로 붉게 물들어 있었다.

"소용없어."

문이 열리는 소리가 들렸다. 지난 며칠간 절대 열리지 않았던 문이 이제야 열린 것이다. 누구인지 모를 방문자가 우리의 등 뒤로 다가왔다. 연달아 들리는 소리를 봐선 한 명이 아닌 여럿이었다.

"흠? 웬 아가씨가 계시는군. 우리가 방을 잘못 찾아온 겁니까? 빌힐름 전하의 공간…."

바로 뒤까지 다가온 목소리가 어느 순간 뚝 끊겼다. 잠깐의 정적 후 누군가 우리 사이를 파고들었다.

"잠깐, 여기 누가 쓰러져 있습니다."

"벨버른 백작 아닙니까?"

한데 이상하지. 이토록 미약한 불안감도 느껴지지 않을 줄이야.

"젠장, 백작의 팔이… 이 무슨…."

"시종! 시종을 불러!"

주위가 시끌벅적해졌다. 겁을 먹을 발레리아가 내 손을 붙잡은 채 바닥 위로 천천히 무너졌다. 빌힐름의 방은 그야말로 아비규환이었다. 당연한 일이었다. 저리도 잔혹한 죽음을 맞이했는데 그 누가 평상심을 유지할 수 있겠는가?

'그런데, 왜 나는 아닐까.'

나는 이 상황이 그저…. 참으로 기이했다. 예측하지 못한, 어쩌면 나를 죽음으로 몰 사건이 발생했음에도 도리어 마음 한구석에는 평온한 안정감이 찾아온 것이다. 마치 그동안 이런 상황을 바라왔던 것처럼. 문득 정신을 차렸을 때는 모두의 시선이 우리를 향해 있었다. 나를 붙잡는 발레리아의 악력이 강해졌다. 그 손을 천천히 밀어내며, 부드럽게 웃는 얼굴로 입을 열었다.

"아무래도 제가 여기서 한마디 해야 할 것 같죠? 저와 제 하녀도 이제 막 이곳에 들어왔답니다. 전하와의 선약이 있었거든요."

그 누구도 입을 열지 않았고, 냉랭하게 굳은 방의 분위기 또한 풀리지 않았다.

"물론 아무도 믿지 않겠지만."

이러면 안 되는데, 입술을 비집고 흘러나오는 웃음을 도저히 숨길 수가 없다. 아아! 드디어, 길고 길었던 평화의 끝이 찾아온 것이다.

그날의 가장 피곤했던 사건을 거론하자면, 발레리아가 내 발치에 속을 게워 냈다는 점이다. 악취가 워낙 지독했기에 있는 자리에서 옷을 벗어던지고 싶었으나 차마 그럴 수 없었다. 벨버른의 시체가 발견된 직후부터 나와 발레리아는 방에 감금되다시피 했다. 다음날 정오까지 문 앞을 지키는 기사들 때문에 꼼짝도 할 수 없었다.

"아가씨, 저희는 어떻게 되는 걸까요."

시체를 목격했다는 사실이 충격적이었는지, 발레리아의 낯이 하루아침만에 핼쑥해졌다. 잊을 만하면 질질 짜는 모습이 질리기 시작했으나 타박하지는 못했다. 그녀는 이 너른 황성에서 유일한 내 사람이었기에 잘 달래야만 했다.

"걱정하지 말렴, 발레리아. 내게 다 방도가 있으니까."

"저, 저는 아가씨만 믿어요."

"그럼."

물론 방도 따위가 존재할 리 만무했다. 가진 무기라곤 힐마르티노에 정신이 팔려 내 쪽은 거들떠보지도 않는 비비안느와 나흘째 나를 없는 사람 취급하는 빌힐름, 그리고 나는 벨버른 백작의 살해범이 아니라는 진실이 전부였다. 빌힐름이 나를 해치우기 위해 이런 번거로운 상황을 만들었으리라 여기지는 않는다. 다만 이것만은 확실했다. 빌힐름은 내가 지금보다 더욱 난처한 상황에 놓이길 원한다는 것. 꽉 닫혀 있던 문이 열린 건 해가

진 이후였다.

"미안합니다, 아그레인. 제가 많이 늦었군요."

문 너머에서 나타난 자는 이름 모를 기사 다수, 시종 다수, 귀족 다수, 그리고 빌힐름이었다. 그는 언제나 그러했듯 한없이 자상한 얼굴로 말했다.

"시체가 많이 훼손되었기는 했지만… 벨버른 백작의 영지로 잘 인도되었습니다."

그랬구나.

"그러니 너무 마음 쓰지 않으셔도 될 것 같습니다."

들어오자마자 하는 말이 가장 궁금하지 않은 사안에 대해서라니. 속을 알 수 없는 빌힐름을 대신해 내가 먼저 속내를 비추었다.

"오랜만에 뵙네요, 전하. 며칠 만이죠? 적어도 열흘은 흘러야 다시 뵐 수 있을 줄 알았는데요."

그런데 빌힐름이 웃음을 터트렸다. 너무나 뜬금없이, 마치 기다렸다는 듯 터진 웃음이었다. 안 그래도 서늘했던 분위기가 꽁꽁 얼어붙었다. 묵묵히 뒤따라 온 자들이 그의 눈치를 살피기 시작했다. 하아. 기쁨을 음미라도 하는 것처럼 길게 한숨을 내쉰 빌힐름이 다시 눈을 맞추었다.

"미안합니다. 당신을 비웃으려는 의도는 절대 아닙니다. 그저…."

실컷 웃고 난 뒤 무슨 소릴 할까 싶어서 가만히 귀를 기울였다. 그러나 빌힐름은 소리를 목 아래로 삼키고 말을 돌렸다.

"나는 이 사건과 당신이 관련되지 않다는 걸 알고 있습니다. 하지만 다른 이들을 설득하기 위해서는 나의 신뢰만으로 부족하다는 걸 말해 주고 싶었습니다. 어제 당신과 당신의 하녀를 발견한 자들 말입니다."

빌힐름의 뒤편에 선 자들을 가리키는 소리일 터였다. 하나같이 딱딱한 표정의 귀족들을 훑은 뒤 빌힐름에게 물었다.

"저분들은 그 시간에 왜 전하를 찾아뵈러 왔나요?"

"우리는 술잔을 나눈 사이입니다. 언제 어디서든 서로를 만날 수 있지요."

"하지만 저녁 6시에서 7시까지 전하를 뵈러 간 사람은 오직 저뿐이었어요. 나흘 동안요."

빌힐름이 난처한 웃음을 지으며 대답했다.

"그 부분에 대해서도 사과드리고 싶었습니다. 무려 나흘 동안 당신에게 커다란 실례를 했던 점을요."

"그런 것치고는 너무 당당하신데요."

듣기에 꽤나 건방졌는지, 귀족 중 한 명이 날 나무랐다.

"전하의 앞이오. 언행을 조심하시오."

그의 타박에 빌힐름을 바라보며 물었다.

"제가 무례한가요?"

"아닙니다. 체네바 자작, 나는 괜찮으니 말을 아꼈으면 하는군."

"전하께서 그러시다네요, 체네바 자작님."

얄미우라고 얼굴의 온 근육을 사용해 활짝 웃어 주었다. 물론 전혀 즐겁지 않았다. 질질 끌 필요가 없다고 생각했다. 나는 빌힐름이 기다리고 있을 말을 먼저 꺼냈다.

"무고를 입증하기 위해 제가 어떻게 하면 될까요?"

그는 망설이지 않고 곧장 대답했다.

"방법은 많습니다. 우선… 오늘 이후로 비비와의 개별적인 만남은 없어야 할 겁니다."

인상이 구겨졌으나 일단은 입을 닫았다. 다만 그의 입에서 비비안느의 애칭이 나왔다는 게 퍽 놀라웠다. 담담한 얼굴로 내 표정을 살피던 빌힐름이 뒷말을 이었다.

"당신과 비비의 친분에 문제가 있는 건 아닙니다. 그저 이자들이 당신을 신뢰하지 못하는 가장 큰 이유가 그 부분에 있기 때문이지요."

대놓고 비비안느와 척을 진 사이라 말하다니. 그동안 나와 그녀가 붙어 다닌 꼴은 어떻게 봤을지 의문이었다.

“이해했어요. 그다음은요?”

“그것으로 충분합니다.”

이번에는 입을 열지 않을 수 없었다.

“고작 그것으로 전 벨버른 백작을 살해했단 오명을 지울 수 있단 소리인가요?”

“예.”

“납득하기 어려운데요.”

“납득할 필요가 있습니까? 애초에 범인은 당신이 아닌데.”

빌힐름의 표정과 목소리에는 작은 흔들림 하나 없었다. 이미 그의 머릿속에서는 나의 비비안느 사이에 커다란 벽이 생긴 듯했다. 그의 주장을 인정하기 어려웠다. 하지만 빌힐름이 어떤 의도로 이런 상황을 만들었는지는 대충이나마 짐작이 갔다.

그가 벨버른의 살해를 주도했다고 확신할 순 없다. 하지만 때때로 심장을 찌르는 듯한 날카로운 직감이 이성을 지배할 때가 있지 않은가. 무고를 인정하는 조건으로 비비안느와의 독대를 금지시키는 것만 봐도 태가 났다. 빌힐름은 나에 대한 소유권을 주장하고 있었다. 다만, 나는 굳이 이렇게까지 하는 이유가 궁금했다. 고개를 돌려 체네바 자작에게 물었다.

“체네바 자작님. 제가 비비안느 전하와의 친분을 끊으면, 그때는 제 무고를 인정하실 수 있으시겠어요?”

“우리는 빌힐름 전하의 말씀에 따를 뿐이오.”

“충성스러우시군요.”

혀 위에 그려지기라도 한 것처럼 판에 박힌 대답이었다. 빌힐름이 재차 내게 물었다.

"그래서 당신의 대답은 무엇입니까, 아그레인."

어차피 내가 할 수 있는 답은 예, 아니오에 불과할 텐데. 뭐라도 하나 더 건지기 위해 체네바 자작에게 다시 한번 더 물었다.

"체네바 자작님. 괜찮다면 제 상황을 비비안느 전하께 설명드려도 될까요? 다른 의도는 없어요. 그게 비비안느 전하에 대한 예의라고 생각해서요."

체네바 자작은 미묘하게 당황스러운 얼굴로 내게서 시선을 돌렸다. 짧은 침묵이 감돌았다. 돌아간 그의 시선은 빌힐름을 향해 있었다.

"그건…."

"아그레인."

빌힐름의 나긋한 목소리가 내 이름을 불렀다.

"진심으로 묻는 것이라면, 안 된다고 말씀드리고 싶습니다."

그의 눈빛은 단호했다.

"하지만 걱정하지 않으셔도 될 겁니다. 비비는… 당신이 굳이 언급하지 않아도 충분히 알고 있을 테니."

기분이 묘했다. 내가 기억하는 비비안느와 빌힐름의 관계는 한 치의 오차도 없는 수직적 관계였다. 한데 지금은 빌힐름이 비비안느의 능력을 인정하고 있지 않은가? 문득 궁금해졌다. 비비안느는, 빌힐름의 개나 마찬가지였던 비비안느는 어떻게 그 자리까지 오를 수 있었을까?

"그렇담 어쩔 수 없네요. 저도 제 목숨이 더 소중한 사람이라서요. 한데 제 무고가 입증되면 전 벨버른 백작님의 사건은 어찌 되는 건가요?"

"앞으로 범인을 색출해야겠지요."

"그럼 이제 전하를 뵈러 갈 때 더는 기다리지 않아도 될까요?"

하하. 이전보다는 덜했으나 빌힐름의 웃음소리는 확실히 이 상황을 즐기는 것처럼 들렸다.

"그 부분에 대해선 송구스러워 드릴 말씀이 없습니다. 앞으로는 절대 없으리라 약속드리겠습니다."

미약한 신뢰도 느껴지지 않는 약속이었다. 순순히 고개를 주억이자 방을 뜨려는 듯, 빌힐름이 자리에서 일어났다. 내게 볼 일은 정말 그것 하나였구나. 돌아서는 그의 등을 응시하다가, 문득 떠오른 일정에 입을 열었다.

"아, 그러고 보니…."

곧장 등을 돌리는 빌힐름을 향해 난감한 표정을 지었다.

"내일 사냥 대회 말이에요. 제가 힐마르티노 각하의 파트너로 정해졌다는데… 어떻게 할까요?"

힐마르티노는 비비안느의 최측근이니 빌힐름의 허락을 받지 않을 수 없었다. 아주 짧은 틈이었으나, 마냥 선했던 그의 인상이 삐걱거리는 게 보였다. 하지만 빌힐름은 무슨 일이 있었냐는 듯 금세 표정을 풀며 대답했다.

"이미 결정된 사안까지 제가 무를 수는 없지요. 근래 아그레인 양의 연습이 잦다고 들었습니다. 힐마르티노 후작 또한 실력이 출중하니, 좋은 결과가 있을 겁니다."

때때로 믿기지 않는다. 저렇게 정직한 얼굴로, 저리 듣기 좋은 소리만 하는 남자가….

"좋은 말씀 감사합니다, 전하."

내게 정신 나간 짓을 서슴없이 하곤 했다니. 빌힐름과 그의 측근들이 나간 후 방의 공기가 다소 음울해졌다. 겁에 질려 있던 발레리아가 들릴 듯 말 듯 작게 안도의 한숨을 내쉬었다.

'빠져나갈 구석이 없었어.'

이번에는 정말 완벽하게 이용당했다. 자괴감이 들기보다는 정신이 번쩍 든 기분이었다.

"이제는 마음 놓고 다른 이들을 찾아가지도 못하겠네. 그렇지 않니, 발레리아?"

그늘이 진 얼굴로, 발레리아가 조용히 대답했다.

"비비안느 전하께서 아가씨를 많이 아끼신다고 들었어요. 분명히 울적해하실 거예요."

"내가 그분께 그만큼의 가치가 있다면 어떻게든 해 주시겠지."

"…없다면요?"

옅게 떨리는 목소리를 봐서는 내가 비비안느에게 버림받기라도 할까 불안한 모양이었다. 나는 차마 그녀의 얼굴에 '포기하는 게 좋아'라고 놀려 댈 수 없었다.

다음날 역시 날이 흐렸다. 그대로 비가 쏟아져도 이상하지 않을 만큼 어둑한 하늘이었지만, 날이 날인만큼 대회는 취소되지 않았다.

"오늘이 폐하의 탄생일 10일 전이라고 들었습니다. 축하의 의미로 진행되는 대회라, 천둥 번개가 치지 않는 이상 취소될 일이 없다고 합니다."

내 시중을 들기 위해 따라 나온 발레리아가 작게 속삭였다. 전날도 아니고 10일 전이라고?

'별 난리를 다 치는군.'

준비된 말에 오르자 발레리아 역시 뒤따라 안장에 올랐다. 중간중간 시간을 할애해 승마를 가르치길 잘했다는 생각이 들었다. 대회의 분위기는 이제껏 봐 온 황실의 분위기 중에서 가장 활기찼다. 피를 볼 수 있다는 생각에 없던 활기까지 되찾은 것일까. 각자의 파트너를 알고 있는지, 하나둘 자리를 이동해 팀을 구성하기 시작했다. 나는 힐마르티노를 찾아 헤맬 필요가 없었다. 멀지 않은 곳에서 크고 잘생긴 흑마에 오른 미인이 요란스럽게 등장했기 때문이다.

"안녕, 어여쁜 아그레인. 그간 연습은 많이 했을까?"

힐마르티노는 승마복조차 빈틈없는 흑색이었다. 자작나무 숲에서 아무렇지 않은 얼굴로 시종의 손가락을 베던 장면이 떠올랐다. 어둠 속에서 들키지 않고 그 짓거리를 하기 위해 즐겨 입는 것일까.

"죄송하지만 최근 연습을 잘 못 했어요. 아무래도 저는 짐만 될 것 같네요."

"새삼스럽긴. 열심히 했어도 짐인 건 여전할 거야. 뭘 해도 쓸모없단 소리니 너무 시무룩해 있지 말렴."

매혹하듯 끌어올린 입꼬리로 아무렇지 않게 폭언한다.

"나의 아름다운 주군께서 앓다 죽을 얼굴로 널 보고 계시는구나."

"제가 아닌 각하를 보고 계시는 거겠죠."

힐마르티노의 시선은 내가 무슨 말을 하든 어깨 너머의 어딘가를 향해 있었다. 답지 않은 감성적인 얼굴이 되어서.

"얼마나 마음이 여린지. 절 버린 것에게 폐가 될까 말 한 번을 못 거는 모습이 가엽기도 하여라."

힐마르티노의 입에서 나오는 비비안느는 종종, 아니 대체로 공감되지 않는다. 여리다느니, 뭐뭐 한다느니. 실제 곁에서 본 비비안느가 여성적인 면에서 충분히 매력적이기는 해도 그런 묘사는 어울리지 않았다.

'핏줄은 못 속여.'

황제도 개새끼고 그 자식도 개새끼인데, 둘과 혈연인 비비안느만 다를 수 없었다. 적어도 나는 그리 생각했다. 힐마르티노의 눈에는 다시없을 세기의 천사처럼 보인다고 할지라도.

탕!

사냥 대회의 시작을 알리는 총성이 울렸다. 직전까지 내게 한 번쯤 고개를 돌려 주라는 듯 꾸준히 비비안느를 언급하던 힐마르티노도, 총성이 터진 후에는 조용해졌다. 사람들이 하나둘 흩어지기 시작하고, 어느새 대기 지점에는 그녀와 나만이 남게 되었다.

'여유롭네.'

실력이 좋다던 빌힐름의 평가가 입 발린 소리는 아니었던 모양이지. 중한 사안이 걸린 대회였다면 빨리 가자고 보챘을 테지만, 상품도 걸리지 않은 황제 탄생일 10일 전 기념 대회 따위 내 알 바 아니지 않은가. 그런 내 생각을 읽기라도 한 걸까? 힐마르티노가 고삐를 당기며 지나가듯 말했다.

"아무리 볼품없는 실력이라도 최선을 다하는 게 좋을 거야. 역대 사냥 대회의 우승자들은 꽤 거창한 것들을 가져갔거든."

그 거창한 것이 무엇인지 눈빛으로 묻자, 힐마르티노가 헛웃음을 터트렸다.

"건방진 것. 이제는 눈에 뵈는 게 없군… 폐하께서 내리신 거창한 선물이 뭐겠느냐? 적어도 우승자가 바라던 평생의 소원 정도는 되겠지. 이랴!"

힐마르티노가 쏘아진 총알처럼 앞으로 튀어나갔다. 잠시 멍하니 바라보던 나도 놓칠까 싶어 급히 그녀의 뒤를 따랐다. 벌써 곳곳에서 총성이 터지고 있었다. 숲에 들어선 후 힐마르티노는 꽤 여유로워 보였다. 누군가는 벌써 환호성을 지르고 박수 치는데, 그녀에겐 그런 소음이 들리지 않는 듯했다. 최선을 다하라고 한 것치곤 영 딴판인 모습이었다.

"너는 황성에 무엇을 바라고 왔지?"

처음에는 내게 하는 말이 맞는가 싶었다. 너무나 뜬금없는 물음이었기 때문이다. 이내 주위에는 그녀와 나를 제외하곤 수발을 드는 이들이 전부임을 깨달았다. 나는 한 박자 늦게 대답했다.

"편안한 삶."

"편안?"

"배를 곯지 않고 세상을 방랑하지 않아도 되는 삶이요."

힐마르티노가 코웃음을 쳤다.

"우리 아그레인은 말이야. 재밌는 건지 멍청한 건지 영 모르겠어. 세상천

지에 황성을 편안하다고 표현하는 건 너밖에 없을 거다."

"혹시 모르죠. 각하께서도 하녀 노릇만 3년 정도 하면 생각이 바뀌실지."

"너는 해 봤다는 소리니?"

말을 멈춘 힐마르티노가 나를 돌아봤다. 무심코 그러리라 여겼던 그녀의 표정과 실제 마주한 그녀의 표정은 너무나 많은 점이 달랐다. 일단 습관처럼 달고 다녔던 은은한 웃음이 흔적도 없이 사라져 있었다. 가늘어졌던 눈매 또한.

"글쎄요."

스릉. 귀에 익은 날것의 부딪힘. 턱 아래로 닿아 오는 차디찬 쇠의 감촉. 그리고, 그날 밤하늘 아래에서 보았던 초록빛 안광까지.

"자꾸 꼬리 말려 하지 말고 대답해 보렴. 너는 대체 누구냐?"

검날의 날카로운 끝이 살을 파고들었다. 발레리아의 숨 삼키는 소리가 지척에서 들려왔다.

"뭘 하는 년이기에 그 미친 새끼가 널 가지질 못해 안달이지?"

웃음기 하나 없는 살벌한 눈빛이 내 뺨을 꿰뚫듯 쏘아졌다.

"비비에 버금갈 정도로 미인이길 하나? 얼굴이 꽤나 쓸 만하기는 해도 그 정도까진 아니야. 그렇담 머리를 잘 굴리기라도 해? 미친 새끼의 잔꾀에 넘어간 걸 보면 그래 보이지도 않아. 아니면 황실의 금고는 호주머니로 보일 정도로 막대한 부를 가진 거냐? 그렇담 이곳에서 그런 취급을 받고 있진 않겠지."

말이 길어질수록 살을 파고드는 검의 날 또한 깊어진다. 이러다 멀쩡한 목에 구멍이 뚫릴 것 같아서 검을 손으로 쳐냈다. 그에 눈을 동그랗게 뜬 힐마르티노가 몸을 젖히며 큰 웃음을 터트렸다.

"아하하하!"

그러고는 언제 웃었냐는 듯 정색하곤 코앞에서 검을 휘두르는 것이 아닌

가. 무언가 잘려 나가는 소리가 들렸다. 승마복 위로 뚝 떨어져 내린 건 잘린 적발과 귀걸이였다.

"그쪽 귀를 떨어뜨리려고 했는데. 마지막 이성이 날 붙잡아서 다행이지 뭐야."

힐마르티노의 얼굴은 평온했다. 덕분에 그녀가 얼마나 미친년이지에 대해서 다시금 상기할 수 있었다.

'역시 잘못 걸렸어.'

빌힐름이 내게 목을 맨다고 표현한 만큼, 이런 장소에서 갑자기 죽이려 하지는 않을 것이다. 다만 미친년이라는 정신 상태에 걸맞게 요란스러운 미친 짓을 할 수도 있으니, 최소한의 선을 지키며 사리는 게 맞는 듯했다.

"저에 대해서 다 알고 계시는 거 아니었나요?"

"그럴 리가? 너 같은 것은 듣도 보도 못했단다."

"처음 뵈었을 때 제 이름을 분명 아는 듯 반응하셨어요."

"이름이야 지겹도록 들었지. 비비가 내게 보내는 서신에 네 이야기를 어찌나 늘어놓던지. 나중에는 짜증이 나서 찢어 버리고 싶을 정도였어."

그런 거였나. 나는 힐마르티노가 '아그레인 캐롤드'라는 인물에 대해 알고 있는 줄 알았다. 황제를 보좌하던 그 늙은 백발의 귀족들처럼.

"아하. 네 이름에 대단한 비밀이라도 숨겨져 있는 건가? 우리 그 비밀을 나눌 수 있을까?"

"별거 없어요. 내가 가진 건 멸문한 가문의 이름이 전부예요."

낙엽이 짓밟히는 미약한 소음이 났다. 작은 동물이 근처를 배회하는 기척이었다. 하지만 힐마르티노의 시선은 오롯이 나를 향해 있었다. 숨도 쉬지 않는 것처럼 고요했다. 곧 장식검보다 훨씬 둔탁한 윤기를 지닌 검의 날이 검집 속으로 모습을 감추었다.

"캐롤드 가문의 일원은 모두 적발이었지."

놀라운 이야기가 아니다. 그저 지나가듯 나온 소리에 불과했다. 한데 급작스레 심장이 쿵쿵 뛰기 시작하면서 머릿속이 울렁이는 기분이었다. 캐롤드 가문의 일원은 모두 적발. 누군가에게서 가문의 이야기를 듣는 것이 처음이기 때문일까?

"내가 널 처음 봤을 때, 너는 눈을 뜬 지 고작 1년도 안 된 갓난아이였어."

이 기분은… 그래, 솔직하게 말해서 상당히 충격적이었다. 적어도 기억을 잃은 후에 이런 감정을 느끼는 건 단연코 처음이었다. 그래서일까? 이 감정이 무슨 감정인지 도통 정의하지 못하겠다. 힐마르티노가 고개를 저으며 코웃음을 쳤다.

"그런 표정도 지을 줄 아는군. 어때, 이제 나를 좀 공경할 마음이 생기더냐?"

"…이제껏 제게 캐롤드 가문에 대해 말해 준 사람은 아무도 없었어요."

바라지 않았음에도 목구멍이 꽉 막힌 듯한 음성이 나왔다. 힐마르티노는 대수롭지 않게 대답했다.

"그 누가 자신의 목을 걸고 네게 옛 이야기를 해 줄 수 있을까? 캐롤드는 반역죄로 멸문했다. 그러니 적어도 황성에서는 입에 담는 것 자체가 중죄란다."

반역죄. 황성에 입성한 지 근 한 달 만에 처음으로 얻은 정보였다. 캐롤드의 멸문 이유가 반역죄구나. 상상하지도 못한 뒷이야기였다.

"하지만 너는 살아남았지. 네 부모도, 저택의 고용인들도 모두 죽었는데 너는 살아남았어. 그리고 아무렇지 않게 폐하와 같은 성에서 숨을 쉬고 있군. 흥. 나라면 눈에 띄는 순간 눈알부터 확실히 도려냈을 텐데!"

언급 자체가 중죄라 했으면서, 힐마르티노는 아무렇지 않게 캐롤드의 이름을 입에 담았다. 시종에게서 총을 건네받은 힐마르티노가 안장에서 내려왔다. 그녀가 눈을 가느다랗게 뜨며 내게 물었다.

"그러니 이만 털어놓아 봐. 네까짓 게 대체 뭐기에 빌힐름이 그 번거로운 짓까지 일삼은 게냐?"

얼마나 궁금하기에 포기하려 하질 않는지. 그녀가 지닌 의문에 대한 답은….

'…간단한가?'

나는 그저 단순히, 내가 그의 개이기 때문이라고 여겨 왔다. 기억에 의하면 빌힐름은 어린 시절부터 소유욕과 파괴욕에 점철된 진성 미친놈이었다. 그리고 그러한 욕구를 풀어내기 위한 수단이 바로 나라고 생각했다. 재회한 후에도 빌힐름이 굳이 나를 쥐고 있으려는 이유는, 글쎄.

"제 생각에는요."

잠시 주위를 살피던 힐마르티노의 시선이 내게 고정된다. 나는 그녀를 따라 발레리아에게서 총을 받고 땅을 밟았다. 그리고 거리낌 없이 말을 이었다.

"빌힐름 전하는 저를 아주 열렬하게 사랑하시는 것 같아요."

"하?"

힐마르티노가 어이없다는 표정을 지었다.

"각하의 말씀대로 저는 가진 게 아무 것도 없어요. 얼굴은 쓸 만하지만 대단한 미인들과 비교할 정도는 아니고, 아는 것도 없고, 가진 것은 더 없는, 비루하기만 한 몰락 가문 출신. 전하께서 그런 저를 원하실 이유가 사랑 말고 또 있을까요?"

아무런 생각 없이 개소리만 늘어놨지만, 이거 꽤 논리적이지 않은가? 힐마르티노가 살갗을 꿰뚫는 차가운 시선으로 내 낯을 하나하나 뜯었다. 무언가 단단히 마음에 들지 않은 듯하면서도 그 이상의 부정적인 분위기는 느껴지지 않았다.

"너는… 그래, 역시 끔찍한 소릴 아무렇지 않게 하는구나. 끼리끼리 모인다는 소리가 헛소리는 아니었어."

눈알부터 도려낸다느니 뭐니 하는 사람이 할 말은 아니었다. 우리의 잡담은 그것으로 끝이었다. 힐마르티노는 별말 없이 숲속으로 걸음을 옮겼고, 대회에 아무런 지식이 없던 나는 묵묵히 그녀의 뒤를 따랐다.

힐마르티노의 사냥 솜씨는 대단했다. 사냥에 대해 아는 구석이 별로 없는 내가 봐도 감탄이 나올 정도였으니 오죽할까. 마음에 드는 부분이 하나 없는 여자라지만, 총구를 사냥감에 겨눌 때의 눈빛 하나에만큼은 절로 눈이 쏠렸다. 그 순간만큼은 특유의 타인을 깔보는 눈빛이나 강압적인 분위기, 미친년다운 흉포성이 느껴지지 않았기 때문이다.

자작나무 숲을 벗어난 건 그로부터 두 시간 가량이 흘러, 해가 하늘 한가운데 떠 있을 즈음이었다. 오전 사냥이 끝난 직후라 그런지 숲 깊숙한 곳으로 들어갔던 귀족들이 하나둘 나타나기 시작했다.

"어때. 성과는 괜찮았을까, 후작?"

또한 그 틈에는 빌힐름도 있었다. 정복이 아닌 승마복을 걸친 모습을 보는 건 처음이었다. 눈을 쉬이 뗄 수 없는 우아함이 전신에서 흘러 넘쳤다. 빌힐름은 힐마르티노에게 말을 걸면서도 나와 눈을 마주하고 부드럽게 웃었다. 나는 가볍게 목례하고 힐마르티노의 뒤편으로 말을 물렸다. 거칠게 장갑을 벗은 힐마르티노가 진저리난다는 얼굴로 고개를 저었다.

"아아, 최악이에요. 파트너가 이런 놀이에는 영 소질이 없는 모양입니다. 혼자서 개새끼가 된 양 뛰어다녔지 뭡니까!"

뭐, 틀린 말은 아니지. 끼어들고 싶지도 않았기 때문에 나는 조용히 입을 닫았다.

"아그레인 양은 사냥에 익숙하지 않으니까. 설마 몰랐으리라 생각하진 않는데."

빌힐름이 자연스럽게 그녀의 말을 받아쳤다. 정적이라 여기기에는 몹시 친절한 눈빛이었다. 직접적이지는 않았으나, 근처의 시선이 은근슬쩍 이곳으로 몰리는 게 단번에 느껴졌다. 힐마르티노가 속 모를 표정으로 웃었다.

"흐흥."

"이유가 뭔지 궁금한데 말이야, 말해 줄 수는 없나?"

"어떤 이유 말씀이십니까?"

"우리 사이에 오갈 이유는 하나밖에 없지. 후작이 아그레인 양을 선택한 이유."

착각일까. 힐마르티노의 유유자적한 낯에서 옅은 긴장감이 느껴졌다. 저 미친년이 사람 앞에서 긴장을 한다고? 착각이겠지.

"사람은 때때로 마음이 시키는 일을 하죠."

"하하. 낭만적이군. 공은 승부욕이 꽤 강한 편으로 알고 있는데."

"말씀드리지 않을 겁니다. 우리 둘 사이의 비밀이라서요. 그렇지, 아그레인 양?"

나머지 한쪽 장갑도 벗으며, 힐마르티노가 내게 동의를 구했다. 설마 내가 그런 말장난에 동조할 거라 여긴 건 아닐 터였다. 예전이었다면 몰라도 비비안느와의 줄이 끊긴 지금은 달랐다. 빌힐름 앞에서 힐마르티노의 눈치를 볼 필요가 없다는 의미다.

"비밀일 것까지야. 저에 대해 무척 궁금해하시기에, 함께 이런저런 이야기를 나눴어요. 하나하나 말씀드리기에는 너무 사소한 이야기들뿐이네요."

그렇다고 해서 대화 내용을 알릴 필요까지는 없겠지. 힐마르티노의 손이 내 어깨를 가볍게 툭, 건드리고 떨어졌다.

"비비안느 전하께서 아쉽게 여기시니…. 저라도 그 역할을 대신해야 하지 않겠습니까?"

"역할이라면?"

"물론 아그레인 양과 건전하게 교류하는 친우 관계이지요."

자리가 영 불편하다. 그리 가깝지도 않은 이들과 친분이라도 자랑하듯 모여 있으려니 답답함이 일었다. 멀어진 줄 알았던 빌힐름의 관심이 돌아온 것은 반가운 일이었으나, 솔직한 심정을 토로하자면 불편함과 찝찝함이 압도적으로 더 컸다.

“공의 말이 옳아. 마음을 나눌 수 있는 존재가 생기는 건 즐거운 일이지 않은가.”

다행히 그는 대화를 더 이어 갈 마음이 없어 보였다. 미련 없이 힐마르티노에게서 시선을 떼고 내게 미소 지어 보였다.

“내일 뵙겠습니다, 아그레인 양.”

“네.”

빌힐름이 몸을 돌리자 빼곡했던 주변이 둘로 갈라졌다. 아닌 척해도 다들 이쪽 대화에 귀 기울이고 있었음을 안다. 혹시 모르지, 한바탕 소란이 일어나길 바랐을지도.

“아, 힐마르티노 후작.”

그러나 서너 걸음을 옮긴 직후, 빌힐름이 다시 몸을 돌렸다.

“대화를 나누느라 일은 잘 해결됐는지 묻는 걸 잊었군.”

그 일이 어떤 일일지에 대해서는 부연 설명이 필요 없었다. 소란스러웠던 공기가 찬물을 맞은 듯 순식간에 가라앉았다. 정적 속에서 들리는 또렷한 목소리는 힐마르티노의 것이 유일했다. 그녀는 여상한 낯으로 빌힐름의 물음에 대답했다.

“일이랄 것까지 있을까요? 그저 뜻을 함께하던 친우가 돌연사를 당했고 모두 안타깝게 여길 뿐이지요. 사냥 대회만 겹치지 않았더라면 모두들 상복을 걸친 채 그를 그리워하고 있었을 겁니다.”

죽으면 그것으로 쓸모를 잃는 건가. 고작 서너 번 스쳐 지나간 것이 다인 귀족들의 얼굴이 떠올랐다. 그들의 죽음도 전 벨버른 백작과 같은 취급을 받게 될까?

"그런가? 죽은 전 백작이 고마움에 눈물을 흘리겠어."

비꼬는 문장과 대비되는 차분한 목소리는 물론, 그 둘과 선한 인상 사이의 괴리감이 엄청났다. 빌힐름이 자리를 뜬 후 힐마르티노를 훔쳐보던 사람들도 빠르게 흩어졌다.

준비되어 있던 야외 식탁의 자리가 어느새 하나둘 채워지기 시작했다. 두 시간 동안 몸을 썼는데도 이토록 입맛이 없을 수가 있나. 남들이 고기를 썰 때 나는 생크림이 듬뿍 올라간 조각 케이크를 한 시간 내내 잘라 먹었다. 죽어 마지않도록 사랑하는 비비안느와의 식사를 마쳤는지, 옆자리에 털썩 주저앉은 힐마르티노가 턱을 괴곤 속삭였다.

"사랑이라는 게 마냥 개소리는 아니었구나?"

"갑자기 나타나선 이상한 소릴 하시네요."

힐마르티노가 게슴츠레 뜬 눈으로 날 훑었다. 그에 조용히 포크를 내려놓다가, 뜬금없이 찾아와 헛소리를 하는 그녀가 우스워 입을 가리고 웃었다.

"왜 웃니?"

잘 숨겼다고 생각했는데 그 찰나를 봤을 줄이야. 고개만 돌려 그녀를 바라보고, 이번만큼은 솔직한 심정을 밝혔다.

"세상에는 사랑처럼 보이는 것들이 참 많은 것 같아서요."

나는 바보가 아니다. 경험해 보지 못했어도 무엇이 다르고 틀린지는 충분히 파악할 머리가 있었다. 이를테면, 빌힐름의 집착은 애정이 아닌 오롯이 소유와만 관련되어 있다거나. 가소롭다는 눈으로 웃던 힐마르티노가 자리에서 일어섰다.

"여우 같은 것."

거기서 한 시간 가량이 더 흐른 후 오후 사냥이 시작되었다. 오후 사냥에 참여하는 귀족들은 그 수가 무척이나 적었지만, 그만큼 더 진중한 자세로 대회에 임했다. 새삼 힐마르티노가 말한 우승 상품의 값어치가 느껴지는 시간이었다.

물론, 그런 것 치고 그녀와 나는 퍽 여유로웠다. 사냥감을 찾기 위해 백방으로 뛰기보다는 뛰다가 잡힌 사냥감을 사냥하는 기분이었다. 그렇게 대회의 막바지를 향해 한창 달려가던 중이었다. 힐마르티노가 갑작스럽게 사냥의 끝을 선언했다.

"여기까지만 하지."

아무런 미련도 느껴지지 않는 목소리였다. 그녀의 말에 나는 슬쩍 고개를 틀어 시종과 발레리아가 말 뒤에 이고 다니던 사냥감을 확인했다. 적지는 않지만, 그렇다고 해서 많다고 하기에도 영 모호한 숫자였다. 힐마르티노가 말했다.

"널 내 파트너로 정한 순간부터 우승은 글렀어. 비비에게 바칠 사냥감은 이것으로 충분한 것 같으니 더는 거머리처럼 붙어 다니지 말렴."

"불편했다면 다른 사람을 고르지 그러셨어요?"

"내 마음이니 따박따박 말대꾸하지 말길 바라. 나머지 한쪽 귀걸이도 찢어 버리긴 싫거든."

그러고선 코를 찡긋거리며 웃는 모습이 예뻤지만 징그러웠다. 말하는 꼬락서니 하고는. 내내 끌려다녀야 했던 사냥이 막을 내리는 건 내게도 반가운 일이라 얌전히 뒤를 따랐다. 안 그래도 흐릿한 하늘에 해까지 내려가자 금방이라도 비가 쏟아질 듯 우중충했다.

후원은 이미 사냥을 포기하거나 끝낸 귀족들로 드넓은 사교장이 되어 있었다. 시종들이 사냥감의 수를 세는 동안 나는 안장 위에 가만히 앉아 후원의 풍경을 구경했다. 그러고 보니 동쪽 숲으로 사냥을 갔던 사람은 없었던 것 같은데.

"각하. 저쪽 숲은 출입 금지인가요?"

힐끔, 내가 가리킨 손끝을 확인한 힐마르티노가 고개를 저었다.

"아니. 황실에서 서쪽 숲에만 사냥감을 풀어놓으니 하나같이 이쪽으로 몰릴 뿐이야."

"그렇군요."

"동쪽 숲은 안개가 심하고 관리가 되지 않아서 지리가 험악하단다. 괜히 들어가서 그나마 쓸 만한 얼굴에 생채기 만들지 마라."

입만 열었다 하면 얼굴 이야기가 나온다. 그 정도로 내가 쓸모없단 의미인지, 아니면 마음에 드는데 안 드는 척을 하는 건지. 한데, 관리가 되지 않았다던 동쪽 숲이 계속 시야 한구석에 걸렸다. 왜일까. 왜 굳이 황성 내에 저런 야생적인 공간을 방치하고 있는 걸까. 나도 모르게 동쪽 숲을 향해서 말을 몰고 있었던 것 같다. 뒤따라 달려온 발레리아의 목소리가 나를 붙잡았다.

"아가씨. 이 숲은 위험해요. 들어가지 않는 편이 좋겠습니다."

거짓말은 아닌지 발레리아의 안색이 그림자가 진 것처럼 어두웠다.

"곰이라도 나오니?"

"안 좋은 소문이 무성한 곳이에요. 불길한 땅이라 황실에서도 관리하지 않는데, 조금만 깊게 들어가도 발에 차이는 게 시체라고 했습니다. 사형 선고보다 끔찍한 벌이 동쪽 숲에 버려지는 벌이라 할 정도로…."

"그게 전부야?"

멍하니 눈을 깜빡이던 발레리아가 느리게 말을 이었다.

"예? 아니요. 물론 소문은 무성하지만…."

"따라와."

시체가 쌓여 있다는 이유로 등한시되는 장소라면 문제될 것 없었다. 아니, 되도 않는 소문이 돌고 있단 말에 오히려 눈앞이 선명해지고 머릿속이 맑아지는 기분이 들었다. 저곳에 있을 수도 있지 않을까. 내가 황궁까지 도달하게 된 이유가.

"아가씨!"

발레리아는 잔뜩 겁먹은 목소리를 내면서도 끝까지 날 좇아왔다. 숲의 내부는 서쪽 숲보다 조금 더 어지럽고 풀이 길게 자라 있을 뿐, 크게 다르다고 볼 부분이 없었다. 시체는커녕 벌레와 새소리만 가득한 장소라 언뜻 잉고르드의 그 숲을 떠올리게 했다.

"이것 때문에 안개가 생겼던 건가."

십여 분 가까이를 달리자 눈앞에 자그마한 호수가 나타났다. 그렇게 호숫가를 따라 천천히 이동하던 때였다.

"…이건."

아아. 이 심경을 무어라 표현해야 할까? 꿈속에서나 볼 수 있었던 오랜 기억 너머, 그림처럼 박혀 있던 풍경이, 형태만 달리한 채 내 눈앞에 살아난 이 심정을.

호숫가 옆, 듬성듬성 자란 잔디밭 한가운데 자리한 것은 본래의 형상을 완전히 잃고 무너진 성이었다. 리히튼이 갇혀 살아야 했던 새장. 내게로부터 억지로 끌려 나와야 했던 악취 구덩이.

"오래전에 무너뜨렸나 봐요. 풀과 이끼로 뒤덮여 있어요."

발레리아가 무너진 석벽 주위를 따라 돌았다.

나 역시 한 박자 늦게 석벽 가까이로 다가갔다. 사람이 살아온 흔적 같은 건 남아 있지 않았다. 내부의 모든 물건을 태우고 무너뜨린 듯, 까만 재가 주변에 넓게 분포하고 있었다.

'리히튼은 어떻게 가문을 되찾은 걸까.'

무너진 터를 바라보는 것만으로도 숨이 턱 막히고 가슴 안쪽이 무겁다. 오랜 과거의 순간들이 마치 환상처럼 느껴졌다.

'여기서 리히튼이 코를 박은 채 책을 읽고 있었지.'

기억에 남아 있는 자리를 가만히 응시했다.

'내가 제인을 끌고 나간 건 이 길이었어.'

잔디로 무성했던 땅은 이제 없었다. 마른 흙과 자갈, 그리고 재로 뒤덮인 메마른 땅이 전부였다.

"이곳은 뭘 하던 곳이었을까요? 황성의 비밀을 발견한 기분이 들어요."

발레리아의 음성에는 미약한 흥분과 두려움이 서려 있었다. 그러한 그녀가 바라보는 수풀의 저 너머. 바람에 흔들리는 이파리조차 어둠에 가려진, 저 수풀 너머에. 내 성이 있을 거다. 툭, 툭. 하늘에서 떨어지는 차가운 빗방울이 콧등에 부딪혀 떨어진다. 나는 말의 옆구리를 찼다. 확실했다. 더 안쪽으로 들어가면 나의 새장이 나올 것이다.

"아가씨? 어디 가세요! 더 깊은 곳은 위험해요!"

긴장으로 숨을 쉬기가 버거웠다. 굵어지기 시작하는 빗방울이 뺨과 이마를 때렸다. 그렇게 까맣게 변한 땅을 건너, 어둠 속으로 몸을 던지기 직전.

"그만."

돌연 나타나 앞길을 가로막은 백마에 고삐를 당길 수밖에 없었다. 허공에 발길질을 하는 말을 진정시키고 숨을 바로 했다. 새까만 숲과 대조되는 새하얀 낯의 여자. 내 앞을 가로막은 말의 주인은 비비안느였다.

"가만히. 그대로 멈춰 줘."

다정한 목소리에는 이제껏 들은 적 없는 단호함이 녹아 있었다. 나는 천천히 다가오는 그녀의 얼굴을 황망해진 기분으로 쳐다봤다. 뭐지? 왜야? 왜 하필 지금이야? 비비안느는 품에 쥐고 있던 장우산을 펼쳤다. 코앞으로 말머리를 이끈 그녀가 내 손에 방금 막 펼친 우산을 쥐여 주었다. 그리고 더없이 사근사근한 미소와 목소리로 나를 달랬다.

"비가 오기 시작했어, 아그레인. 이제 곧 하늘이 어두워질 거야. 여기서 더 깊은 곳으로 들어갈 생각은 아닐 거라고 생각해. 위험한 행동은 지양하는 게 옳잖아?"

머리 위의 회색빛 하늘이 밝게 터진다. 번개였다. 한두 방울 떨어지던 빗방울은 어느새 날카로운 바늘이 되어 마른 땅에 꽂히기 시작했다. 나는 번개를 따라 뒤늦게 터지는 천둥소리를 들으며, 불현듯 눈앞의 현실을 인지했다. 비비안느가 어째서 이곳에 있는지는 중요하지 않았다. 다만 기억을 되찾았단 사실을 들켜서는 안 됐다. 그래, 나는 여기서 들키고 싶은 마음이 죽어도 없어. 빗물에 젖은 손으로 뜨거워진 이마를 적시며 힘겹게 입을 열었다.

"아니요, 저는… 저는, 절 들여보내 주세요, 전하. 확인해야 할 장소가 있어요."

"이 너머에는 아무것도 없어."

비비안느가 나긋한 음성으로 다시 한번 나를 타일렀다. 나는 온 힘을 다해 불안한 척, 아니 불안한 심정을 숨기지 않으며 목소리를 쥐어짰다. 이곳에서 그녀와 마주친 이상 모든 것을 숨길 순 없을 터였다. 차라리 한두 가지 정도만 떠올렸다는 사실을 내색하는 게 더 현명하리라고 생각했다.

"전하께선 모르실 거예요. 꿈에서 이곳을 여러 번 봤어요. 분명 이 너머에 절 부르던 성이…."

"하지만 그 성도 이곳과 마찬가지로 무너졌는걸."

"아니에요. 그럴 리 없어요. 저는…."

"그곳은 네게 아무런 도움도 주지 못할 거야. 그 성은 네게 아무런 가치도 없어. 심지어는 흉측하게 무너져 잔재만 남았지. 더는 돌아가지 못하도록."

무언가, 말로 확실하게 꼬집을 수 없는 이 찝찝함. 그 찝찝함이 비비안느의 또렷한 적안에서 풍겼다. 그녀의 눈동자는 정확히 나의 두 눈을 향했다. 무언가를 숨기려 하거나, 잃어버린 내 기억을 북돋으려 하는 것도 아니었다. 비비안느는 천천히 말을 몰아 내 앞에서 물러섰다. 먹구름보다 어두운 그림자에서 벗어난 그녀는 천천히 빗물에 젖어 갔다.

"그래도 어쩔 수 없어. 날이 이렇게 어두워지고 있잖아. 나는 아그레인, 널 보내지 못해."

너는 나를 이해할 거야. 비비안느의 눈빛은 내게 그리 말하고 있었다. 마치 내가 무엇을 어디까지 알고 있는지 속속들이 파악하고 있는 것처럼. 그렇구나. 그런 거였어. 비비안느는 내가 적어도 이 장소보다 더 많은 것을 기억한다는 것을 알고 있었다. 비비안느가 수줍은 표정으로 턱을 내렸다. 설렘이 분명해 보이는 색채로 그녀의 두 뺨이 발갛게 달아올라 있었다.

"그런 눈으로 나를 보지 말아 줘. 무너진 나는 네가 하고 싶은 대로 놔두게 될지 몰라. 단언컨대 절대 좋지 않아."

그렇다면 그녀는, 여전히 나의 이름뿐인 개이기를 희망할까?

"귀한 몸이신데 비에 젖겠어요. 도로 가져가세요."

그러나 비비안느는 다시 거리를 좁히지 않았다. 그때, 비비안느의 뒤편에서 길고 얇은 팔이 뻗어 나와 또 다른 우산을 씌어주었다. 그 우산을 든, 눈에 익은 흑마의 주인이 나를 무정한 시선으로 응시했다. 힐마르티노였다. 아그레인. 비비안느가 나의 이름을 조심스럽게 속삭였다.

"네게서는 이곳 사람들에게선 볼 수 없는 생기가 느껴져서 좋아. 정말로, 너무나."

생기라. 동의할 수 없는 그 단어에 잊고 있었던 잉고르드의 독이 떠올랐다. 독으로부터 해방된 이래 처음 듣는 소리지 않은가. 비비안느는 더없이 행복한 꿈을 꾸는 얼굴이 되어 내게 말했다.

"나는 너의 그 눈에 사로잡혀서 여기까지 따라왔어. 그건… 몹시 길고 끔찍한 여행이었지."

거센 빗소리 사이사이로 비비안느의 텅 빈 유리알 같은 목소리가 귓등을 때렸다. 문득, 과거로부터 벗어나지 못한 그녀의 모습에서 리히튼이 연상됐다. 그는 나를 잊었을까, 아니면 잊지 않았을까? …발레리아의 새까만 엽서를 보낸 발신자가, 정말로 그일까?

"그러니까, 더 괴로워도 된다고 생각해."

그렇다면, 내기를 이겨낸 보상으로 그에게 받았던 해독제는.

"모든 걸 버렸을 때의 네가… 내게는 더 눈이 부시게 빛나거든."

해독제가 아닌, 나를 위해 준비한 잉고르드의 독이었던 걸까.

"어서 가, 아그레인."

나도 모르는 사이에 옷과 머리 모두가 빗물에 흠뻑 젖어 가고 있었다. 언제 놓쳐 버린 건지 모를 우산이 말의 발굽 옆에서 동그랗게 굴렀다. 비비안느가 재차 내 이름을 불렀다.

"어서. 나는 네가 돌아가는 모습을 확인해야겠어."

말머리를 돌렸다. 그리고 왔던 길을 다시 돌아, 호숫가를 그대로 내달렸다. 검게 재가 된 리히튼의 새장은 더 이상 내 안에 남아 있지 않았다. 동쪽 숲을 건너는 내내, 머릿속에는 오직 잉고르드의 독만이 가득할 뿐이었다.

'잘 생각해 보면….'

더는 과거의 꿈을 꾸지 못했던 즈음부터 몸이 완전한 건강을 되찾았었다. 잉고르드에서 황성까지 달려왔던 일주일. 그 일주일 동안 미약하게 남아 있던 독기조차 전부 해독되었다고 여기면….

'그러면 황제에게 내 독이 통하지 않았던 이유도 설명이 돼.'

심장박동이 빨라졌다. 차가운 빗물에 몸의 온기가 식어 갔지만 내 흥분조차 꺼트리지는 못했다.

내가 말의 속도를 늦춘 것은 굵어진 빗줄기로 시야를 분간하기 어려워지면서였다.

"제가 말을 마구간에 돌려주고 오겠습니다. 아가씨는 어서 방으로 돌아가세요. 이러다 감기에 걸리기라도 하면 큰일 나요."

허겁지겁 말에서 내린 발레리아가 내 팔을 잡아끌었다. 웃겼다. 너나 나나 고작 승마복 하나 걸치고 있는 건 똑같으면서, 누군 감기에 걸리고 누군 안 걸려?

타앙!

히이이잉.

그때였다. 발레리아를 뒤로 물리고 안장에서 내리려던 순간, 말이 펄쩍 뛰며 앞으로 달려 나갔다. 눈앞이 뒤집히는 찰나의 간격에 다시 한번 총성이 울렸다.

타앙!

아, 제길.

"아가씨!"

머리가 띵하고 어지러웠다. 처음에는 갈비뼈가 부서지면서 폐를 꿰뚫은 줄 알았다. 그 정도로 강렬한 고통이 전신을 뒤덮었기 때문이다.

"아…."

바로 옆에 쓰러진 말이 헐떡이고 있었다. 빗물에 번진 동물의 피가 하얀 바지를 붉게 물들인다. 뒤늦게 제정신을 차린 나는 두 팔을 땅에 대고 몸을 일으켰다. 아니, 일으키려고 했다. 그러나 끝끝내 자력으로 일어서지 못하고 발레리아가 날 붙잡을 때까지 기다려야 했다. 눈앞이 어지럽게 돌았다. 어지러운 시야 틈새로 잡히지 않는 무언가가 흐릿하게 흔들렸다.

'뭐지?'

귀가 아플 정도로 커다란 이명이 들렸다. 광장 한가운데 서 있는 것처럼 수백 명의 웅성거림이 들렸다. 몰려오는 구역질에 머리를 흔들었다. 다행히 환청이었는지, 이명과 웅성거림은 금방 진정되어 사라졌다.

"아가씨? 괜찮으세요? 제가 부축해 드릴게요. 이게 무슨…."

"아니야. 왼쪽, 팔이 안 움직여."

진흙이 튄 턱을 쓸고 고개를 들었다. 발레리아는 반쯤 울 것 같은 얼굴이었다. 빗물이 뺨을 적시고 있으니 이미 울고 있는 것이나 다름없었다.

"심하게, 심하게 다쳐서 그런가 봐요. 아, 아프지는 않으세요?"

"아파."

발레리아가 몸을 틀어 내 오른쪽 어깨를 부축하려 했을 때였다.

"이런. 이걸 어쩐다…."

장화의 굽 소리를 내며 거칠게 다가온 누군가가 성치 못한 나의 왼 어깨를 잡아당겼다.

"읏!"

힘없이 휘청거리는 시야로 젖은 흑발이 흔들렸다. 푸른 불꽃이 튀는 힐마르티노의 눈동자가 날 씹어 먹을 기세로 내려다봤다.

"재수가 없었다고 여겨야지, 어쩌겠어. 내 평생 비비가 그런 눈으로 누굴 쳐다보는 건 처음 봐서. 마음을 아무리 다스려 봐도 질투가 나 미칠 것 같네?"

누가 터트린 총성인가 했더니, 힐마르티노였던 건가. 어이가 없어서 웃음도 나오지 않았다. 그런 내게 모멸감이라도 줄 생각인지, 힐마르티노는 어깨를 잡지 않은 손으로 내 뺨을 툭, 툭 건드렸다.

"그 얼굴로 태어난 일을 천만다행으로 여겨. 난 예쁜 건 잘 못 죽이거든."

그래? 잘 못 죽인다니 할 말은 해야겠다.

"미친년."

환멸이 그대로 드러난 얼굴이었을 텐데 힐마르티노의 반응은 무덤덤하다. 내 어깨를 잡아 돌렸던 순간과 똑같이 격정적으로 달아올라 있다는 뜻이었다.

"아픈 걸 꽤 잘 참는구나. 황실의 의원들은 제국에서도 소문난 명의들이니, 골절쯤 문제없이 치료할 수 있을 거다."

"고맙다고 해 줄까?"

나머지 한쪽 어깨도 부서질라, 차마 그녀의 얼굴에 대고 침을 뱉을 수 없었다.

"그딴 건 필요 없단다. 꼴 보기 싫으니 며칠은 방 안에 처박혀 있으렴."

약 올리듯 내 어깨를 한 번 세게 쥐었던 힐마르티노는 굽혔던 등을 펴 사라졌다. 반은 진흙, 반은 말의 피범벅이 되어 여유롭게 멀어지는 흑마를 멍하니 쳐다봤다. 저걸 어떻게 죽이지. 지금 이 기분이라면 고통이고 뭐고 잉고르드의 독을 거리낌 없이 삼킬 수 있을 것 같았다. 멍청하게 머리를 굴리는 사이에 몸이 일으켜졌다. 누군가 했더니 발레리아는 아니고, 처음 보는 시종들이었다.

"바보처럼 서 있기만 하지 말고 당장 아가씨를 옮기지 못해!"

누군가는 죽어 가는 말을 어찌 옮길지 고민했고 누군가는 다친 내 왼팔을 조심스럽게 부축했다. 그 사이에서 발레리아는….

"누가 보면 네가 낙마한 줄 알겠어."

창백해진 입술을 연신 깨물며 낯을 일그러뜨리고 있었다. 누가 봐도 엉엉 우는 꼴이 되어서. 그녀는 시종의 옆에 바짝 붙어 걷는 내내 연신 뺨을 닦아내며 우는 목소리로 말했다.

"아가씨. 왜 다들 아가씨를 괴롭히지 못해 안달이죠? 왜 가만히 계시는 아가씨를 여기저기서 물고 늘어지는 거냔 말이에요."

"좋은 거야."

"좋기는요? 설마 머리라도 다치셨어요? 그러면 저는 어떡하라고…."

늘 어른스러움을 유지하던 발레리아가 이토록 애 같아 보이는 건 처음 있는 일이었다. 어쩐지 메어리가 떠오르는걸. 덕분에 나는 내 몸 하나 간수하기에도 벅찬 상황에서 그녀를 위로해야 했다.

“좋은 거야, 발레리아. 그래야 내가 먼 길을 돌아서라도 이정표를 찾을 수 있거든. 알지? 내게 좋은 건, 네게도 좋은 거야.”

몸이 놀랍도록 무겁다. 누적된 피로로 눈이 감길 것만 같았다. 리히튼, 너는 알고 있었을까? 우리의 새장은 무너진 지 오래라는 것을. 왜인지는 몰라도 오늘따라 리히튼이 무척이나 그리웠다.

Episode 11.
베르크네

톱니바퀴가 돌지 않는 낡은 오르골, 먼지가 얇게 쌓인 낡은 찬장, 색이 바랜 전 잉고르드 직계 혈족의 초상화. 베르크네는 시간이 멈춘 듯 조용한 방을 한차례 둘러 봤다. 이곳은 본래 전 잉고르드 공작들이 대대로 사용했던 집무실로, 지금은 형태만 남아, 옛 물건들의 창고가 된 지 오래였다.

'뒤엎지 않는 게 다행이지.'

베르크네는 역사를 사랑했다. 특히나 잉고르드 같은 유서 깊은 가문의 과거들은 오랫동안 보전되어야 한다고 생각하는 사람이었다. 그랬기에 한때는 황실의 핏줄을 지키는 스스로가 자랑스럽게 여겨지던 시절도 있었다. 지금은 상상도 할 수 없는 과거지만.

'이 방이 과연 언제까지 멀쩡할 수 있으려나.'

현 잉고르드의 가주, 리히튼 잉고르드는 이 방의 존재를 경멸했다. 아니, 그는 이 방에서 일생을 보냈던 잉고르드의 모든 가주들을 경멸했다.

그런 리히튼이 여태 이 방을 건드리지 않는 이유는, 그전에 끝마쳐야 할 일들이 있기 때문일 터였다. 그 일이 끝난다면 이 방의 존재는 아마….

끼익.

다시 문을 닫고 열쇠로 방을 잠갔다. 숨이 매캐할 정도로 먼지가 쌓인 것은 아니니 조금 더 시간이 흐른 후에 청소해도 될 듯했다. 리히튼은 하녀들이 이 방을 자주 드나드는 것을 싫어했으므로 최대한 일정을 길게 잡는 게 좋았다.

근래 보기 드물게 화창한 날이었다. 베르크네는 복도를 지나치다가, 무심코 걸음을 멈춰 창밖의 하늘을 응시했다. 초겨울의 맑은 하늘과 달리, 이곳 잉고르드는 금방이라도 무언가 터질 듯 길고 긴 긴장감이 지속되고 있었다.

'그나마 피를 보지 않는다는 게 다행인가.'

장마가 일주일이 넘게 지속됐을 때도 이런 분위기는 아니었다. 베르크네는 어렴풋이나마 그 연유에 대해 알 수 있을 것 같았다.

적어도 수잔… 아니, 아그레인 캐롤드가 잉고르드를 떠난 후부터 달라진 것은 분명했으니까.

"베르크네 씨."

그의 이름을 부른 인물은 아즈마리아 윌이었다. 잉고르드 저택의 젊은 손님. 그녀만큼 잉고르드에서 오랫동안 숙식한 손님은 드물다. 에리얼 크로허츠가 한 달을 못 넘겼는데, 아즈마리아 윌은 그녀의 기록을 가뿐히 넘기고 있었다. 대부분의 고용인들은 그녀를 더 이상 손님으로 대우하지 않았다. 아즈마리아 윌 또한 티는 내지 않아도 그들의 그런 대우를 당연하게 여기는 듯했다.

아즈마리아는 누군가가 자신에게 '안주인'이라든가, '부인'이라는 표현을 사용해도 겸연쩍어하지 않았다. 오히려 '안주인'과 '부인'이 할 법한 저택 내의 소소한 일상에 조금씩 관여하기 시작했다면 모를까.

"말씀하시죠."

"혹시 킨 경에게 무슨 일이 생겼나요?"

"아니요. 딱히 일이랄 건 없는 걸로 알고 있습니다."

베르크네의 어투는 지극히 사무적이었다. 그런 그의 태도에 마냥 상처 받던 아즈마리아도 이제는 다시 가까워지기를 포기한 듯했다. 아니, 애초에 가까운 관계였던 적도 없었지. 어린 시절의 아즈마리아는 황자의 약혼녀로 모두에게 사랑받는 것이 익숙한 사람이었고, 베르크네는 그에 맞는 대우를 했을 뿐이었다. 그것을 애정이라 여겼다면 몹시 아즈마리아 윌다운 착각이라 할 법했다. 지금은 그럴 필요가 하등 없었기에 적당히 선을 그을 뿐이었다.

"그렇다면… 혹시 무슨 일이 있는 건 아닐까요? 최근 얼굴도 잘 보이지 않고, 걱정돼서요."

"있다고 해도 본인 혼자서 잘 해결할 겁니다."

"역시 문제가 있는 거죠? 알려 줄 수는 없나요? 가능하다면 킨 경을 돕고 싶어요."

가만히 있는 게 돕는 것일 텐데. 베르크네는 열릴 뻔한 입을 천천히 닫았다. 아즈마리아 윌이 상처 받지 않길 바라서가 아니라, 굳이 알릴 필요성을 못 느껴서였다. 어떤 사정이 있었는지는 모르지만, 아즈마리아를 대하는 킨의 태도가 미세하게 달라졌던 시기가 있었다. 굳이 시간을 들여 말동무를 해 준다거나 외출 호위를 자처하는 수준에 그쳤으나, 상대가 킨임을 고려하면 상당히 놀라운 관심이라 볼 수 있었다.

'각하.'

그 이유에 대해 알게 된 건 아즈마리아 윌에 대한 킨의 관심이 서서히 사그라들기 시작한 시점이었다.

'아즈마리아 윌은 대체 뭡니까?'

참다 참다 터진 의문이었다. 적어도 베르크네의 귀에는 그렇게 들렸다.

'저는 제가 바보임을 마땅히 인지하고 있는 줄 알았는데, 이렇게까지 바보일

줄은 몰랐습니다. 아무리 생각해 봐도 답을 여쭤볼 사람이 각하밖에 없더군요.'

'킨.'

킨은 베르크네의 부름을 가뿐히 무시했다. 창 너머의 자작나무 숲을 바라보며 사색에 잠겨 있던 리히튼이 고개를 틀었다. 계속 해 보라는 눈이었다.

'제 동생의 기억을 지니고 있는 인물인데, 아무리 생각해도 아그레인으로 보이지 않습니다.'

'역설적이군. 그녀의 기억을 가졌다고 하지 않았던가? 어떤 근거로 다른 사람이라 주장하는 거지?'

'따라하는 것 같다고 느꼈습니다.'

그런 건가. 베르크네는 그제야 킨이 보였던 의문의 태도를 이해할 수 있었다. 동시에 리히튼이 나타낸 의문과 똑같은 의문을 가질 수밖에 없었다. 아니, 조금은 다른 의문이라고 해야 하나. 아그레인 캐롤드는 수잔이다. 한데 아즈마리아 윌이 어째서 그녀의 기억을 가질 수 있단 말인가?

'맞지 않는 틀에 자신을 끼워 넣는 것처럼 느껴지고, 무엇보다 제가 알던 아그레인과 너무도 다르더군요.'

'내게 답을 구하는 이유는?'

'각하께서는 저에게 아즈마리아 윌의 말이 모두 진실처럼 들리느냐고 물어보셨었습니다.'

'터무니없는 소리를 하니 물은 거다, 킨. 그럼 너는 아즈마리아 윌의 주장에 귀 기울였다는 거냐? 그 버러지 같은 헛소리에?'

킨이 입을 닫았다. 리히튼은 조금의 미동도 없는 태연한 얼굴로 이어서 말했다.

'너와의 약속은 그딴 데 이용하라고 나눈 게 아니야.'

'어떤 말씀이신지 잘 알아들었습니다.'

'하나 남은 혈육이 저와 다른 이를 착각했단 걸 알게 된다면, 아그레인 캐롤드

가 퍽 서운해하겠어.'

베르크네는 아무도 모르게 조용히 한숨을 내쉬었다. 수잔이 아그레인임을 알게 된 후, 베르크네는 그가 서 있는 이 체스판이 리히튼의 손바닥 위에 놓여 있음을 다시 한번 절실히 깨달았었다. 그에게 '만약', '혹은'이라는 가정은 없다. 그걸 알기에 빌힐름 황자도 비비안느 황녀도 아닌 리히튼의 곁에 선 것이다. 그들의 승리는 이미 예견되어 있었다. 단지 언제 누리느냐의 문제일 뿐.

리히튼이 원한다면 지금 당장 왕좌의 주인이 바뀔 수도 있었다. 하지만 그는 그리하지 않았다. 지금 당장 제국의 판도를 바꿀, 친 빌힐름파 귀족들의 거대한 치부와 그 이상을 알고 있음에도 그저 알고 있는 것에 그쳤다. 베르크네가 느끼기에 리히튼은 무언가를 진득하게 기다리는 듯했다. 아니, 그건 기다린다기보다 인내에 가까웠다. 그리고 그 인내의 둑을 터트릴 인물이 수잔… 아니, 아그레인임을, 베르크네는 어느 순간부터 확신하고 있었다. 집무실을 벗어나 계단을 내려가는 길에 베르크네가 킨을 불러 세웠다.

'킨.'

'또 한 소리 하려고 그럽니까? 조금 피곤한데 내일 하시죠.'

'네 여동생에 대해서 크게 걱정할 필요 없다고 본다.'

'뭡니까, 그 위로는. 답지 않게. 내가 그렇게 우울해 보이나? 딱히 그런 것 같지 않은데.'

'위로하는 게 아니라 진심을 말했을 뿐이다.'

헛웃음을 짓던 킨이 미심쩍은 눈을 했다.

'뭔가 알고 있기라도 합니까?'

'적어도 아즈마리아 윌이 네 여동생이 아닌 것은 확신할 수 있겠더군.'

킨은 잠시간 말이 없었다. 베르크네가 그를 지나쳐 내려간 후에야 뒤늦게 걸음을 이으며 조용히 읊었다.

'베르크네 씨가 나였어도 그렇게 여겼을 겁니다.'

'네가 그렇다면 그렇겠지.'

그때 본 킨의 애써 담담했던 낯은 머릿속에 꽤 오랫동안 잔상으로 남았다. 그러나 그에게 수잔의 정체를 알릴 수는 없었다. 그 자신의 입으로 밝히기에는 주제 넘는 일이라고 생각했기 때문이다. 아즈마리아 윌이 주장하는 킨의 좋지 못한 사정이라면, 아마 그 일을 가리키는 것이라 생각했다.

베르크네가 아즈마리아에게 물었다.

"그리 여기는 이유라도 있으십니까?"

아즈마리아는 씁쓸한 표정으로 자신의 손등을 쓸었다.

"요즘… 분위기가 많이 바뀐 것 같아요. 예전만큼 대화가 잦지도 않고. 그럴 분이 아닌데."

그럴 분이 아니라고? 킨은 이제 와서 아즈마리아를 멀리하는 게 아니었다. 그냥 본래 그들의 관계로 돌아간 것에 불과했다.

"그렇게 걱정되신다면 본인에게 직접 물으시는 게 나을 거라고 생각합니다."

"물론 저도 그렇게 생각하지만, 가능하다면 가까운 사람들끼리는 서로 돕는 게 좋다고 봐요. 베르크네 씨는 킨 경이 걱정되지 않으세요?"

킨에게 듣기로 아즈마리아에게는 마땅히 잉고르드를 박차고 나갈 만한 사건이 있었다고 했다. 하지만 아즈마리아 윌은 꿋꿋했다. 베르크네조차 무엇이 그녀를 그리 강하게 만드는지 궁금할 정도였다. 리히튼은 아즈마리아 윌을 냉대하지도, 그렇다고 자상하게 대하지도 않았다. 늘 그렇듯 손 안에 둔 체스말의 일부로 대할 뿐이다. 아즈마리아 윌은 눈치 없는 여자가 아니었다. 자신의 위치를 알기에 더 발버둥 치는 것이라면….

"걱정되지 않습니다. 윌 영애의 너그러운 심정은 이해하나, 필요 이상의 관심은 사람을 부담스럽게 할 뿐이라고 봅니다. 정 걱정된다면 킨 경을 직접 찾아가시면 될 듯합니다."

대화가 더 길어지기 전에 등을 돌렸다. 매정한 태도에 대한 미안함은 일말도 없었다. 잉고르드에 남는 선택을 한 건 그녀였다. 베르크네는 자신의 주인이 거들떠보지도 않는 말에 선의를 베풀 만큼 여유로운 사람이 아니었다. 그게 가짜를 연기하는 인물이라면 더더욱.

Episode 12.
리히튼 I

하녀, 제인은 리히튼에게 있어 퍽 쓸모 있는 인물이었다.

황성에 갇혀 오랜 시간 버려진 개처럼 길러진 그에게 삶이란 끔찍할 정도로 지겨운 것이었다. 너른 숲속 한 가운데 자리한 낡은 성. 식사와 청소를 위해 하루에 한 번씩 찾아오는 하녀들은 대개 겁이 많으면서 무식했고 또한 그를 환멸했다. 빼빼 말라 거지같은 꼴을 한 리히튼을 업신여겼으며, 최대한 말을 섞지 않으려 했다. 사람과의 대화는커녕 책 한 권도 볼 수 없는 시간이 길어질수록 머리가 굳어져가는 기분이 들었다. 또한 그 기분이 비단 착각일 리는 없었다. 그랬기에 리히튼에게 하녀, 제인은 특별한 인물일 수밖에 없었다.

그의 하녀는 짧으면 반년, 길면 두 해에 한 번 바뀌었다. 이유는 일괄적이었다. 바뀔 시기가 되면 하녀 생활에 지쳐 고향으로 돌아갔다는 소식만 들려왔다. 제인은 그가 황성에서 만난 다섯 번째 하녀로, 그가 보아 온 하녀들 중 가장 덜 무식했다. 그를 없는 사람 취급하지 않아 대화도 잦았다. 융통성도 훌륭해서 종종 낡은 서적을 들고 오곤 했다. 물론 리히튼은 이 모든 것이 빌힐름의 의도임을 알고 있었다. 무엇을 원해서 버려두었던 그에게 최소한의 인정을 베푸는지는 모를 일이었다. 그랬기에 리히튼은 부러 모자란 행동과 말을 보여 제인의 경계를 낮추었다.

제인은 진심으로 리히튼의 처지를 동정한지라 웬만큼 횡포를 부려도 곱게 넘어갔다. 리히튼은 제인의 그런 점이 몹시 마음에 들었다. 이유는 단순했다. 삶이 덜 지루해져서. 그래서 그날. 그를 찾아온 적발의 미친년이 제인을 데려간 날, 리히튼은 정말 오랜만에 후회라는 것을 했다. 제인이 사라지면 그녀만큼 쓸모 있는 하녀를 다시 얻을 수 있으리란 보장이 없었기 때문이다.

제인이 사라진 후 무료한 시간이 반복됐다. 그는 이런 시간이 끔찍하게 싫었다. 부디 쓸모 있는 무언가가 자신을 다시 찾아와 주길 바랐다. 어느 날은 허무함을 참지 못하고 적발의 미친년, 아그레인을 찾아갔다. 뒤늦게라도 제인을 돌려받을 생각이었다. 물론 그는 제인을 돌려받지 못했다.

'그 애는 널 기다리다가 죽었어. 외로워서.'

둘 사이에 날카로운 대화가 여럿 오고 갔다. 아그레인의 반응은 한결같이 마음에 들지 않았다. 심지어 그녀는….

'찔러.'

죗값을 치루겠다며 그에게 나이프를 건네기까지 했다. 그가 반응하지 않자, 아그레인은 스스로 자신의 몸을 찔렀다. 그리고 보란 듯이 두 팔을 활짝 벌리며 말했다.

'이것 봐. 나는 널 위해서라면 그 애보다 더한 것도 할 수 있어.'

미친년. 진짜 제대로 정신 나간 계집애였어. 리히튼은 제인을 포기하고 자신의 방으로 돌아왔다. 정신 나간 아그레인에게서 제인을 돌려받을 방도가 도무지 생각나지 않았기 때문이다. 그는 결국 무료한 삶으로 돌아오고 말았다. 그날부터 아그레인은 이틀에 한 번꼴로 찾아와 그를 괴롭혔다. 당연한 일이었지만 리히튼은 그 어떤 반응도 보이지 않았다. 그렇게 열흘 가까이가 흐른 후.

'내가 멍청했어, 리히튼.'

다섯 번째로 방문한 날의 아그레인은 무언가가 달라져 있었다.

'정말 너무… 너무 멍청하게 시간을 낭비했지 뭐야.'

리히튼의 방은 엉망이었다. 제인의 존재로 가득하던 성은 다시 고약한 나무 썩은 내를 풍기고 있었다. 제인… 아니, 굳이 제인일 필요는 없었다. 누구라도 살아갈 목표가 되어 주었으면 했지만 그게 아그레인은 아니었다. 리히튼에게 아그레인은 유일한 안식을 깨뜨린 혐오스러운 존재였다. 게다가 제정신이 아닌지라 무슨 괴상한 짓거릴 할지 예측할 수도 없었다. 죽었다 깨어나도 저 미친 계집애의 뜻대로 움직일 일은 없을 거라 마음먹은 게, 고작 몇 주 전의 일이었다.

'오늘 아침에 문득 그런 생각이 들었어. 너처럼 겁 많고 뒤끝도 긴 애가, 날 선택한다고 해서 내 요구를 순순히 들을까?'

'개소리하지 말고 당장 꺼져.'

아그레인은 태연한 얼굴로 다가와 먼지가 옅게 쌓인 맞은편 의자에 앉았다.

'너는 그런 자상한 위협도 안 지겹니? 나처럼 나이프라도 빼들지 그래. 그래야 내가 겁을 먹고 도망가지.'

저 뻔뻔한 낯짝. 리히튼은 고작 열흘밖에 지나지 않은 일을 신이 나 지껄이는 아그레인을 노려봤다.

'너 같은 미친년에게 낭비할 체력은 없어.'

그에게는 아직도 열흘 전의 기억이 생생했다. 빵을 자르는 나이프로, 아무렇지 않게 자신의 옆구리 살을 파내던 아그레인의 얼굴이 코앞에서 되살아날 것 같았다. 그날 리히튼은, 아마, 제인이 끌려가던 날에 버금가는 비대한 충격을 먹었던 것 같다. 내가 매달릴 수 있는 게 너였다면 더 좋았을 텐데. 그런 생각도 아주 잠시 했었다.

'그거 알아? 내가 비록 여기서 개처럼 길러지고 있지만, 몸 하나만큼은 황위 후계자에 버금가는 아주 귀한 취급을 받고 있다는 거.'

궁금하지 않았다.

'너도 그런 게 있지 않아? 쓸모없는 개새끼 취급을 당해도, 하나쯤은 그들에게 떠받들어 모셔지잖아.'

리히튼은 망설임 없이 내뱉었다.

'없어.'

'정말?'

목을 길게 빼고 들이대는 얼굴에는 불그스름한 생기가 돌고 있었다. 리히튼은 그 생기가 마음에 들지 않아 고개를 돌려 버렸다.

'아아. 이해해, 그런 대단한 비밀 말이야… 누구에게도 밝히고 싶지 않겠지. 어쩌면 그게 우리의 유일한 가치일 수도 있으니까.'

그런 소리도 할 줄 아는 건가.

'…라고 생각하는 건 아니지, 리히튼?'

그래, 그럴 리 없지. 까무러칠 만큼 부드러운 살결이 리히튼의 턱을 잡아 돌렸다.

'제발, 그런 역겨운 자기연민 속에 빠지지 말아 줘. 너는 내가 유일하게 동질감을 느낄 수 있는 존재란 말이야!'

짙은 녹색 눈동자가 더없이 애절했다. 그녀의 얼굴은 하얀 캔버스와 같아서, 어떤 표정을 지어도 진심인 듯 느껴지게 심장을 쿵쿵 울렸다. 리히튼은 그 점조차 끔찍했다.

'널 볼 때마다 토할 것 같아.'

리히튼이 속삭임에도 아그레인은 그의 턱을 잡고 있는 손을 놓지 않았다.

'내 인생에서 영원히 사라졌으면 좋겠어. 네 말이 맞아, 아그레인… 너는 내 삶을, 모르는 척 이 새장에 영영 갇혀 살 수 있었던 희망을 망친 주범이야. 네가 살아 있는 동안 난 평생 불행하겠지.'

'지금처럼.'

입을 열기 무섭게 잠시간 말이 없다. 아그레인은 가만히 눈을 깜빡여 리히튼의 얼굴을 들여다보다가 서서히 눈매를 누그러뜨렸다. 아그레인은 말할 때마다 절반은 헤프게 웃고 있지만, 이상하게 그런 간질간질한 웃음은 처음이었다. 그건 진짜 웃음이었다.

'지금처럼 네가 그렇게 길게 말하는 거, 처음 봐.'

숨이 차올라서 기분이 더러웠다. 리히튼은 가볍게 얼굴을 틀어 그녀에게서 턱을 빼냈다. 아그레인은 아무렇지 않게 그의 앞에 놓인 테이블 위로 등을 구부리고 앉았다.

'목소리를 들어도 기분 나쁘지 않아. 빌힐름은 늘 살인 충동이 이는 소리만 해대고, 비비는… 아니야, 비비는 그래도 괜찮아. 그 애는 날 사랑하거든.'

멍하니 아무 소리나 지껄이던 아그레인이 팔을 뻗어 그의 손을 잡았다. 리히튼은 경련하듯 몸을 떨며 그녀의 손을 쳐냈다. 하지만 쳐내기 무섭게 하얀 손등이 다시 그의 손을 잡아 왔다.

'놔.'

'앞으로 네 번이야.'

그리 말하는 아그레인은 여전히 웃고 있었다. 불현듯 기시감이 느껴졌다. 리히튼은 꽃잎이 흩날리는 듯한 아그레인의 향기로운 미소에서 불쾌함을 느꼈다.

'네 번만 아프면 엿볼 수 있을 것 같아. 이곳을 벗어나게 된 우리의 진취적인 미래를 말이야….'

너무나 순식간에 일어난 일이라 말릴 기회도 없었다. 이번에도 나이프였다. 그날의 그 빌어먹을 나이프가 분명했다. 은색의 식기는 아그레인의 붉은 드레스를 뚫고 화살처럼 박혔다. 무엇이 천이고 무엇이 피인지 분간하기 어려웠다.

'씨발, 진짜!'

발작하듯 몸을 일으켰으나, 그가 할 수 있는 일은 없었다. 왜지? 도대체 왜 이러는 거지? 이런 꼴을 보는 건 벌써 두 번째였다. 아무리 썩어 가는 쥐새끼처럼 살아가고 있는 그라지만, 아그레인의 정신머리는 도통 이해할 수 없었다. 이 여자는 무얼 바라기에 이렇듯 아무렇지 않게 자상을 내는 걸까. 그것도 웃으며 넘어갈 수 없는 치명적인 흔적을.

'죽고 싶으면 죽고 싶다고 말해, 내 앞에서 이딴 개 같은 짓 하지 말고!'

'죽기, 싫어.'

가지런히 눈을 감은 아그레인이 띄엄띄엄 말을 이었다. 고통을 참는 듯 입술을 악물고 있었다. 출혈을 생각하면 나이프를 쉬이 뽑을 수도 없었다.

'절대 안 죽어. 누구 좋으라고? 나는 여길 나갈 거야. 내가 있을 곳은 여기가 아니야….'

이 고성에는 이틀에 한 번 하녀가 찾아온다. 그리고 그 한 번은 공교롭게도 오늘이 아니었다. 리히튼은 성 밖의 누구라도 데려오기 위해 몸을 돌렸다. 왜 자신이 이런 뒤치다꺼리를 해야 하는지 이해할 수 없었다.

'네가 찔렀다고 말해, 리히튼.'

미세하게 떠는 목소리가 나서려는 발걸음을 붙잡았다.

'무슨 수작이야?'

'내 것이 되고 싶지 않다면… 그 정도의 거짓말은 하란 말이야….'

리히튼은 조금도 그럴 마음이 없었다. 아그레인이 지내는 성의 위치를 알고 있었기에 쉽사리 시종을 데려올 수 있었다. 그들은 정신을 잃어 가는 아그레인을 부축해 나가며 리히튼에게 사건의 경위를 물었다. 누군가는 이 상황을 책임지길 바라는 얼굴로. 긴 정적 끝에 뱉은 리히튼의 대답은 다음과 같았다.

'내가 찔렀어.'

왜 그런 대답을 했느냐고 묻는다면… 모르겠다. 리히튼 본인도 알 수 없었다. 왜 그랬을까? 시종은 창백해진 얼굴로 서둘러 성을 나갔다. 리히튼은 미친 여자가 사라진 자리에 홀로 서서 열린 문을 말없이 응시했다. 쿵쿵. 심장 소리가 들렸다. 오래간만에 느끼는 살아 있는 기분이었다.

객관적으로 아그레인이 입은 상처는 절대 가볍게 넘길 수 있는 수준이 아니었다. 리히튼은 적어도 한 달은 그녀와 볼 일이 없을 거라 확신했다. 날렵한 날이 아닌 굴곡진 날이었기에 내상도 더 심할 거라 생각했다. 황성 생활에 미쳐버린 걸까. 그런 것치곤 퍽 멀쩡하지 않은가. 정신 나간 소리를 밥 먹듯 지껄이긴 했지만 소통이 불가능한 것도 아니었으니. 한데 그 일이 있고 정확히 일주일 후, 아그레인이 다시 모습을 드러냈다.

'하.'

리히튼은 헛웃음을 낼 수밖에 없었다. 옆구리가 갈라졌던 것치곤 놀랍도록 멀쩡한 모습이었다. 마치 다른 몸을 달고 온 것처럼.

'안녕, 리히튼.'

허락도 없이 방 안으로 들어선 아그레인은 핏자국이 그대로 남아 있는 테이블을 조용히 내려다봤다. 멀쩡한 걸음에 허리가 조금도 굽어지지 않은 곧은 자세였다. 보름 만에 완치라니, 믿기 힘든 일이었다.

'너….'

아그레인의 안색은 보름 전보다 훨씬 검었다. 그녀는 그날보다 조금 흐릿한 미소를 띠며 말했다.

'걱정 마. 피는 싫지? 오늘은 다른 방식으로 할 거야.'

무엇을. 묻기도 전에 아그레인이 창문을 거칠게 밀었다. 초가을 숲의 바람이 농밀하게 밀려 들어왔다. 가녀린 몸이 그의 얼굴을 살짝 돌아봤다.

'우리는 오늘도 다퉜던 거야. 그러니까 네가 밀었다고 해.'

보름 전과 똑같이, 리히튼은 그 어떤 반응도 할 수 없었다. 창틀로 올라간 아그레인이 그 너머로 몸을 날렸다. 놀라서 혀를 씹을 뻔한 리히튼이 급히 창문으로 튀어 나갔다.

'아그레인! 젠장!'

저 아래 쓰러진 몸에 미동도 없다. 머릿속의 피가 차갑게 식는 듯한 착각이 일었다. 비록 이층이어도 죽을 사람은 죽을 높이였다. 결과적으로 아그레인은 죽지 않았다. 시종에게 안겨 나가는 그녀의 눈동자에는 빛이랄 게 없었다. 죽은 생선의 눈깔처럼 탁하고 구정물처럼 어두웠다.

'빌어먹을.'

리히튼은 그날부터 악몽을 꿨다. 제인? 그런 이름은 잊은 지 오래였다. 대신 아그레인이라는 존재가 모세혈관 곳곳을 스멀스멀 기어 다녔다. 그것이 목표였다면 아그레인은 제 할 일을 아주 성공적으로 완수했다고 볼 수 있었다. 어느 날부터는 그녀를 잊기 위해 청소와 운동 같은 시답잖은 행위를 하기 시작했다. 그는 자신이 아그레인에게 느끼는 감정이 무엇인지 정의할 수 없었다.

미친 여자를 향한 동정? 아니면 그저 죽음에 가까운 장면을 여럿 봄으로써 얻은 정신적인 충격인 걸까. 무엇이 정답인지는 몰라도 아그레인 때문에 하루가 길어진 것은 분명했다. 그렇게 또 보름이 흘렀다. 그렇게 또, 아그레인은 아무렇지 않은 얼굴로 리히튼을 찾아왔다.

'안녕, 리히튼.'

그때 리히튼은 처음으로 격렬한, 폭력적인 욕구를 느꼈다. 변함없이 태연한 낯짝을 일그러뜨리고 싶었다. 내가 보름 동안 어떤 기분이었는데, 날 이렇게 만든 너는 어떻게 그리 멀쩡할 수 있는 거지? 느릿하게 걸어온 아그레인의 목을 잡고 쓰러졌다. 낡은 침대가 커다랗게 출렁거렸다. 손 안에 느껴지는 목은 그의 팔목만큼이나 얇았고 가녀렸다. 손끝으로 전달되는 심장박동소리가 크게 울렸다.

'네가 원하는 게 대체 뭐야?'

아그레인은 자신이 어떤 상황에 처해 있는지 인지하지 못한 듯했다. 힘없이 침구 위에 널브러져 자신을 노려보는 리히튼과 눈을 맞추었다. 어떤 생각을 하는지 읽을 수 없었다.

‘죽고 싶어서 그래? 그럼 차라리 죽어. 그렇게 바라는 내 손으로!’

얇은 눈꺼풀이 조용히 닫혔다. 모든 걸 포기한 듯 정적이고 힘없던 눈이 가려졌다. 낮게 깔리는 정적에 리히튼의 숨이 덜컥 멈추었다.

‘왜 가만히 있는 거야.’

아무런 말도 없다. 그가 다시 입을 열었다.

‘죽기 싫다고 말해.’

‘죽기 싫어.’

닫혀 있던 녹안이 다시 드러났다. 그제야 막혀 있던 혈관에 피가 도는 기분이었다. 목이 졸린 채, 아그레인이 작게 속삭이는 목소리로 말했다.

‘걱정 마, 리히튼. 나는 죽을 생각이 없어. 우리 정말 많이 왔잖아? 딱 두 번만 더 하면 돼.’

그러니까, 무엇을. 아그레인이 말하는 두 번이란 뻔했다. 멀쩡해질 육신을 또 한 번 망가뜨리는 일이었다. 그날도, 그날로부터 보름이 흐른 네 번째 날도. 리히튼을 찾아온 아그레인은 리히튼에 의해 망가진 인형이 되어 돌아갔다. 정확한 의도는 알 수 없었어도, 그녀의 회복 속도가 비인간적이란 것만은 확실했다. 네 번의 정신 나간 행위가 끝난 이후부터는 코빼기도 보이지 않았다.

그때 즈음 리히튼은 생기가 돌아 사람 같은 낯을 하고 있었다. 성을 방문하는 하녀의 시선이 날이 갈수록 변했다. 이틀에 한 번꼴로 찾아오던 방문은 하루에 두 번으로 늘었다. 성에 방문하는 하녀들은 늘 리히튼에게 무언가를 갈구하고 있었다. 대화를 나누는 수준의 장단만 맞춰 줘도 황성의 이야기가 술술 흘러나왔다.

‘아그레인 아가씨는 외출을 금지당하셨어요.’

그 소식을 들은 건 마지막으로 아그레인을 만난 지 일주일이 흐른 뒤였다.

‘빌힐름 전하께서 무척 화가 나셔서요. 아가씨가 제멋대로이기는 해도 늘 선을 지키는 분이셨는데….’

'사이가 좋나 보군.'

그의 말에 하녀가 은근하게 떠보는 얼굴을 했다.

'도련님과의 관계를 미심쩍게 여기시는 듯해요. 아그레인 아가씨는 빌힐름 전하의….'

잠시 입을 닫은 하녀가 말을 골랐다.

'소중한 사촌 누이거든요.'

사촌 누이라. 요즘은 키우는 개도 사촌 누이라 부르는 건가 싶었다. 그 소리를 듣고서야 잊고 있던 아그레인의 위치가 제대로 인지되었다. 아그레인은 주인 있는 개였다. 황자 빌힐름의 개. 그 순간 리히튼은 수년간 살아온 낡은 성이 너무나 좁게 느껴졌다. 벽을 무너뜨리고 달려 나가고 싶을 만큼.

그로부터 며칠이 흘렀던가.

'안녕, 리히튼.'

호숫가에서 책을 읽고 있던 늦은 오후였다. 그곳에 있다는 걸 어떻게 알았는지, 아그레인이 또 한 번 그를 찾아 왔다.

'너 꽤 사람 같은 몰골을 하고 있구나?'

그녀의 말이 맞았다. 아그레인이 네 번 죽어 가는 동안 리히튼은 점차 생기를 채워가고 있었다. 마치 아그레인의 것을 빼앗기라도 한 듯.

'왜 온 거지?'

리히튼의 물음에 아그레인이 작게 웃었다. 그녀의 분위기는 이전과 너무나도 많은 부분이 달라 보였다. 땅을 파고들 듯 우울해졌다거나, 눈에 띄게 밝아진 건 아니었다.

아그레인은, 그냥 텅 비어 있었다. 반대로 걸치고 있는 장신구란 장신구 모두가 눈이 아플 정도로 화려했다. 마치 무도회의 주인공이라도 되는 양 머리끝부터 발끝까지 모든 게 완벽했다. 하지만 어째서인지 한 폭의 그림과도 같은 그녀의 외양은 눈에 들어오지 않았다. 왜일까.

'네가 말한 네 번은 진작 끝났어. 더는 찾아오지 않기로 했잖아.'

'그래… 네 덕분이야, 리히튼. 네가 온순하게 나의 부탁을 들어준 덕분에 나는 바라는 걸 모두 얻었지.'

'돌아가. 너와 정분났느냐는 더러운 소리 같은 건 듣기 싫으니까.'

눈을 크게 뜬 아그레인이 허리를 뒤집고 웃었다. 리히튼은 아닌 척 그런 아그레인의 모습을 훔쳐봤다. 그가 알던 아그레인이 아닌 것 같았다. 저리도 순수하게 즐거워하는 얼굴은 처음이었다.

'아하하! 너도 들었니? 맞아, 빌힐름이 오랜만에 내게 화를 냈어. 꽤 볼만한 얼굴이었지. 그 뽀얀 얼굴에 침 뱉고 싶은 마음을 얼마나 힘겹게 참았는지 몰라.'

언제 웃었냐는 듯, 맑게 펴졌던 낯이 다시 냉랭해졌다. 표정이 참 다채롭다. 다채롭지만 그 어떤 것도 진심으로 느껴지지 않았다. 그가 본 아그레인의 진심은 방금 전에 웃은 그 웃음이 유일했다. 말없이 쳐다보고만 있자, 아그레인은 턱을 들어 올리고 눈이 가늘어질 만큼 웃었다.

'오늘따라 왜 이렇게 예쁘냐고 묻고 싶은 거지? 내가 예쁘기는 해. 그나마 쓸모 있는 이 얼굴은 가면 같은 거야… 나약한 내면을 숨기고, 더 강한 내가 될 수 있도록 돕는 가면.'

확실했다. 오늘따라 아그레인이 이상하다. 그런 웃음에 그런 말은 아그레인과 어울리지 않았다. 그녀는 곧 구두를 벗고 호수에 발을 디뎠다. 리히튼은 흰 발등이 수면 아래로 사라지는 것을 바라보며 입을 열었다.

'물어본 적 없어.'

'물어본 적 없어도 조용히 들어 주는 게 어때? 우리가 그 정도 사이는 되잖아.'

역시 오늘의 아그레인은 이상했다. 발을 담그는 것으로 끝날 줄 알았는데, 수면은 어느새 아그레인의 허벅지까지 차올라 있었다.

'설마 다섯 번까지 필요한 건 아니겠지. 나는 물에 빠진 너까지 건져 올릴 생각은 없다.'

대답이 없다. 그녀의 등이 호수의 중심을 향해 점차 멀어졌다. 수면이 아그레인의 허리 위로 올라가기까진 그리 오랜 시간이 걸리지 않았다. 멈춰. 리히튼은 천천히 몸을 일으켰다. 발목이 시렸다. 어느새 그는 그녀의 뒤를 따라 호수 안으로 들어서고 있었다. 아그레인이 몸을 돌렸다. 파란 호숫물이 그녀의 가슴께에서 찰랑였다.

'미안해, 리히튼. 너를 지옥으로 데려와서.'

리히튼은 아무런 말도 할 수 없었다. 아니야, 그러지 마. 굳어 있던 두 다리가 다시 움직였다. 가만히 그 모습을 지켜보던 아그레인이 두 팔을 허공 위로 들었다.

'하지만 다시 한번 기회가 온다고 해도… 나는 또 같은 선택을 하고 말 거야.'

아그레인이 쥔 은색 날이 태양빛을 받아 번뜩였다.

'우리, 다시 만나자.'

'…안 돼.'

이번에 아그레인이 가져온 건 케이크를 자를 때나 쓰는 나이프 따위가 아니었다. 날카로운 검날이 아그레인의 심장을 게걸스럽게 삼키자, 얇은 몸이 수면 아래로 추락했다.

'아그레인!'

어떤 정신으로 물길을 헤엄쳤는지 알 수 없었다. 주변이 순식간에 장밋빛으로 물들었다. 물 안을 헤집으려 해도 붉게 물든 탁한 시야가 그를 가로막았다. 언뜻 멀어지는 손가락이 보이는 듯했다. 하지만 아무리 팔을 뻗어도 절대 닿지 않았다.

아그레인이 죽었다.

그날부터가 시작이었다.

그날부터 리히튼은….

리히튼은 눈을 떴다. 청량한 공기가 폐부에 차오른다. 전신을 감고 있던 수중의 무거운 감촉이 느껴지지 않았다. 그는 자신이 죽지 않고 살아 있음을 느꼈다. 그럼에도 습관처럼 손을 들어 확인했다. 꿈속의 자신이 지녔던 손보다 훨씬 더 커다란 손이었다. 그때처럼 작고 약해 빠진 손이 아닌, 커다랗고 단단한 손. 길게 숨을 내쉰 그가 종을 울렸다. 올라온 하녀에게 베르크네를 불러올 것을 명했다. 얼마 지나지 않아 노크 소리가 들렸고, 익숙한 남자가 침실로 들어왔다.

"베르크네."

"예, 각하."

"내일 곧장 황성으로 떠난다. 예정되어 있던 일정을 전부 미뤄."

"알겠습니다."

베르크네는 늘 그랬듯 이유를 묻지 않았다. 그저 주인의 명을 받들 뿐이었다.

'우리, 다시 만나자.'

리히튼은 지끈거리는 두통에 미간을 구겼다. 예상컨대, 오늘 하루는 아그레인의 목소리가 계속해서 그의 뒤를 따라올 것 같았다.

Episode 13.
발화

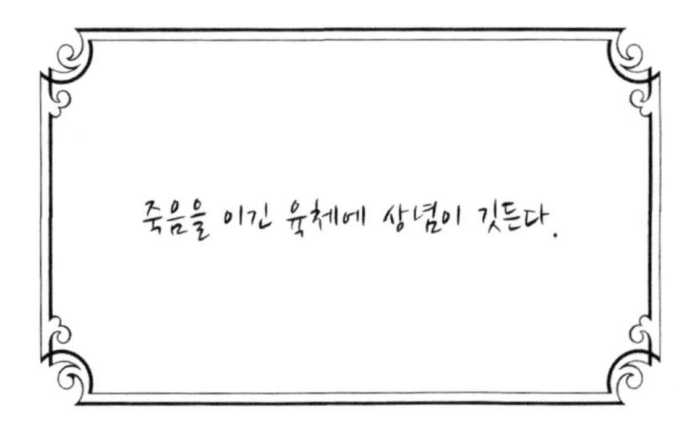

다시 봐도 두루뭉술한 표현이다. 동시에 꽤 그럴싸한 문장이기도 했다. 특히나 내게는 잉고르드의 독을 이겨야만 과거의 꿈을 다시 꿀 수 있다는 소리로 들렸다. 그림처럼 유려한 필체를 뚫어지라 쳐다보다가, 끝내 엽서를 내려놓았다. 근사한 필체라는 건 알겠으나 리히튼의 것인지는 확신할 수 없었다. 내가 팔을 내리자 기다렸다는 듯 의원이 입을 열었다. 놀랍다는 얼굴이었다.

"외상이 정말 빠르게 아무셨습니다. 믿기 힘들 정도군요. 그러나 어제도 말씀드렸듯, 골절이 아니라고 해서 쉽게 생각하시면 안 됩니다. 푹 쉬셔야 하고 웬만하면 침대에서 나오지 마십시오."

꾸역꾸역 목숨을 유지하다 보니 황실 의원에게 치료받는 날도 다 온다. 물론, 기분은 개 같았다.

"빌힐름 전하께서 아그레인 아가씨에게 내리셨습니다. 하나같이 귀하고 몸에 좋은 것들이니 꾸준히 드셔야 합니다."

의원 뒤의 조수들이 두 손 가득 들고 온 짐을 구석에 쌓아 놓고 사라졌다. 방이 비워지자 발레리아가 그전부터 도착해 있던 선물의 발신자를 하나하나 읊었다. 그래봤자 빌힐름과 비비안느를 포함해 고작 세 명뿐이었는데, 나머지 한 명은 힐마르티노였다.

"병 주고 약 주네요. 이 여자의 선물은 버려도 되겠어요."

발레리아가 질색을 하며 상자를 내던졌다.

낙마한 지 이틀이 흘렀다. 다행히 다수의 타박상과 어깨뼈에 금이 간 것을 제외하곤 퍽 멀쩡했다. 재수 없었으면 그대로 숨을 거둘 뻔한 위기였다. 그걸 알면서도 코앞에서 나를 골리던 힐마르티노를 떠올리니 기분이 금세 저조해졌다. 처음에는 이렇게까지 하는 그녀의 질투를 이해할 수 없었다. 역시 다른 목적이 있지 않았을까? 그렇게 한두 시간 가량을 고민하다가 그냥 인정하기로 했다. 미친년은 굳이 이해할 필요가 없다는 것을.

"발레리아, 할 말이 있으니 그만 정리하고 이리로 와."

"아, 네."

다가온 발레리아가 내 침대 위에 조심스럽게 앉았다. 그리고 가만히 내 얼굴을 들여다봤다. 어제 겪은 일련의 사태 이후 나를 대하는 발레리아의 태도가 미세하게 변한 것이 느껴졌다. 뭐라고 해야 할까. 늘 평정심을 유지하려는 모습이 옅어졌다고 해야 하나. 내게 감정을 표현하는 순간이 잦아진 듯했다.

"나는 당분간 아주 심하게 앓을 거야."

나의 말에 발레리아가 고개를 저었다.

"제가 잘 간호할 테니 걱정 마세요. 팔이라면 금방 나으실 거…."

"이 빌어먹을 팔을 말하는 게 아니라, 그보다 더하게 앓을 거란 소리야. 열 때문에 눈도 제대로 못 뜰 거고 소리 없이 정신을 잃을 때도 많겠지. 하지만 명심해. 내가 앓다 죽을 것 같더라도 의원을 부르면 안 돼."

발레리아가 납득할 수 없다는 눈빛으로 나를 응시했다.

"왜죠?"

"벌써 잊었니, 발레리아? 더 높은 곳을 갈망하기로 했잖아."

발레리아의 낯빛이 좋지 않았다. 내 말을 되새기듯 가만히 눈길을 내리고 있던 발레리아가 뒤늦게 대답했다.

"그건… 더 높은 곳을 바라보기 위해선 아가씨가 그렇게 끔찍하게 앓아야만 하는 건가요?"

그렇다고 대답하기에는 너무 도박성이 강한 선택이었다. 나는 대답 대신 발레리아의 어깨를 두들겼다.

"내가 괜찮다고 말할 때까지 아무도 들이지 말렴. 빌헬름 황자도, 그 누구도."

발레리아는 마지못해 고개를 끄덕였다. 그녀의 걱정이 내게는 몹시 어색하게 느껴졌다.

'정말 가능할까?'

혈관이 타오를 것 같았던 그 고통 속으로 돌아가면, 잃어버린 기억의 조각들을 다시 주울 수 있을까? 고민에 대한 답은 이미 진작 정해 두었다. 이제 실천하는 일만 남았을 뿐.

그날 밤. 발레리아가 그녀의 침실로 돌아간 틈을 타 유리병에 든 액체의 일부를 물에 풀어 삼켰다. 앞으로 세 번. 세 번을 더 이렇게 마시면 될 거야.

목구멍 아래로 넘어가는 매캐하고 뜨거운 감각을 느끼며, 나는 기분 좋게 눈을 감았다.

그러나 그 만족감도 아주 잠깐의 일이었다. 예상한대로 나는 그날의 선택을 수십, 수백 번 후회했다. 한두 달 편안했다고 끔찍했던 고통을 잊고 있었던 게 잘못이었다. 대가는 몹시 컸다. 쉴 새 없이 타오르는 아픔에 하루가 한 달처럼 느껴졌다. 이 독을 마시고 잉고르드에서 어떻게 하녀 생활을 했었는지, 다시 되새겨도 놀라운 일이었다.

언뜻 정신을 차릴 때마다 느껴지는 날씨는 내 정신만큼이나 오락가락했다. 천둥이 칠 때는 뇌가 거세게 흔들렸고 햇볕이 내리쬘 때마다 피부가 벗겨지는 착각이 들었다. 그렇게 고통이 조금씩 잦아들기 시작한 사흘째 밤. 독을 삼키고 처음으로 어렴풋이나마 잠들었던 그날 밤에. 나는 꿈속에서 리히튼을 만났다.

[아그레인.]

리히튼은 내가 알고 있는 그보다 훨씬 어린 티가 났다. 기사 정복을 걸친 그는 새장에 갇혀 있던 버려진 개가 아닌, 명망 있는 가문의 자제처럼 보였다.

[어서 힐 성으로 돌아갑시다. 고작 몇 분이 지났다고 그리도 낯이 창백해.]

어투는 정중했으나 태도와 표정은 불순했다. 리히튼은 다소 급히 내 어깨를 감싼 채 끌어당겼다. 내 머리 위에 우산이 덧씌워지고 나서야 비가 내리고 있단 사실을 깨달았다. 나는 꼼짝 않고 리히튼의 얼굴을 올려다봤다. 달려오기라도 했는지, 꽤 거칠게 숨을 들이쉬고 있었다. 그는 이를 악물며 물었다.

[빌힐름입니까?]

어쩐지 이 대화, 들어본 적이 있는 것 같다.

[아니, 빌힐름밖에 없지. 그 빌어먹을 개새끼가 당신에게 또 무슨 짓을 한 거지?]

날 잡아당기던 리히튼이 이제는 몸을 틀어 얼굴을 마주하고 섰다. 그의 눈 속에서는 평소 느낄 수 없는 격정적인 감정이 회오리치고 있었다. 그래도 아직은 나를 위해 화를 내 주는구나. 늘 숨기려고만 하는 리히튼이었기에, 이런 식으로 확인당하지 않는 이상 그의 마음을 알기 어려웠다. 나는 어지럽다 못해 텅 비어 버린 듯한 머리를 저으며 말했다.

[너는… 내가 부를 땐 단 한 번도 순순히 오지 않더니….]

[닥치고 대답해.]

보이지는 않아도 그의 등과 뒷머리가 빠르게 젖어 가고 있음을 안다. 나는 내 몸을 빗물로부터 완전히 가리고 있는 그의 우산을 천천히 밀었다. 어차피 비를 맞아야 한다면 리히튼이 아닌 내가 맞는 게 나을 것이다. 나는 천천히 입을 열었다.

[죽였어.]

적어도 그는….

[그 개자식을 내가 죽였다고.]

황족 살해 죄를 명분으로 처형대에서 목이 잘리지는 않을 테니까. 빗소리가 우리 사이를 갈랐다. 내 어깨를 쥔 그의 손이 서서히 풀려 가는 게 느껴졌다. 드물게 평정심을 잃고 흔들리는 눈동자가 호수 위에 핀 안개처럼 예뻤다.

[…도망치면, 그러면 됩니다.]

이윽고 리히튼이 입에 담은 말은 전혀 기대하지 못했던 소리였다. 나는 멍하니 그의 얼굴을 응시했다. 도망치자는, 조금도 리히튼답지 않은 소릴 하는 의도를 알기 위해서. 그러나 그의 낯을 샅샅이 뜯어 살펴도 바뀌는 것은 없었다. 팔목을 잡아끄는 악력이 더 강해지기만 했다.

[그래. 나와 같이 이곳을 나가자, 아그레인, 그러면 돼. 그러면 모든 게 끝나.]

[리히튼.]

리히튼은 몹시 급해 보였다. 마치 내가 아닌 그가 시해범이 된 것처럼.

그는 아마 긴 시간 이 순간만을 고대해 왔을 것이다. 리히튼을 빌힐름의 호위 기사로 만든 이가 바로 나지 않은가. 평생을 나와 빌힐름의 도구로 살아온 가엾은 리히튼. 알고 있다. 리히튼은 나를 빌힐름만큼이나, 혹은 그보다 더 환멸한다는 사실을.

나는 그 부정적인 감정을 온전히 감수할 마음이 있었다. 리히튼을 향한 동정심보다 빌힐름을 죽이고 싶다는 마음이 더 비대했기 때문이다. 하지만 내가 기다리고 있던 결말에 그와 도망치는 그림은 없었다. 그런 건 말이 되지 않잖아. 단단한 손아귀 안에 잡힌 손목을 억지로 비틀어 빼냈다.

[빌힐름은? 목격자가 있는 장소에서 죽인 건가? 그렇다면 시간이 더 촉박….]

[나는 가지 않아.]

[…뭐?]

청회색 눈동자가 정처 없이 흔들렸다. 저런 얼굴을 한 리히튼이 대체 얼마 만인지. 수년 전, 홧김에 입을 맞췄던 날 이후로 처음이나 다름없었다. 그래, 그런 시기도 있었지. 그래서 리히튼도 나를 완전히 놓지 못하는 것일 터였다. 서로를 이해할 수 있는 사람은 서로밖에 없으니까.

[빌힐름을 죽였으니 끝이야. 나는 오직 이 순간만을 위해 가치 없고 구차하기만 한 시간을 꾸역꾸역 버텨왔어.]

아아, 가여운 리히튼. 그가 살아가는 데 하등 도움 되지 않는, 나라는 미련을 버리길 바랐다. 그런 마음으로 내가 지을 수 있는 가장 환한 웃음을 지었다.

[괜찮지? 나도 할 만큼 했어. 이제 더는 버틸 필요 없는 거잖아.]

그때, 리히튼의 푸르스름한 낯 위로 그답지 않은 선명한 감정이 떠올랐다. 깨달음과 후회. 무엇에 대한 깨달음이고 무엇에 대한 후회인지는 모른다. 다만 그 감정이 나와 무관하지는 않을 것이다. 증오만큼이나 오랜 시간 잊히지 않는 감정이 후회라고 생각한다. 나에 대한 후회로 리히튼이 평생 동안 나를 기억한다면… 그것도 썩 나쁘지만은 않을 것이다. 나는 그의 손을 뿌리치고 성으로 돌아갔다.

황제는 하나뿐인 적장자의 관이 땅 아래에 묻힐 때를 기다리지 않았다. 그의 분노는 내가 예상했던 것보다 훨씬 큰 듯했다. 관례에 의하면 빌힐름이 관이 묻힌 후 10일은 흘러야 진행될 처형식이었다. 그러나 처형식은 예정일보다 족히 15일은 당겨졌다. 빌힐름의 피가 모두 굳기도 전에, 나는 처형대 위로 올랐다. 그날은 죽음을 받아들인 내 마음이 묘하게 울렁거릴 정도로 맑은 날이었다. 파란 하늘 아래에서 비비안느의 울부짖는 목소리가 또렷하게 들렸다.

[안 돼요, 폐하! 폐하, 제발…!]

처연했다. 리히튼이 잊고 싶어도 날 잊지 못한다면, 비비안느는 죽어서도 날 잊으려 하지 않을 것이다. 비비안느는 그런 아이였다. 그 애의 심장에는 피가 아닌 내 이름이 흐르고 있을지도 모른다. 그 정도로, 때때로 나조차 이해할 수 없을 만큼 나를 사랑하는 아이였다. 아마도 나 자신보다 더.

[아, 아그레인은 아무런 잘못 없어요. 아그레인은 아무 짓도 하지 않았어요! 차라리 저를….]

[비비안느를 데려가라.]

[폐하! 안 돼, 아그레인! 제발 도망쳐, 아그레인!]

그녀의 처절한 슬픔은 내게 그리 와닿지 않았다. 내가 왜 도망쳐야 해, 비비안느? 이게 바로 내가 원한 결말이야. 나는 평생 바라 마지않았던 나의 시나리오를 완성했어. 심지어 완벽한 해피엔딩으로.

[죄인을.]

죄인과 황제 사이를 가로막고 선 기사들의 창이 나를 향했다. 심장박동이 터질 듯 뛰는 찰나의 순간. 그들 사이에 선 리히튼이 눈에 들어왔다.

[죽여라.]

창끝이 나를 향해 달려올 동안, 오직 리히튼만이 제자리에서 쥐고 있던 창을 떨구었다. 그의 메마른 입술이 느려져가는 세상 틈에서 내게 말했다.

[괜찮아, 처음부터 다시 시작하면 돼.]

그리고 눈앞이 점멸했다.

무언가 뚝, 끊겼다. 눈앞이 암전하고 나는 눈을 떴다. 심해 속에서 긴 시간 숨을 참아 내다 올라온 것처럼 숨이 가빴다. 머릿속이 어지럽고 토기가 올라왔다.

"하아, 하아…."

흔들리는 시야에 익숙한 적색 캐노피가 잡힌다. 창틀과 똑같은 무늬로 어렴풋이 떨어지는 달빛이 내가 누운 침대를 비추고 있었다. 나의 예상이 옳았다. 잉고르드의 독을 삼키자, 과거의 기억이 다시 돌아오고 있었다.

"하아."

두통에 뇌가 흔들리는 것은 물론 목 언저리가 불에 덴 것처럼 뜨거웠다. 과거의 기억을 되찾은 건 좋다. 한데 오늘 떠올린 과거는 영 납득할 수 없는 기억이었다.

'과거의 기억이 맞아. 나는… 그날 분명히 죽었어.'

빌힐름도 죽고, 빌힐름을 죽인 나도 죽었다.

"하."

말도 안 되는 일이었다. 빌힐름과 나는 지금 이 순간, 같은 성에 멀쩡히 살아 숨 쉬고 있지 않은가?

'그사이 죽었다가 다시 살아나기라도 한 건가.'

말도 안 되는 가정이었으나, 과거의 나에게 미래를 볼 수 있는 능력이 있었던 것을 상기하면 마냥 불가능한 일도 아닐 것 같았다.

콰앙!

폭풍을 뚫고 천둥이 떨어졌다. 달빛이 아니라 번개였구나. 더듬더듬 침대를 지지대 삼아 일어섰다. 창문에 달라붙은 빗방울 때문에 밖이 잘 보이지 않았다.

"마차?"

한데 저 아래에 작은 등불이 흔들리고 있었다. 나란히 선 거대한 사륜마차가 보였다. 이런 날씨에 황성을 방문하는 사람이 다 있다니.

"아가씨?"

등 뒤에서 인기척이 느껴졌다. 방금까지 소파에 누워 뒤척이고 있던 발레리아였다. 나를 간호하기 위해 자신의 침실로 돌아가지 않은 모양이었다. 창가로 걸어오는 그녀에게 물었다.

"황성에 무슨 일이라도 생겼니?"

발레리아의 흐릿한 시선이 나와 같은 방향으로 향했다.

"아, 귀족들 말인가요. 일주일 후가 황제 폐하의 탄신일이라, 이르면 오늘부터 속속들이 도착할 거란 소리를 들었어요."

그사이 일주일로 앞당겨졌다는 건가. 아무래도 꼬박 하루 동안 정신을 잃은 듯했다. 황제의 탄신일을 축복하기 위해 황성을 방문하는 귀족들. 머릿속 구석에서 계속 맴도는 이름을 묻지 않을 수 없었다.

"잉고르드도 황성을 찾아올까?"

"잉고르드? 아, 공작 각하 말씀하시는 걸까요? 제 기억이 틀리지 않았다면 그분은 매해 참석하셨습니다. 한데 올해는 모르겠네요. 윌 가문의 여식이 잉고르드에 몸을 의탁했다고 하니… 아마 빌힐름 전하와 면대하기에는 서로 불편하지 않을까요?"

발레리아의 아리송한 답은 오히려 그가 황성을 방문할 거라는 확신을 심어 주었다. 리히튼이 타인의 눈치를 보느라 오지 못한다고? 그를 아는 사람들은 코웃음도 치지 않을 소리였다.

'베르크네와 킨도 오겠지.'

그 둘을 황성에서 만난다니. 상상만으로도 우스운 재회였다.

"아가씨. 어서 침대로 돌아가요. 안색이 너무 파리해요."

발레리아의 어투에서 풍기는 걱정과 근심이 매우 짙었다. 나는 그녀가 켜 놓은 등불을 들고 천천히 화장대 앞으로 걸어갔다. 거울에 비친 얼굴을 보며, 어쩐지 이 모습이 진짜 나일 수도 있다는 기묘한 감상에 빠져들었다. 노란 불이 비춤에도 낯빛이 스산하다. 눈 아래가 검게 물든 탓인지 더욱 그러했다. 탁해져 생기가 돌지 않는 눈동자와, 하얗다 못해 푸르스름한 입술까지. 잉고르드의 수잔이 그곳에서 나를 바라보고 있었다. 정말로 내 몸 안에 다시 독이 돌고 있을까? 화장대 옆에 활짝 핀 붉은 꽃송이를 쥐었다. 눈에 익숙하지 않은 물건이다.

"발레리아. 이 시클라멘, 혹시 네가 아끼는 꽃이니?"

"예? 아니요. 그 화분은 전 벨버른 백작님께서 보내 주신 선물이에요. 기억나지 않으세요?"

그자가 일주일 사이에 내게 바친 물건이 한둘이어야지. 길게 뻗은 적색 꽃잎을 내려보다가, 등을 숙여 깊게 향기를 들이마셨다. 몸을 떼기 직전에 코끝에 닿은 잎을 가볍게 핥았다. 반응은 빨랐다. 파릇파릇했던 꽃잎이 빠른 속도로 수축되기 시작했다. 그리고 불이 붙은 나무처럼 검게 산화되어 흙 위로 떨어졌다. 때마침 다가온 발레리아가 의아한 표정으로 고개를 숙였다.

"으음, 왜 죽어 있담? 어제까지 분명 활짝 피어 있었는데…."

"방에 죽은 꽃을 둘 수는 없지. 해가 뜨면 시종에게 말해 버리도록 해."

"예."

이걸로 다시 쓸모 있는 몸을 갖게 됐다. 예민해진 오감. 날카로워진 신경으로 인해 사그라지지 않는 두통. 뻐근한 눈과 무거운 어깨. 그럼에도 불과하고 느껴지는 이 완전한 안정감은 무엇이란 말인가.

'이제 내 몸은 내가 지킬 수 있어.'

과거의 내가 지녔던, 미래를 보는 힘만 다시 사용할 수 있다면. 그렇다면 지금 당장이라도 복수를 달성해낼 수 있었을 텐데. 문득 궁금해졌다. 무려 미래를 보는 힘이었다. 그런 대단한 힘을 지녔으면서, 나는 왜 긴 시간을 힐 성에서 벗어나지 못한 채 고통 받아야 했던 걸까. 아직 찾아야 할 퍼즐 조각이 너무나 많았다.

저녁 식사가 막 끝난 시간대였다.

"사흘 전에 낙마했다고 들었소."

조나단 부인의 입에서 나온 소리치고는 너무나 어색했다. 평소의 무관심하고 사람 얕잡아 보던 눈빛과 어투는 어디로 가고, 누그러든 음성에서 옅은 걱정이 묻어 나왔다.

"네. 그런 것치곤 멀쩡하지만요."

왼쪽 어깨를 붕대로 단단히 고정시킨 상태라 팔을 움직이기가 영 불편했다. 부자연스러운 움직임이 눈에 띄었는지, 눈을 감은 부인이 짧게 혀를 찼다.

"며칠 사이에 송장이라 해도 무방한 안색이 되었군. 크게 다치지 않은 건 다행이나, 몸 관리에 더 신경 써야 할 것 같습니다. 물론 내가 이리 말하지 않아도 빌힐름 전하께서 다 알아서 해 주겠지만."

그리 말한 조나단 부인이 등을 돌려 멀어졌다. 내 얼굴을 훑는 마지막 시선이 싸늘했다. 서쪽 황성 사람들에게 있어, 이제 나는 완전한 빌힐름 황자의 사람이었다. 이게 맞아. 비비안느가 내게 열렬한 관심을 보이면서 잠시 헤맸을 뿐.

'내가 죽을 때 목 놓아 울었었지.'

꿈속에서의 그 장면을 되새기니, 비비안느의 관심을 순전한 흑심으로 받아들이기 힘들었다.

'그렇다고 순수한 호의로 날 돕는다는 건 말이 안 돼.'

그런 인물이었다면 그 자리까지 올라가지도 못했을 것이다. 비비안느는 어디부터 어디까지, 무엇을 알고 있을까. 그리고 내게 무얼 바라는 걸까? 고민하는 사이, 저만치 앞에서 넓은 보폭을 가진 여자가 빠르게 다가왔다.

"읏."

누구인지 확인하기도 전에 거칠게 어깨가 잡혔고, 찌릿한 고통에 본능적으로 손을 쳐냈다. 손의 주인은 힐마르티노였다.

"건방진 것으로 모자라 이젠 손버릇까지 고약하네."

이 미친 여자는 내 냄새를 기억하기라도 하는 걸까? 방에서 나온 지 몇 분 되지도 않아 저 빌어먹을 얼굴을 마주 봐야 한다니. 그런 내 생각이라도 읽은 듯, 힐마르티노가 한 쪽 입꼬리를 끌어당겨 웃었다.

"그사이 벙어리라도 됐니? 윗사람이 안부를 물었으면 다소곳이 대답해야지."

"안부라도 묻고 그런 소리 하시죠."

"흐흥. 그래도 말은 높이는구나. 나는 또 그때처럼 정신 나간 년 취급하며 침이라도 뱉을 줄 알았는데."

"본인이 미친 건 아시나 봐요."

히죽 올라가 있던 힐마르티노의 입꼬리가 천천히 제자리를 찾아갔다. 나는 그녀의 표정을 그대로 베낀 채 물었다.

"이해해요. 비비안느 전하께서 저처럼 보잘것없는 애를 그리 귀중하게 보살펴 주시는데. 그 성격에 확 돌아 버리지 않고 배기겠어요?"

힐마르티노의 복장은 늘 그러했듯 완벽했다. 먼지 하나 묻지 않은 새까만, 잘록한 허리와 탄탄한 허벅지가 잘 드러나는 승마복에 높이 올려 묶은 흑발. 거기에 조나단 후작 가문의 영주라는 완벽한 지위까지. 이런 여자가 무엇이 아쉬워 날 이리 건들려고 할까.

"저에 대해서 그렇게 궁금하세요?"

짧은 틈도 없었다. 내 입술이 닫힌 즉시 힐마르티노가 왼쪽 팔을 들었다. 누가 시정잡배 같은 여자 아니랄까 봐. 나는 빠른 속도로 다가오는 팔을 붙잡았다. 느릿하게 눈을 깜빡이던 힐마르티노가 어이없다는 듯 웃었다.

"하?"

"차라리 왼쪽을 때리시지. 내가 오른팔은 멀쩡해서."

"아하하하!"

그녀답게 웃음을 터트리기에 이번에는 주먹이라도 날아올까 싶었다. 그러나 힐마르티노는 그리하지 않았다. 손목을 잡힌 그대로 부드럽게 팔을 내리더니, 내 귀 옆을 살짝 건들고 웃었다. 그녀의 손에 쥐어진 건 하얀 실밥이었다.

"전에도 말하지 않았니? 난 어여쁜 애들은 거칠게 안 다뤄. 보는 입장에서 여러모로 손해거든."

그리고 꿈쩍도 않기에 내 쪽에서 먼저 손을 거두었다. 한데 손을 완전히 빼내기 전에, 힐마르티노가 다시 붙잡아 자신에게로 당겼다.

"너…."

채도가 낮아 볕을 쬐는 낙엽에 가까운 녹안이 내 얼굴을 꼼꼼하게 살폈다. 악력이 어찌나 센지, 밀어내려 해도 쉬이 밀리지 않았다. 힐마르티노는 자신의 기억을 상기하듯, 묘하게 가라앉은 목소리로 말했다.

"얼굴이 핼쑥해지긴 했어도, 그 집안 특유의 분위기는 확실히 풍긴단 말이지. 하나 남은 피붙이랑 똑같아. 그 집안은 목숨이 참 질기나 봐. 너도 그래 보이긴 하구나."

하나 남은 피붙이. 설마 캐롤드에 또 다른 생존자가 있다는 뜻인 건가. 내 표정이 눈에 띄게 굳었는지, 힐마르티노가 훨씬 여유로워진 분위기로 내 팔을 놓았다.

“보는 재미가 있는 우리 아그레인 양. 폐하의 탄신일이 가까워질수록 이 언니의 기다림은 더욱 커져갈 뿐이란다. 하하. 얼마나 재미있을까? 10년은 더 훌쩍 흘러 재회하게 되었는데, 서로를 몰라 볼 거 아니니?”

좋아 죽으려는 꼴을 보니 확실했다. 캐롤드 가문에는 나 외의 또 다른 생존자가 존재한다. 생각지도 못한 사실에 심장이 빠르게 뛰기 시작했다.

“아니면 운명에 이끌려 서로를 한눈에 알아볼까? 마치 마법처럼?”

“혼자 즐거워하지 말고 같이 즐기는 게 어때요?”

아, 젠장. 아무리 궁금했어도 이런 말을 하면 안 됐는데. 힐마르티노가 미쳤다고 곱게 밝힐까. 아니나 다를까, 씨익 웃은 힐마르티노가 턱을 쳐들고는 고개를 저었다.

“싫어.”

더는 그녀를 상대하고 싶지 않았다. 힐마르티노의 어깨를 밀어내고 복도를 지나쳤다. 뒤통수 너머의 얄미운 웃음이 완전히 사라지기까지는 꽤 시간이 걸렸다.

‘캐롤드의 일원이 살아 있다면 빌힐름이 모를 리 없어.’

마침 빌힐름을 찾아가던 차라 걸음을 빨리했다. 나를 발견한 시종이 문을 두들기기 전에 손잡이를 밀고 들어갔다. 어차피 이 정도의 무례는 신경 쓰지도 않을 터였다.

“전하.”

독서를 하고 있었는지, 빌힐름이 책을 편 자세 그대로 나를 응시했다.

“저의 형제가 살아 있나요?”

이윽고 그가 천천히 책을 덮으며 물었다.

“누가 당신에게 그런 소릴 했는지 궁금하군요.”

말해야 할까. 고민하는 사이에 빌힐름이 자답했다.

"힐마르티노 후작입니까?"

"…어떻게 아셨어요?"

"당신에게서 그 족제비의 역겨운 냄새가 묻어 나와서."

어라. 눈앞의 남자가 빌힐름이 맞나? 내가 아는 빌힐름은 저런 식의 천박한 어투를 사용하지 않았다. 아니, 사용하지만 적어도 내 앞에선 아니다.

내가 대답하지 못하고 있자 그의 입술에서 작은 웃음이 흩어졌다.

"농입니다. 힐마르티노 후작을 제외하곤 내가 영역 표시한 자에게 함부로 입을 열 인물이 생각나지 않아서 말입니다."

영역 표시. 오늘의 빌힐름은 무언가 부자연스럽고 어색하게 느껴졌다. 진심이야 어떨지 모르지만, 적어도 내 앞에서는 항상 말과 행동을 조심하던 그였는데.

"그래서, 저를 제외한 캐롤드의 일원이 남아 있다는 말씀이신가요?"

걸음을 옮겨 빌힐름의 건너편 의자에 앉았다. 그는 다소 의아한 표정으로 턱을 쓸었다.

"설마 모르고 있을 줄이야. 아그레인, 역시 당신을 잉고르드에서 데리고 나오길 백 번 잘한 것 같습니다."

"알아듣게 말씀해 주세요."

"리히튼 공작이 말하지 않았습니까? 검은매 기사단의 부단장, 킨 경이 누구인지."

누구라고? 망치로 뒤통수를 세게 가격당한 느낌이었다. 생각지도 못한 이름의 등장으로 사고가 잠시 정지했다. 나는 평정심을 잃은 채 되물었다.

"설마, 전하. 킨이 저의…."

"당신과 킨 경은 캐롤드 가문의 후계였습니다. 정확하게 말하자면 킨 경은 직계가 아니었지만… 듣기로 남매의 우애가 퍽 좋았다지요."

정확히 가리키지는 않았어도 그가 말하는 남매가 나와 킨을 뜻함은 확실했다.

'아, 이런 말도 안 되는 일이….'

그래. 잉고르드에서 킨이 짧게나마 자신의 과거를 언급한 적이 있었다.

'이복 여동생과 친할 수도 있나? 그것도 유서 깊은 가문에서?'

'친하지 못할 건 없지. 그래봤자 너무 어릴 때의 일이라 얼굴도 희미하지만. 그 애도 날 기억할지 의문이군.'

황당하다 못해 충격적인 과거였다. 이복 남매? 그와 내가? 불현듯 잉고르드를 떠나기 직전, 킨이 아즈마리아의 죽음을 막았던 장면이 머릿속에 떠올랐다. 답지 않게 혼란에 빠져 리히튼에게 간청하던 그가.

'약속이라… 킨. 네게는 저 여자의 발언이 모두 진심으로 들리나 보군.'

'적은 가능성이라도 제게는 더없이 소중합니다.'

'그래서, 아즈마리아 윌 영애의 목숨을 보장해 달라?'

'…예.'

그때는 킨이 왜 아즈마리아를 살리려 하나 싶었다. 이제야 알 것 같았다. 아즈마리아가 아니라, 아그레인의 죽음을 막으려던 거였어. 킨은 잉고르드 가문의 가신이 아니었음에도, 검은매 기사단의 부기사단장 자리까지 오른 인물이었다. 리히튼이 '모종의 이유'로 캐롤드의 핏줄인 킨을 거둔 것이라면… 그와 관련된 의문이 모두 풀리게 된다. 등잔 밑이 어둡다는 격언을 이런 데서 되새기게 될 줄은 몰랐다.

"리히튼 공작이 이 사실을 단 한 번도 언급한 적 없습니까?"

"네. 아마 그곳에 계속 있었더라면 평생을 몰랐겠죠."

"아그레인 양이 원한다면 킨 경을 황성에 초대해 보도록 노력해 보겠습니다."

글쎄. 매력적인 제안이었으나 그 필요성이 느껴지지는 않았다. 킨을 만나면? 이복 남매간의 감격적인 재회라도 하라고? 그 끔찍한 장면에 상상만으로도 소름이 끼쳤다.

"말씀만으로 감사해요. 하지만 전하와 리히튼 각하의 관계가 원만하지 않다는 것 정도는 저도 알아요."

"원만하지 않다는 이유로 내 초대를 거절할 것 같지는 않군요. 보통의 사람들은 잃어버린 혈연을 찾고 싶어 합니다. 그자라고 다르지 않을 겁니다."

"왜 그렇게까지 해 주세요?"

마치 정말로 내 호감을 얻으려는 것처럼. 나는 그에게 순수한 의문을 표했다. 죽은 줄 알았으나 살아 돌아온 친척 누이, 그래 좋은 명분이기는 하지. 하지만 속내는 그와 전혀 관련되지 않다는 걸 안다. 날 향한 빌힐름의 감정은 애착하는 물건을 향한 소유욕에 불과했다. 그걸 알기에 어떤 부탁이라도 들어줄 것 같은 그의 태도가 불안하고 껄끄러웠다.

"내 호의가 불편합니까?"

빌힐름이 웃는 낯으로 되물었다. 마음 같아서는 불편하니까 적당히 친한 척하자고 말해 주고 싶었다.

"아니요. 그저… 전하의 호의를 받기에는 제가 너무 형편없는 사람 같아서요."

"스스로에 대한 평가가 고작 '형편없다'로 끝이라면, 상당히 실망할 것 같은데."

실망? 빌힐름의 발언은 영 이상했다. 그의 권력을 무기 삼아 활개라도 치라는 소리인가.

"알을 깨고 싶다는 생각이 들지는 않습니까?"

늘 그렇듯 다정한 음성과 표정이었지만… 어느 순간부터 그마저도 껄끄럽게 다가왔다.

"저는 제가 알에 갇혀 있다고 생각하지 않아서요."

"아그레인 양은 말과 행동이 늘 다르군요. 잉고르드에서 재회했을 때도 내가 이와 비슷한 소릴 했었는데 말입니다. 기억납니까?"

서점에서 나눈 대화를 뜻하는 건가. 어떤 의미인지 알 것 같았다.

"전하께서 말씀하시는 저의 알이, 혹시 잃어버린 기억을 뜻하는 것일까요?"

이대로 아무 것도 모르는 채 살 테냐, 아니면 과거의 나를 되찾을 테냐. 한데 빌힐름에게서 듣는 나의 과거가 과연 신뢰할 만한 정보일까.

"단순히 그것만 뜻하지는 않습니다. 이를테면…."

빌힐름이 두 모금 정도 남아 있던 보드카를 단번에 비우곤 말했다.

"캐롤드 가문의 재건이라든지."

가문의 재건. 함부로 대꾸하기에는 가볍지 않은 주제였다. 너무나 허무맹랑한 소리지 않은가.

"그거야말로 말도 안 되는 호의지 않나요?"

"아그레인 양은 그럴 가치가 있는 사람이니까요."

그렇담 캐롤드 가문은 재건될 가치가 있는가? 캐롤드 가문이 빌힐름과 직접적인 연관이 있는 가문이긴 했다. 전 조나단 후작의 처, 그러니까 빌힐름의 외조모가 캐롤드 가문의 장녀였기 때문이다. 그가 나를 사촌 누이라 칭하는 이유도 여기서 기인했다. 하지만 그 사촌 누이를 위해 반역 가문을 재건한다? 이성적으로 말이 안 되는 소리였다. 빌힐름 자체가 미친놈이라 하더라도.

"쉽게 결정할 사안이 아니란 것을 압니다. 시간을 드릴 테니 충분히 고민해 보세요."

무슨 생각일까.

"그럼… 남은 시간은 카드 게임이나 할까요?"

시종이 빌힐름의 빈 술잔을 채우고, 빌힐름은 테이블 아래의 카드를 꺼내

섞기 시작했다.

'너희 남매는 도대체 무슨 생각이니.'

여우같다는 표현은 내가 아닌 저들에게 더 걸맞은 듯했다.

그로부터 정확히 저녁 8시가 되어서야 빌어먹을 카드 게임으로부터 벗어날 수 있었다. 사흘마다 두 시간씩은 이런 짓거릴 해야 하는 건가. 갈수록 둘만 있기 버거운데, 사흘 후의 저녁은 또 얼마나 숨 막힐지. 문을 닫자마자 한숨이 절로 나왔다.

"아, 아가씨! 전하와의 대면은 끝나셨나요?"

걸음을 떼기 무섭게 창가에서 익숙한 목소리가 들려왔다. 목소리의 주인은 발레리아였다.

"발레리아? 왜 여기까지 나와 있어? 무슨 일 있니?"

"아니, 아니요. 그냥 마중 나온 거예요."

그냥이라니. 이제껏 단 한 번도 이런 적 없었으면서. 사람이 안 하던 짓을 할 때는 보통 두 가지 경우다. 양심상 껄끄러운 부분이 있거나, 다른 마음을 먹었거나.

"무슨 일 있으면 꼭 말해."

"네. 걱정하지 마세요."

의심 가는 구석이 없으니 캐물을 것도 없었다.

'혹시 힐마르티노를 조심하라는 조언 때문인가?'

흐음. 그건 꽤 그럴싸한 가정이었다.

탕!

하늘을 울리는 총성에 허공의 흰 깃이 무참히 흩어졌다. 거위의 사체가 빠르게 잔디 위로 추락했다. 나는 그 모습을 확인한 후 천천히 총구를 내렸다. 확실히 효과가 있어. 사냥감을 힐마르티노의 얼굴이라고 생각하니 적중

률이 말도 안 되게 높아졌다.

"실력이 좋군. 후작이 말한 것과 영 딴판입니다."

전혀 놀랍지 않은 음성으로 조나단 부인이 감탄했다. 나는 발레리아에게 총을 넘기며 대답했다.

"각하께서 어떤 식으로 제 실력을 묘사하셨을지 궁금하네요."

"쓰레기라고 했소."

힐마르티노다운 저렴한 표현이었다.

"그 정도로 하찮지는 않은 것 같은데…."

"후작의 표현이 워낙 직설적이니."

이번에는 조나단 부인의 차례였다.

탕!

볼 것도 없이, 다섯 번 연속으로 완벽한 적중이었다. 감탄의 의미로 가볍게 박수를 쳤다. 부인은 무던한 표정으로 시종에게 총을 건넸다.

"장단은 이 정도 맞춰 주면 충분하다고 봅니다만. 그래서 내게 용건이 뭡니까, 아그레인 양? 예정에도 없던 그대와의 사냥이 썩 즐겁지는 않아서."

같은 조나단의 핏줄이라 그런가, 조나단 부인 역시 힐마르티노 못지않게 직설적이다.

그녀의 말대로 둘이 함께하는 사냥은 예정된 일정이 아니었다. 조나단 부인이 홀로 거위를 맞추는 모습을 창 너머로 확인한 후, 뒤늦게 내가 끼어든 것이다. 덕분에 불청객 취급을 받아야 했으나 상관없었다. 함께 보내는 여가 시간이 불편하다고 하니, 더 시간을 끌 필요도 없을 것 같아 바로 볼일을 밝혔다.

"킨 캐롤드에 대해서 아시나요?"

"황성에서 캐롤드 가문의 일은 언급이 금지되어 있소."

칼 같은 대답이었다.

역시 조나단 부인답네. 그걸 알고서 찾아온 거지만.

"아, 그렇죠. 그렇다면 질문을 달리할게요. 검은매 기사단의 킨 경에 대해서 아시나요?"

총을 넘겨받은 부인이 무슨 수작이냐는 눈빛으로 날 응시했다. 나는 방긋 웃으며 대답했다.

"제가 요즘 그 기사분에게 관심이 많아서요. 이것저것 궁금한 게 많은데, 인맥이 좁다 보니 여쭐 분이 부인밖에 없어요."

"그렇게 면전에 대고 물어보면 내가 순순히 대답해 줄 줄 알았습니까?"

탕!

내 차례임에도 불구하고, 총을 쏜 쪽은 조나단 부인이었다. 썩 꺼지라는 의미일까? 푸드덕거리는 날갯짓과 함께 추락하는 거위. 무려 여섯 번 연속으로 명중이었다. 물론 나는 여기서 물러설 마음이 없었다.

"저에 대해 잘 모르시죠, 부인."

"궁금하지도 않다만."

솔직담백한 건 오히려 힐마르티노보다 한 수 위인 것 같았다. 조나단 부인은 수년을 황성에서 살아온 여자였다. 저 여자의 눈에는 내 수작이 얼마나 우스워 보일까? 원하는 바를 직설적으로 표현하는 게 더 나을 거란 생각이 들었다.

"그럴 리가요. 저는 제 위치가 꽤 재미있다고 생각하는데. 황자의 손님이랍시고 온 여자가 알고 보니 캐롤드의 핏줄이었고, 그런 여자를 황녀께선 애지중지 대하시고. 심지어 황자 전하께서는 더러운 수를 마지않으며 황녀 전하로부터 돌려받으셨죠."

조나단 부인은 대꾸 없이 음료로 목을 축였다. 딱딱하기는. 나는 그녀의 곁으로 바짝 다가가 작은 목소리로 속삭였다.

"제가 뭘 가지고 있게요? 궁금하지 않으세요?"

그제야 부인이 얇게 뜬 눈으로 나를 흘겨봤다.

"맹랑하군. 자네가 귀인이었다면 폐하께서 진작 거두셨겠지."

"그분께 은혜를 받기는 했죠."

"어린 애 같은 짓 말고 곱게 들어가시게."

"전 처음부터 지금까지 진담이었는걸요. 그렇지 않으면 제가 굳이 부인을 찾아올 이유가 없지 않을까요? 부인에게만 알려 드릴게요. 제가 뭘 가지고 있는지."

조나단 부인이 날 지나쳐 다시 총을 쥐었다.

탕!

연속 명중은 여섯 번으로 끝이었다. 푸드덕거리는 깃 소리와 함께 허공에 던져진 거위가 땅 위를 굴렀다. 그리고는 곧 멀쩡하게 일어나 걸음을 옮긴다. 담담했던 조나단 부인의 미간이 미세하게 좁혀졌다.

"정말 귀중한 거예요. 알면 깜짝 놀라실걸요? 장담할 수 있어요."

아즈마리와의 접촉이 금지된 상태에서 킨에 대해 물을 수 있는 사람은 기껏해야 조나단 부인이 전부였다.

"질기군."

그때, 조나단 부인이 거칠게 장갑을 벗어 던지며 입을 열었다.

"검은매 기사단의 부기사단장은 5년 전에 잉고르드 공작으로부터 기사 서임을 받았다. 그리고 그해 부기사단장으로 임명되었지. 젊은 나이에 대륙에서 제일가는 기사단의 부단장이 되고, 실력도 출중하다고 하니 모두가 관심을 보였어. 잉고르드 공작은 워낙 칼 같은 작자라 그런 면에서는 엄중했으니."

앞으로 며칠은 더 귀찮게 할 요량이었는데, 이렇게 시원하게 입을 열어 줄 줄은 몰랐다. 나는 숨을 죽이고 그녀의 말에 귀를 기울였다.

"그의 출신이 밝혀진 후, 사교계는 한창 시끄러웠다. 폐하께서는 아무런 말씀도 없으셨고 황실도 고요했던 터라 다들 의아하게 여겼지. 뒷방에서야 여러 번 말이 나왔다지만 시간이 흐르면서 자연히 관심이 끊겼어. 황실 연회가 열린다 하더라도 잉고르드 공작은 대개 다른 기사를 호위 기사로 대동했기에 불거질 말도 없었다. 이 정도면 만족하나?"

캐롤드 가문에 대해서는 일체 언급이 없었다. 당연한 일이었으나 옅게 아쉬움이 들었다.

"감사합니다, 조나단 부인."

조나단 부인은 검 끝에 찔리더라도 피 한 방울 나오지 않을 것 같은 얼굴로 팔짱을 꼈다.

"그래서. 아그레인 양이 가졌다는 그 귀한 비밀은 뭡니까?"

아, 내 비밀. 이럴 때는 가진 비밀이 많아 참 다행이라는 생각이 든다. 무얼 말해도 그럴싸하게 들리거든. 그녀의 귓가로 고개를 숙이고 작게 읊듯 말했다.

"부인만 아셔요. 저의 비밀은…."

긴장감을 고취시키기 위해 숨을 한 번 멈췄다.

"제가 리히튼 각하의 사람이란 점이예요."

꽤 쓸모 있는 정보였나 보다. 조나단 부인의 얼굴이 눈에 띄게 일그러지는 것을 보면.

"이 정도면 꽤 공정한 공유 아닌가요?"

"잉고르드 공작의 사람이 황자 전하를 모신다? 납득이 되지 않는군."

"제 말에는 거짓이 없어요. 그리고 이 사실을 아는 사람은 부인뿐이죠."

물론 비비안느를 제외하고.

"다시 한번 감사드려요, 부인. 킨 경이 황성을 방문하지 않는다는 건 안타까운 일이지만… 기다리다 보면 언젠가 기회가 오겠죠."

"쓸데없는 생각은 하지 않는 게 좋을 겁니다. 당신의 주군은 피도 눈물도 없는 남자이니까."

주군이라. 빌힐름을 가리키는 걸까, 아니면 리히튼을 가리키는 걸까.

"듣자하니 아그레인 양 앞에서는 다른 모습을 보인다고 하지만…."

뒷말을 봐선 리히튼이 아닌 빌힐름을 가리킨 듯했다.

"저도 알아요."

조나단 부인이 오묘한 시선으로 나를 훑었다.

다른 이들 앞에서는 어떤 태도를 보이기에 하나같이 빌힐름을 경계하는 건지 궁금해졌다. 나 역시 그녀를 따라 장갑을 벗어 던졌다.

"설마 절 걱정해 주시는 건가요? 진심으로 감동 받았어요, 부인. 부인께 여쭙길 정말 잘한 것 같아요."

발레리아가 나의 장갑을 받아 들었다. 그렇게 황성으로 돌아가기 위해 몸을 돌리려다가, 다시 조나단 부인을 쳐다봤다.

"아, 조나단 부인. 힐마르티노 각하나 비비안느 전하께 말씀드리지 않았으면 해요. 그렇게 되면 제 비밀을 부인께만 알려 드린 보람이 없잖아요."

하지만 그녀는 분명 오늘의 일을 비비안느에게 알릴 것이다. 내가 아는 조나단 부인은 그런 여자였으니까. 뭐, 내가 잉고르드에서 온 건 사실이니 꿀릴 건 없지.

"가자, 발레리아."

총과 장갑을 든 발레리아가 몸을 바짝 붙어 따라 왔다. 착각이 아니라면, 주변을 샅샅이 살피는 게 어쩐지 불안해 보이는 시선이었다.

"너 괜찮니?"

"예? 물론이죠. 아무런 문제없어요."

빌힐름의 방 앞에서도 그렇고, 문제가 없어 보이지 않는데.

'그래도 멍청하지는 않으니 때가 되면 입을 열겠지.'

며칠이 지나도 그대로면 먼저 사정을 캐묻는 것도 나쁘지 않을 것이다.

그날 새벽. 밤부터 서너 시간을 침대에서 뒤척이다가 결국 몸을 일으켰다. 잉고르드에서는 혼자 방을 써서 몰랐는데, 안 그래도 잠 못 드는 몸 상태에서 누군가와 함께 방을 쓰니 미칠 노릇이었다. 고요한 들숨과 날숨이 시계 초침 소리보다 날카롭게 재련되어 신경을 괴롭혔다. 바스락거리는 소음 또한 마찬가지였다. 그야 말로 죽을 맛이었다.

"발레리아."

잠 들 시간이면 꼬박꼬박 자신의 침실로 돌아가던 발레리아였다. 한데 근래 내가 잉고르드 독의 여파로 계속 앓은 탓인지는 몰라도, 발레리아는 한시도 내 곁에서 떨어지지 않으려했다. 지금도 굳이 내려가지 않고 침대에 엎어져 잠든 것을 봐선 간호를 하려던 생각 같았다. 느릿하게 일어난 발레리아가 나를 쳐다봤다.

"아, 네… 약이 필요하세요?"

"네 방으로 돌아가서 자. 새벽까지 여기에 있을 필요 없어."

"하지만 아직 몸이 불편하실 텐데요."

네가 옆에 있는 게 더 불편해. 참다 참다 일어난 것이니 말 다 했다. 나는 이어서 입을 열었다.

"너는 내 하나뿐인 사람이야. 네가 그런 식으로 몸을 함부로 쓰다가 병이라도 나면, 그게 내게 더 불편할 거야."

잠결 때문인지 아닌지, 발레리아는 다소 우울해진 낯으로 고개를 주억였다. 은하수의 빛만 내리쬐는 밤인데도 그녀의 표정 변화가 선명하게 느껴졌다.

"저…."

문 앞까지 다가간 발레리아가 걸음을 멈추고 살짝 몸을 틀었다. 그렇게 짧지 않은 침묵이 흘렀다.

"아니에요. 내일 말씀 드릴게요. 주무세요, 아가씨."

확실히 무언가가 있어. 붙잡아서 이유를 물으려다가 조용히 그녀를 내보냈다. 굳이 내일 말하려는 이유가 있지 않을까. 그래도 먼저 입을 연다니 다행이었다. 며칠을 더 기다릴 필요가 없을 테니.

공교롭게도 그날이 내가 발레리아를 본 마지막 날이었다.

정오가 지났다.

괘종시계가 울린 후 나는 종을 흔들었다. 오늘로 벌써 일곱 번째 종이었다. 이윽고 찾아온 하녀는 이름도 모르는 여자였다. 나는 그녀에게 명했다.

"고용인들 중에 발레리아라는 이름을 가진 하녀를 데려와."

또야. 금방 표정을 갈무리한 하녀가 허리를 숙이며 방을 나섰다. 얼마 지나지 않아 돌아온 하녀의 입에선 일곱 번째로 똑같은 말이 흘러나왔다.

"보이지 않는다고 합니다."

그때부터 무언가 단단히 잘못되었다고 생각했던 것 같다. 나는 하녀를 내보내고 주방으로 내려갔다. 누구에게 물어야 발레리아의 행방을 알 수 있을지는 그간 살아온 경험으로 쉬이 알 수 있었다. 주방에서 일을 지휘하고 있는, 누가 봐도 하녀장으로 보이는 중년의 여자에게로 다가가서 발레리아의 근황을 물었다.

"발레리아 몰타를 말씀하시는 거죠? 오늘 아침부터 보이지 않아 시종이 찾고 있습니다. 무슨 일이 생긴 건지는 아무도 모릅니다. 찾게 되면 말씀드리겠습니다."

'내가 원하는 답이 아니야.'

하지만 그 누구도 모르는 행방을 억지로 쥐어짜 알 수도 없는 노릇이지 않은가. 며칠간 유독 불안해 보였던 발레리아의 얼굴이 떠올랐다.

'아아, 제기랄.'

꼭 일이 벌어지고 후회하지. 하녀의 안내로 발레리아가 지냈던 방을 찾았다. 잉고르드에서의 내가 그러했듯, 발레리아의 방 역시 물건이라고 할 게 몇 없었다. 마침 방을 뒤지고 있던 어린 하녀가 내게 작은 쪽지를 건넸다.

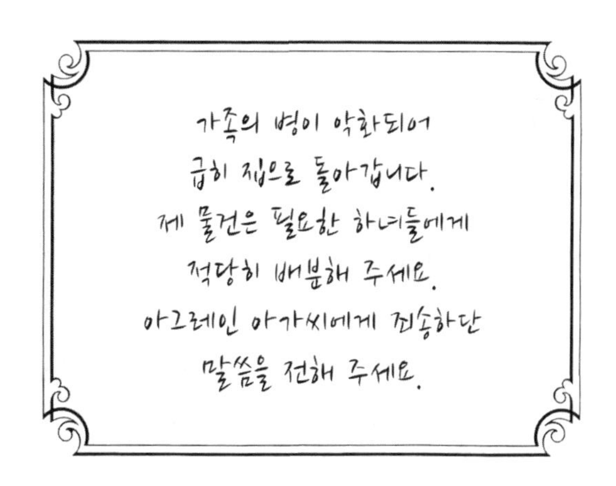
가족의 병이 악화되어
급히 집으로 돌아갑니다.
제 물건은 필요한 하녀들에게
적당히 배분해 주세요.
아그레인 아가씨에게 죄송하단
말씀을 전해 주세요.

이렇게 갑작스럽게?

"이 방에서 발견한 거니?"

"예, 예."

"발레리아의 필체가 맞아?"

하녀가 도르륵 눈알을 굴리며 대답했다.

"저, 저희 중엔 글을 아는 사람이 많지 않습니다."

하녀장을 찾아가 물었으나 모르겠다는 대답만 들려왔다. 그래, 일개 하녀가 글을 적을 일이 얼마나 있겠어. 하지만 발레리아에게는 가족이 없다. 그리고 작금의 그녀라면, 자고 있는 나를 깨워서라도 사정을 말한 후 사라졌을 터였다.

'빌힐름.'

아니야, 섣부르게 판단하지 말자. 벨버른 백작이 죽은 지 이제 겨우 일주일 정도가 흘렀다. 더군다나 이틀 전의 만남에서도 분위기가 썩 괜찮았지 않았던가. 발레리아의 흔적을 추가로 발견한 건 멍하니 내 방 안을 둘러보던 때였다. 그날 이후로도 계속 익명의 엽서가 왔었는지, 벽난로 위쪽에 까만 서신들이 쌓여 있던 것이다.

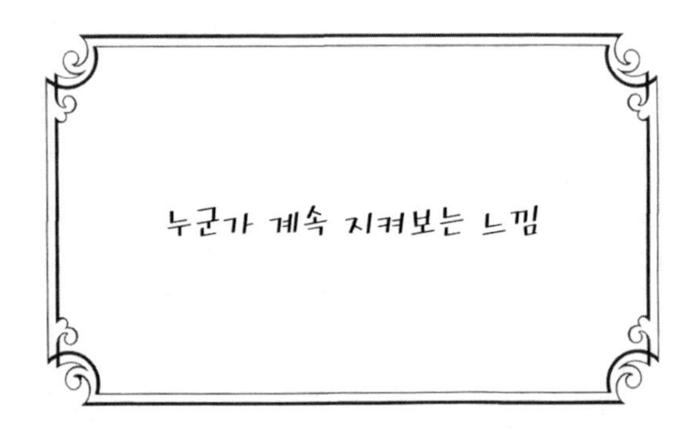

엽서의 뒷면, 이제는 익숙한 문장 아래로 발레리아의 것으로 추정되는 글씨가 쓰여 있었다.

'쪽지에 쓰여 있던 것과 필체가 달라.'

발레리아의 글은 다른 엽서에서도 발견됐다.

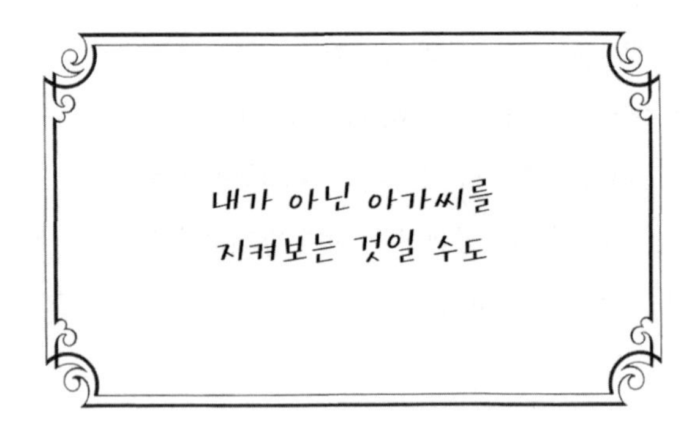

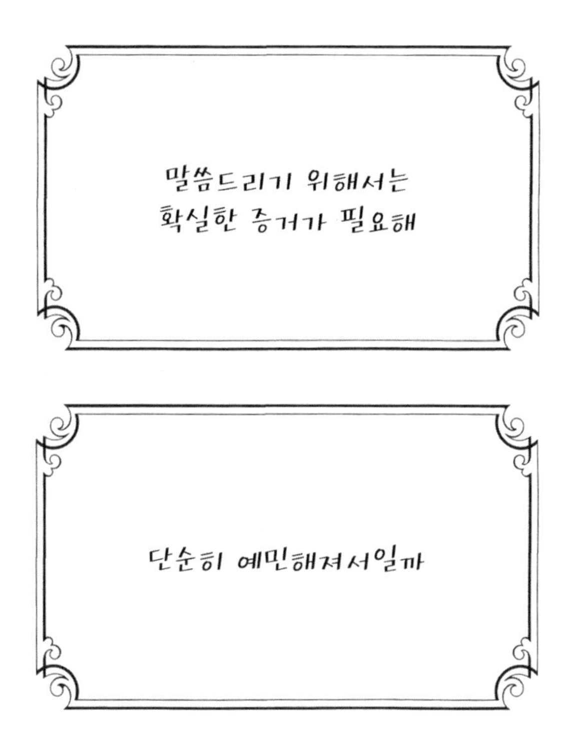

고작 몇 장의 흔적이었으나, 이보다 더 명확한 증거는 없었다. 누군가 발레리아를 데려갔다. 그것도 우발적인 결정이 아닌, 철저한 사전 탐색 후에.

"누구지?"

빌힐름. 비비안느. 그리고 황제의 침실에서 내 이름을 듣자마자 반응한 귀족들까지. 하나하나 따지려니 그 수가 적지 않다.

'아, 빌어먹을. 머리 아파.'

지금 당장 할 수 있는 걸 찾자. 발레리아가 끌려갔을 만한 곳이 어디지? 인적이 드물거나, 사람들이 꺼림칙하게 여기는 장소….

'안 좋은 소문이 무성한 곳이에요. 불길한 땅이라 황실에서도 관리하지 않는데, 조금만 깊게 들어가도 발에 차이는 게 시체라고 했습니다.'

동쪽 숲. 깊게 고민할 정신도 없었다. 나는 급히 동쪽 숲으로 달려 나갔다. 장마가 끝나고 차가워진 초겨울 바람이 숲을 에워쌌다.

"발레리아!"

찬바람이 나무 사이사이로 흐르면서 섬뜩한 소리를 만들었다. 언뜻 사람의 비명처럼 들릴 소리였다.

"발레리아!"

그렇게 몇 십 분을 헤맸을까? 이대로는 절대 찾지 못할 거란 무언의 깨달음이 있었다. 내 발은 절로 숲 입구를 향하고 있었고, 멍하니 땅 아래를 살피던 때였다.

"아."

마르지 않은 빗물에 축축해진 낙엽 사이로, 썩어 가는 고깃덩이가 보였다. 단번에 알아봤다. 그때, 힐마르티노에게 잘린 시종의 손가락이었다.

힐마르티노.

'하녀들 중 그분을 두려워하지 않았던 이가 없었습니다.'

왜 그녀를 잊고 있었지? 그 미친년이라면 발레리아를 데려가 해코지한다 해도 이상하지 않았다. 아니, 오히려 그런 행위가 너무나 힐마르티노다러웠다. 나는 그녀가 범인임을 반쯤 확신하고 힐마르티노를 찾아갔다.

시종에게 알리는 시간도 아까워 곧장 문을 열고 들어섰다. 힐마르티노는 승마를 준비하는 중이었는지 하녀의 도움을 받으며 환복하고 있었다. 나는 하녀를 밀어내고 힐마르티노의 앞에 섰다.

"발레리아를 돌려줘."

그녀에게선 잠시간 반응이 없었다. 혹시나 하는 마음에 커다란 방 내부를 둘러봐도 사람으로 보이는 건 하녀를 포함한 우리 셋이 전부였다. 곧 힐마르티노가 몸을 젖히며 호탕한 웃음을 터트렸다.

"뭐어? 아하하! 대뜸 찾아와선 무슨 헛소리람? 뭐라 했니? 발레리아? 네 그 예쁘장한 하녀를 말하는 건가?"

그리고는 불쾌함을 나타내기는커녕, 두 눈을 커다랗게 뜨고 내 방문을 기꺼워했다.

"너의 더러운 성미를 못 이겨서 도망가기라도 했나 보지? 한데 도망간 아이를 왜 내게서 찾을까나…."

힐마르티노의 반응은 연기가 아니었다. 그래, 그녀가 진짜 범인이었다면 오히려 날 골리려 했겠지. 기이한 상실감이 찾아왔다. 그건 당사자인 나조차 이해되지 않는 상실감이었다. 발레리아, 그 애가 뭐라고….

한참 미친 듯이 웃던 힐마르티노가 조용해졌다. 이제야 갑작스레 쳐들어온 내게 화가 나기라도 한 걸까? 하지만 막상 마주한 그녀의 얼굴은 미묘하게 어긋나 있었다. 화도, 슬픔도, 기쁨도 느껴지지 않는 말 그대로 미묘한 표정이었다.

"그 하녀, 혹시 집으로 돌아갔니?"

"발레리아에게는 가족이 없어."

"흐흥."

그렇단 말이지. 그래, 그럴 때가 되었지. 답지 않게 혼잣말을 지껄이던 힐마르티노가 돌연 고개를 홱 들어 올렸다.

"너 말이야… 내 언니와 재미있는 놀이를 했던데. 어때? 이 언니와도 하지 않으련? 서로 한 가지씩 교환하는 거지. 아! 물론 나는 알려 주고 싶은 걸 알려 주고, 너는 내가 하는 질문에만 대답해야 해."

어이가 없어 되물었다.

"내가 왜?"

힐마르티노는 인심 쓴다는 듯, 부츠를 마저 신으며 어깨를 으쓱였다.

"나쁜 조건 아니잖아? 네 어깨에 대한 내 사죄라고 여기도록 해."

양심이라는 게 쥐똥만큼이라도 남아 있긴 하군. 아니면 이마저도 날 이용해 먹으려는 속셈일까. 고개를 끄덕이기도 전에 힐마르티노가 곧장 자신의 질문을 던졌다.

"비비와 무슨 관계니?"

이런 걸 순정이라고 말하던가. 비비안느와 내가 어떤 관계냐고? 그건 그녀의 의문만이 아닌 나의 의문이기도 했다. 비비안느는 왜 아직도 날 못 잊은 것처럼 행동할까? 내가 뭐라고? 이대로 순순히 알리기에는 이용해 먹을 구석이 남아 있을 것 같았다.

'적당하게, 거짓말을 섞지 않고 오히려 더 의문을 불러일으킬 수 있도록…'

하녀로부터 종이와 만년필을 받아 짧고 굵게 작성했다.

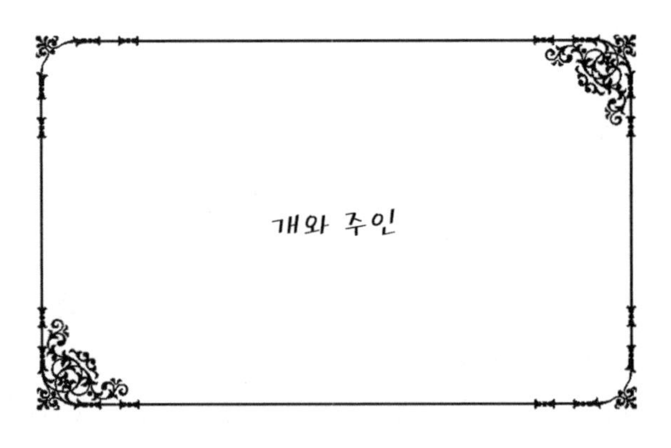

그리고 훔쳐볼 수 없도록 서너 번 접어 힐마르티노에게 건넸다.

"내가 나가고 난 후에 확인해 봐. 하녀까지 잃은 마당에 남은 한 쪽 팔도 문제가 생기면 안 되거든."

헛웃음도 잠깐, 힐마르티노는 바로 종이를 받아 하녀에게 건넸다.

"우스운 짓거릴 하는구나. 얘, 대답이 제대로 적혔는지 확인해 보렴."

종이를 확인한 하녀의 표정이 딱딱해졌다. 그녀는 내 얼굴을 슬쩍 확인하고 조용한 목소리로 말했다.

"예. 적히기는… 적혔습니다."

"으응? 반응이 왜 이렇게 떨떠름해? 관련 없는 답이라도 적은 거야?"

"아, 아니요. 그렇다기보다는…."

쓸데없는 소리가 길어지기 전에 하녀의 말을 끊었다.

"사실만 적었어. 됐으니 어서 그쪽도 말해, 여기에 한시라도 더 있다간 머리가 깨질 것 같으니까…."

안 그래도 하루 종일 편두통에 시달리는데, 지금처럼 피곤한 인물을 상대해야 할 때는 그 강도가 더했다. 쪽지를 다시 건네받은 힐마르티노가 하녀에게 턱짓했다. 하녀가 방을 비운 후, 힐마르티노는 한동안 말없이 내 얼굴만 응시했다.

"뭘 봐?"

짜증스레 묻자 힐마르티노가 만족스러운 얼굴로 턱을 쓸었다.

"네 얼굴이 확실히 내 취향이기는 한 것 같아서. 흐음, 내가 그렇게 얼굴에 약했나? 이상하단 말이지. 나는 내가 꽤 이성적인 사람이라고 여겼는데."

시시때때로 개소리를 하느라 바쁘네. 힐마르티노는 겨울용 가죽 장갑까지 꼼꼼하게 착용하며 창가에 몸을 기댔다.

"어디서부터 이야기해야 할까…. 탄신일? 그래, 탄신일 10일 전. 탄신일의 10일 전이라… 아무리 생각해도 큰 의미 없는 숫자지. 한데 그날에 왜 황성에서 사냥 대회가 열리는 줄 아니?"

이미 지나간 사냥 대회는 왜 언급하는 거지. 영문을 알 수 없어 가만히 듣고만 있자, 힐마르티노가 대단한 비밀이라도 밝히듯 엄중한 얼굴로 자답했다.

"다 사냥에 미친 다나한 2세를 위해서야."

사냥에 미친 귀족이 어디 한둘이랴. 기대한 것과 달리 김이 확 새는 대답이었다.

"황제의 사생활 따윈 조금도 궁금하지 않아."

힐마르티노는 잠시 말이 없었다. 이번 역시 그녀의 표정은 모호했다. 할 말과 못할 말을 고르듯 신중하면서도, 어딘지 모르게 자조적인 느낌이 느껴졌다.

"그렌페르크 제국의 주인인 레그윈 황실은 대대로 광기를 물려받지. 따뜻한 피를 봐야 심신의 안정을 찾는다는, 매우 야수적인 광기가 말이야. 흐흥. 짐승도 아니고… 사람에게 광기가 무엇이야? 미쳤다는 소릴 참으로 고상하게 표현하지 않니?"

"…광기라고?"

리히튼이 가지고 있는 그것? 날 향한 시선을 거두고 가만히 눈을 감은 힐마르티노가 자신의 뺨과 귀를 매만졌다.

"내가 봤을 때 그들에게 필요한 건 따뜻한 피가 아닌 비명이야. 사냥감의 고통 속에서 쾌감과 황홀함을 찾는 거지. 죽기 직전의 짐승이 내는 최후의 발악처럼!"

목구멍으로 올라오는 무언가를 참아 내듯, 힐마르티노가 자신의 입술을 강하게 깨물었다. 나는 저 표정을 아주 잘 이해할 수 있을 것 같았다. 내가 빌힐름을 떠올릴 때 저런 얼굴을 하고 있지 않을까?

"물론. 고작 동쪽 숲을 뛰어다니는 동물을 사냥하는 것에 그치지만."

달그락거리는 소리가 났다. 힐마르티노가 빈 찻잔에 각설탕을 하나둘 집어넣기 시작했다. 도합 일곱 개. 일곱 개의 각설탕이 든 찻잔 안으로 붉은 홍차가 떨어졌다.

"가엾은 비비… 그 끔찍한 가문에서 얼마나 고통스러웠을지! 생각만으로도 뜨거운 눈물이 앞을 가리네."

말과 함께 힐마르티노가 손끝으로 눈물을 훔쳤다. 척이 아니라 속눈썹 아래가 촉촉하게 젖어 있었다. 저 여자가 보이는 감정의 기복은 도무지 공감하기가 힘들다. 각설탕 일곱 개가 든 홍차보다도.

'사냥.'

사냥이란 귀족에게 놀이에 불과하지.

'피를 보면 흥분한다고?'

그건 황제뿐만이 아니다. 사람은 누구나 피를 보면 흥분한다. 따라서 고작 사냥에 미친 행위를 광증이라 표현한다는 건, 제국 사교계의 풍토와 어울리지 않는 일이었다.

"이 정도면 답이 됐니? 됐다면 한시라도 바삐 썩 꺼지렴. 이 언니는 어여쁜 아그레인이 적어 둔 답을 어서 확인해 보고 싶거든."

그렇다면 힐마르티노는 왜 황제의 사냥을 광증이라 묘사했는가. 그녀의 축객령에 망설임 없이 방을 나왔다. 내가 느낀 감정은 만족감이 아닌, 이유를 알 수 없는 기이한 흥분이었다. 명치 아래가 뜨거워지고 머릿속은 차가워지는, 그런 흥분.

'사냥.'

사냥이란 귀족에게 놀이에 불과하다.

'아니, 정말 놀이에 불과할까?'

레그윈 황실에 대대로 내려오는 광기. 사냥에 미친 다나한 2세. 발레리아의 행방불명. 모든 사항을 고려했을 때, 힐마르티노가 시사하는 바는 명확했다.

황제가 사냥하는 건 인간이다. 그리고 발레리아는 아마….

그날 밤에는 오랜만에 완전한 무력감을 느꼈다. 이런 기분을 언제 느꼈더라. 트리비아체가 멸문했을 때? 독을 처음 섭취했을 때? 결국 잉고르드에서 도망치지 못했을 때? 이런 패배감을 계속 느끼고 싶지 않았다. 오지 않는 잠에 들기 위해 억지로 술 잔을 비웠고, 세상이 빙그르르 돌기 시작할 때쯤 겨우 정신을 잃을 수 있었다.

그날 밤 꿈속에서, 나는 눈물에 젖은 비비안느를 만났다.

[아, 아그레인!]

비틀비틀 달려온 비비안느는 생명줄을 붙잡듯 날 애절하게 끌어안았다. 오래 울었는지 뺨에 닿아 오는 살결이 뜨거웠다.

[폐, 폐하께서 결국 그 애를 데려가셨나 봐! 베니, 내 하녀 말이야… 아무리 찾아도 없어. 고작 서신 한 장만 남겨두고선 집으로 돌아갔대! 내, 내게 그럴 애가 아닌데!]

겨우 하녀가 한 명 사라졌을 뿐이다. 한데 그게 그토록 서글픈 일인가? 나는 비비안느의 슬픔을 이해할 수 없었다. 하지만 그녀를 위해서 축 처진 어깨를 부드럽게 토닥였다.

[흑, 내가 울면 밤새 위로해 준 아이란 말이야….]

[비비. 내가 말했지?]

비비안느가 내 어깨에 얼굴을 비볐다. 점차 축축해지는 느낌이 달갑지 않았다.

[황성에서 약점을 만들어 놓는 건 멍청한 짓이야. 이것 봐, 결국 눈물까지 흘려 가며 아파하는 건 너잖아.]

[하, 하지만….]

[특히나 너처럼 약해 빠진 아이에게는 나처럼 깨지지 않는 장식품 외엔 아무런 가치도 없어.]

사실을 고하자면, 나는 그녀의 하녀가 사라질 것을 알고 있었다. 베니라는 이름의 어린 하녀는 고향으로 돌아간 것이 아니었다. 그 아이는 뒷머리를 잡힌 채 수백 미터를 질질 끌려갔다. 도축장에 팔려 가는 돼지처럼. 황제의 비밀스럽고 역겨운 취향을 위해서.

[응, 아그레인. 나도 알아….]

하지만 나는 비비안느에게 알리지 않았다. 어차피 너에게는 나밖에 없잖아. 앞으로도 나밖에 없어야 해. 계속해서 나만 필요로 해야 해. 내가 너를 손 안에 넣고 굴릴 수 있도록.

[그러니 어떤 것에도 애정을 주지 마. 오직 너와 나를 위해 움직이고 너와 나만을 생각해.]

훌쩍이던 비비안느가 느릿하게 고개를 끄덕였다. 나는 그녀의 금실 같은 머리칼을 쓸어내리며 안도감을 선사했다.

[너의 그 '힘' 역시, 오직 나만 알고 있어야 하는 거야. 알겠지?]

[으응.]

나를 껴안은 두 팔의 힘이 더욱 강해졌다. 응. 알았어. 반복되는 그녀의 긍정은 내가 아닌 스스로에게 다짐하는 것처럼 들렸다.

[꼭 그럴게. 걱정하지 마, 아그레인.]

나는 너를 걱정 안 해. 나는 나만 걱정해. 목 끝까지 올라온 말을 나를 위해 삼켰다.

다음날 오전에 일어나면서 지긋지긋했던 두통이 적게나마 가시는 걸 느꼈다. 이럴 수 없는데. 신경 쓰이는 사건이 일어났을 땐 본래 몸 상태가 더 최악으로 치닫기 마련이다. 사실 그리 중요한 일도 아니었으나, 이상하게도 온종일 그 이유에 대해 고민했다. 해답은 그날 해가 지는 저녁, 빌힐름을 찾아가는 길에 찾을 수 있었다.

'죄책감이나 동정심 같은 건 느끼지 않아도 돼. 나에게는 나만 중요하니까.'

그것이, 과거의 내가 알려 준 명쾌한 해답이었다. 과거의 나는 타인의 슬픔에 일말의 동정과 죄책감도 느끼지 않았다. 그것이 내가 이 자리에 있을 수 있는 이유라면, 나 역시 불필요한 감정 소모는 여기서 그치는 게 옳을 터였다. 그래, 내가 가져야 할 건 발레리아를 잃은 슬픔이 아니었다. 내 것을 해친 자들에 대한 복수심이라면 몰라도.

"전하께서 오늘은 자리를 비우셨습니다. 예기치 못한 일로 시간을 내지 못하신 터라, 아그레인 님의 이해를 구하셨습니다."

빌힐름의 전언과 함께 시종이 내게 작은 상자를 건넸다. 이런 걸 받고 화를 풀라는 뜻인가? 선물까지 갖다 바친 것을 봐선 그의 전언이 변명은 아닌 듯했다.

"전하께선 어디로 가셨니?"

시종이 눈길을 내렸다. 말하지 못한다는 의미인가. 방에 돌아왔을 때, 흐릿했던 하늘에서 결국 우박이 쏟아졌다. 추운 날씨에 얼어 버린 눈비가 창을 쳤다. 안개 낀 풍경 너머, 빛 한 줌 비추지 않는 별채가 들어왔다. 서쪽 숲에 유일하게 자리 잡은 건물. 상시 말끔하게 관리되지만, 아무도 거주하지 않는 건물.

"비비는… 항상 별채에서 나를 만나곤 했지."

어렴풋이 기억난다. 수년 전 과거에, 우리는 늘 별채에서 티타임을 가졌다. 그 시절의 나는 황성에 단 한 발도 들인 적이 없었다. 마치 밀회라도 하듯이. 우산을 쥐고 별채로 향했다. 꼭 그래야겠다는 생각이 들었다. 우박의 크기가 주먹만 했더라도 어떻게 해서든 들어오고 싶었다. 그리고 『태양이 흐르는 강』 앞에 선 순간, 몹시 강렬한 기시감을 느꼈다. 아, 그래. 과거에도 분명 지금과 비슷한 순간이 있었다.

"기억났어, 빌힐름."

발소리는 없었다. 그러나 지척에서 들려오는 숨소리에는 그의 이름이 각인된 듯, 붉은 존재감이 선연했다.

"그때 비비의 하녀를 데려간 것도 다름 아닌 너였지."

목울대만 겨우 울릴 정도의 미세한 웃음소리가 났다.

"모르는 척 비비를 위로하기가 얼마나 마음 아프던지."

"마음 아팠어?"

왼쪽 귀의 귀걸이가 무언가에 부딪혀 작게 흔들렸다.

"비비가 아무리 여려도 그렇게 목 놓아 우는 일은 적거든."

"그런 시절도 있었지."

"그 애가 우는 일의 대부분은 너와 관련 있는 일이었어."

"어쩐지 그리운 마음이 드네. 더 괴롭혀 줄 것을."

뜨거운 손끝이 내 목덜미를 부드럽게 쥐었다. 피부로 전달되는 박동을 확인하듯, 여러 번 턱 아래를 쓸다가 떨어졌다. 짙은 아쉬움을 한가득 풍기고서.

"그간 고민이 많았어. 왜 하필 발레리아였을까? 많고 많은 하녀들 중, 왜 하필 그 애였을까."

"어린 하녀의 행방불명이 안타까운 모양이구나, 아그레인."

"왜 자꾸 나를 자극시키려고 하는 걸까."

고개를 틀었다. 오롯이 나의 그림자만 기다랗게 놓여 있던 자리였다. 하지만 지금은 그 위에 선 빌힐름이 보였다. 짙은 금발이 명암 속에서 분위기를 달리 했다. 그의 머리칼, 표정, 자세 하나하나가 전부 밀랍으로 만들어진 인형처럼 느껴졌다. 나지막하게 내려앉은 시선이 마치 꿈을 꾸는 듯한 환상에 젖게 한다. 이전과 달리 마냥 상냥하지만은 않은 눈빛에는 차가운 열기가 엿보였다.

내 눈앞에 그가 있다. 다른 누구도 아닌, 아그레인의 목줄을 쥐고 있던 빌힐름이.

"내가 그렇게 그리웠던 거야? 빌힐름."

번개가 쳤다. 실내의 어둠이 깔려 있던 그의 낯에 하얀 빛이 쏟아졌다. 눈 한 번 깜빡하지 않은 탓일까. 더더욱 사람처럼 느껴지지 않았다. 빌힐름은 지금 어떤 생각을 하고 있을까?

"나는 아무런 생각도 하지 않아."

내 머릿속을 읽기라도 한 듯, 태연한 얼굴의 빌힐름이 말했다. 그럼 내 얼굴을 바라보느라 넋을 잃기라도 한 걸까.

"지금 이 순간을 평생 머리에 새기고 싶어서."

나는 헛웃음을 뱉었다. 파문 하나 일지 않는 그의 얼굴을 마주하면서, 설마 했던 진실을 깨달아야 했다. 다 알고 있었구나. 다 알고 나를 기만하며, 나를 기다리고 있던 거였어.

"내가 그토록 그리워했던 눈이 맞아, 아그레인… 그렇지?"

빌힐름은 내게 손끝 하나 대지 않았다. 그럼에도 나는 두 발이 묶여 옴짝달싹도 할 수 없었다. 그의 옅은 눈웃음에 혈관이 얼어붙는 듯한 착각이 일었다. 체내 모든 혈액에 서리가 낀 것처럼 소름이 일었다.

'아아….'

빌힐름이 황제의 총애를 받을 수 있었던 이유 중 하나는, 그가 황제의 이면을 쏙 빼닮았기 때문이다. 그 이면은….

"내가 너의 그 눈을 얼마나 그리워했는지 모를 거야, 아그레인. 날 씹어 먹고 싶어 하는 그 눈."

빌힐름의 목소리는 시를 낭송하는 듯했다. 그에 나는 억지로 입을 떼어 냈다. 아무렇지 않은 척 입꼬리를 올리며 고개를 저었다.

"착각이야. 나는 그런 생각을 조금도 하고 있지 않아."

"그런 대답도."

"나는…."

"거짓말에 능숙한 네가 내 앞에서만은 늘 티를 내곤 하지."

어두운 동굴의 바닥을 기는 목소리였다.

"온 세상에서 오직 내 앞에서만. 리히튼도, 비비안느도 아닌 오직 나의 앞에서. 아그레인… 너로부터 내가 느끼는 그 환희를, 너 역시 알 수 있다면 좋을 텐데.”

입 안이 바짝 메말랐다.

“나를 볼 때의 네 표정이 어떤지도.”

빌힐름과 나는 대화를 할 뿐이었다. 그런데도 이상하게 사막 한가운데 버려진 양 목이 타들어 갔다.

“봤으니 만족했겠네. 그렇지?”

“채우고 채워도 채워지지 않는 갈증이란 게 있지.”

“채워지지 않을 걸 알면서도 발레리아를 데려간 거구나.”

빌힐름이 처음으로 눈가를 일그러뜨렸다. 조금만 더 거리가 멀었다면 알아채지 못했을, 미세한 반응이었다.

“황성 안에 있는 건 모두 폐하의 것이니, 그 무엇이든 바치라면 바치는 수밖에.”

“날 바치라고 하면 바칠 거야?”

하하. 빌힐름이 고개를 떨구며 웃었다.

“내가 너를? …그럴 리가, 아그레인.”

기억 속 흐릿한 그의 모습과 눈앞의 빌힐름이 서서히 겹쳐진다. 과거에 그러했듯 금방이라도 내게 다가와, 손을 잡고 뺨을 쓸어내릴 것 같았다. 하지만 빌힐름은 꼼짝도 안 했다.

“너는 이 지루한 인형극에서 유일무이한 내 작품이야.”

붉은 눈동자에 선연한 만족감이 떠올랐다.

“내가 정말, 심혈을 기울여 만들어낸… 살아 숨 쉬는 작품.”

미친 새끼.

“발레리아를 내놔.”

무언가 생각하듯, 빌힐름이 눈을 내리깔고 자신의 목덜미를 쓸었다. 그리고 한참 만에 입을 떼었다.

"팔 한쪽이라도 괜찮다면."

진짜 미친 새끼.

"아니면 다리가 좋아?"

그래, 너는 그 누구보다 황제의 총애를 받는 새끼였지. 분명한 이유는 망각 속에 묻혀 떠오르지 않았으나 확신할 수 있었다. 네가 황제의 총애를 받는 이유는, 황제의 이면을 그대로 빼다 박았기 때문이야.

"나는 너를…."

몹시 끔찍한 성정을 지닌 너는 열에 다다랐던 개들 중에 오직 나만을 살려두었고.

"너를…."

내가 고통 받기를 그 누구보다 고대했으며, 그런 너를 나는….

"기다릴게."

코앞으로 숨이 떨어졌다. 나는 눈꺼풀만 겨우 들어 올려 그의 얼굴을 응시했다. 빌힐름은 무척이나 행복해 보였다.

"너라면 평생도 기다릴 수 있어, 사랑스러운 나의 아그레인."

검지가 입술을 스치고 지나갔다. 그의 발걸음이 멀어진다. 나는 여전히 한 발자국도 움직이지 못했다. 그렇게 얼마나 긴 시간이 흘렀던가. 피가 식어 가는 이 끔찍한 기분을 도무지 버틸 수 없었다. 나는 『태양이 흐르는 강』과 마주 보고 걸려 있는 장식검의 날을 붙잡아 창문으로 내던졌다. 손바닥이 찢어질 듯 아팠다. 기다란 두 개의 상처에서 피가 흘러 내렸다.

"읏."

순간, 머리가 둘로 쪼개져도 이상하지 않을 극심한 어지럼증이 나를 덮쳤다.

'어?'

눈앞에 흐릿한 환상이 나타났다가, 금세 자취를 감추었다. 그러나 눈앞이 빙그르르 도는 탓에 제대로 확인할 겨를이 없었다. 어쩐지 익숙한 느낌. 낙마했을 때도 이와 비슷한 경험을 한 적이 있었다.

'단순히 충격을 받아서인가?'

고통이 몰아친 후에야 숨통이 트였다. 뒤늦게 현실로 돌아온 나는 별관을 나와 방에 틀어박혔다. 의원은 상처에 바를 연고와 함께 붕대를 자주 갈기를 당부했다. 나는 그러겠다고 대답했다.

그날 밤. 잉고르드의 마차가 황성에 도착했다. 리히튼 잉고르드 공작의 동행에는 아즈마리아 윌이 포함되어 있었다.

황성에 전에 없던 선연한 긴장감이 돌았다. 시중을 드는 종들이 그토록 바짝 얼어 있는 모습은 처음이었다. 사람 한 명으로 분위기가 이렇게 달라질 수 있나 싶을 수준이었다. 기분이 묘했다. 리히튼과 내가 지금 한 공간에 있다는 사실이. 그것도 다시 돌아온 황성에서. 침대에서 일어난 후부터 그에 대한 생각이 머릿속을 떠나지 않았다.

"공작 각하를 뵈러 가지 않는 겁니까?"

그래… 정말이지, 리히튼의 방문은 황성의 많은 부분을 바꿔 놓았다. 오죽하면 딱딱하던 조나단 부인이 나와 함께 점심 식사를 들 정도였으니까.

"벌써 세 번이나 똑같은 걸 물으셨어요. 이러다 식사가 끝나기도 전에 체하겠어요."

"나는 죽을 땐 죽더라도 손해 보는 건 못 참는 성격입니다. 아그레인 양이 내게 밝힌 그 비밀이란 것의 진위를 확인해야 할 것 같아서."

"아아. 제가 부인께 그 정도 신뢰밖에 못 드렸다는 사실이 안타깝네요."

"안타까울 게 뭐가 있죠? 딱 그 정도가 우리의 관계인 것을."

어제부터 입맛이 없던 터라 식기를 이르게 내려놓았다. 다친 손 때문에 나이프를 사용하기가 영 불편하니, 억지로라도 배를 채우고 싶은 마음이 멀리 달아났다. 조나단 부인은 내가 힐마르티노에게 건넸던 쪽지의 내용을 알고 있을까?

"후작은 몹시 즉흥적인 성격이지만, 나는 아니에요."

묵묵히 그녀의 말에 귀를 기울였다. 알고 있나 보군. 닮은 점 하나 없어도 자매는 자매이다 싶었다.

"내게 황성의 물을 흐리는 자는 눈엣가시나 마찬가지예요. 후작처럼 오냐오냐해 줄 마음이 추호도 없단 소립니다."

"그래서 저를 내쫓기라도 하시게요?"

조나단 부인은 코웃음도 치지 않고 우아한 자세로 고기를 썰었다.

"빌힐름 전하의 손님을 그리 할 순 없지. 내쫓아 달라고 빌게 만든다면 모를까."

"그거 굉장히 겁나네요."

"나는 그대와 기 싸움할 생각도, 좋은 관계가 될 생각도, 그렇다고 적대시할 생각도 없습니다."

"힐마르티노 각하께서 제게 하는 행동을 유심히 살펴보세요. 그런 마음은 금방 사라지실 거예요."

그래서 어쩌라는 표정이었다. 진심으로 한 말이 아니었으나, 조나단 부인에게는 힐마르티노에 대해 무슨 소릴 하든 조금도 통하지 않는 모양이었다. 그녀는 잠시 말이 없었다. 무언가 가늠하듯, 나이프로 토마토를 툭툭 치다가 뒤늦게 입을 열었다.

"당신의 하녀가 정말 고향으로 돌아갔다고 생각하는 건 아니겠지요."

어라.

"표정을 봐선 뒷이야기가 있다는 걸 아는 모양이군."

설마, 저 여자 입에서 발레리아의 이야기가 나올 줄이야.

내색하지 않았으나 당황할 수밖에 없었다. 빌힐름도, 비비안느도, 힐마르티노도 아닌 조나단 부인이 먼저 언급한다고?

"부인. 저에게 바라는 것이라도 있으세요?"

조나단 부인은 말을 아꼈다. 이제야 그녀가 날 찾아온 이유를 알 것 같았다. 목적이 있어서였어. 나는 아무렇지 않은 척 재차 입을 열었다.

"있다면 편하게 말씀하세요. 부인께서 왜 저 같은 사람의 눈치를 보시는지 모르겠네요."

날이 선 눈빛이 내 의중을 살피는 게 느껴졌다. 힐마르티노와 같은 미친 년의 안광은 아니었으나, 충분히 사람의 시선을 사로잡는 눈이었다.

"우리는 비비안느 전하께서 이 황성을 바꿔 주실 수 있다고 믿고 있습니다."

"마땅히 그러실 분이시죠."

"잉고르드 공작이 함께하는 이상 빌힐름 전하의 시대를 맞이할 일은 절대 없을 겁니다."

"자신만만하시네요."

"그러니 아그레인, 내가 당신을 도울 여력은 충분합니다."

식사를 끝마치길 잘했다. 음식을 씹거나 삼키고 있었다면, 장담컨대 목에 사레가 걸렸을 것이다.

입술을 비집고 나오려는 웃음을 참고서 물었다.

"도와요? 무엇으로부터요?"

날 돕는다고? 아하하… 하고 크게 웃지 못한다는 게 빌어먹게 아쉬웠다.

"빌힐름 전하는 제게 잘해 주세요. 놀라울 정도로요. 어쩌면 그분의 총애를 받는다는… 누구였죠? 마가렛 헨서웨이? 그 아가씨보다 내가 더 많은 것을 누리고 있을지도 몰라요."

"나를 머저리로 아는군요. 아그레인 양이 빌힐름 황자에게 복종하지 않는다는 것쯤, 조금만 상황을 파악하면 손쉽게 알 수 있습니다. 점차 황폐해져가는 당신의 주위를 살핀다면 말이죠. 설마 그대의 하녀가 사라진 게 단순히 재수 없어서라고 생각하지는 않겠지."

황폐라. 아니라는 말은 하고 싶지 않았다. 황성이 어떤지에 대해서는 나보다 그녀가 더 잘 알고 있을 테니까.

"부인께선 확신하시나 봐요."

"확신할 수밖에. 황자를 키운 사람이 다름 아닌 이 몸이니까."

퍽 놀라운 이야기였다. 그러나 조금만 생각해 보면 당연한 일이기도 했다. 그녀는 죽은 황후의 자매였으니, 빌힐름의 유모가 되기에 마땅한 자격을 지니고 있었다. 그녀에게 빌힐름은 애지중지 키운, 자식 같은 황자라 이건가. 그런 자에게서 등 돌리기가 쉽지는 않았을 텐데. 한데 그녀는 과거의 내가 황성에 갇혀 살았었단 사실을 왜 모르는 걸까? 아즈마리아와 황제의 최측근들조차 사실을, 무려 황자의 유모씩이나 되는 여자가 모른다는 게 이상했다. 부인이 말을 이었다.

"의도치 않게 말이 길어지는데… 아그레인 양이 정말 리히튼 각하의 사람이라면, 나 역시 그대를 도울 용의가 충분하다는 겁니다."

더 설명할 필요 없는 완벽한 선의였다. 적어도 지금 당장 내게는 그렇게 느껴졌다.

'아아, 레이나.'

네가 이 자리에 없어서 참 아쉽다. 참 재미있지 않니? 여기 너와 같은 소리를 하는 사람이 있어. 공교롭게도 그녀의 입에서 나온 구원자는 빌힐름이 아니라 리히튼이지만. 조나단 부인에게 내가 리히튼의 사람인지 아닌지는 그리 중요하지 않은 듯했다. 그보다는 빌힐름에 복종하지 않으려 한다는 사실에 주목하는 것 같았다.

"개와 주인에 대해서는 안 물어보세요?"

힐마르티노에게서 분명히 전해 들었을 텐데.

"물어봤자 입을 꽉 닫을 테니까. 생산성 없는 대화로 시간 낭비하고 싶지 않습니다."

식기를 내려놓은 조나단 부인이 남은 물을 삼켰다.

"아그레인 양이 나의 제안을 진지하게 생각해 주었으면 하는군요."

"사실과 별개로 그런 제의를 하시는 의도가 궁금하네요. 혹시 자선이 취미이신가요?"

"말했지만, 나는 죽으면 죽었지 손해 볼 마음은 없습니다. 이 모든 건 전부 비비안느 전하를 위한 일일 뿐."

조나단 부인이 의자에서 일어났다. 그리고 변함없이 냉랭한 얼굴로 말했다.

"즐거운 식사였습니다, 아그레인 양. 나와의 식사가 불편했다고 부디 체하지는 말기를. …아, 그 불편해 보이는 손도 어서 낫길 바라야겠군요."

가만히 앉아 있으려니, 어서 배웅하라는 눈빛으로 나를 응시한다. 나는 귀찮은 티를 풀풀 풍기며 조나단 부인을 밖으로 내보냈다. 곧 식탁을 치우기 위해 시종들이 들어왔다. 멍하니 깨끗해지는 식탁을 구경하다가 그들에게 물었다.

"내가 그렇게 불쌍하게 생겼니?"

제대로 된 대답이 들려올 리 없었다. 나는 우물쭈물하는 시종들에게 손짓했다.

"됐어. 이만 가 봐."

조나단 부인에 이어 시종들까지 나가자 방에는 정적이 내려앉았다. 우박이 퍼붓던 어제와 달리 오늘은 하늘이 화창했다. 벽난로의 온기와 내리쬐는 햇빛, 그리고 째깍거리는 괘종시계의 소리가 내 방의 전부였다. 나는 창가로 걸음을 옮겼다. 황제의 탄생일을 고작 사흘 남긴 오늘, 평소보다 훨씬 많은 수의 마차가 도착하고 있었다. 이 얼마나 대단한 우연인지. 마침 그 앞을 지나가는 아즈마리아가 눈에 들어왔다. 무척이나 빠른 걸음이었다.

"역시 뻔뻔해. 황자를 팽한 주제에 방 밖으로 잘도 나오고 말이야…."

아즈마리아는 내게 갖가지 감정을 일으키는 몇 없는 사람 중 한 명이었다. 어째서 나의 기억을 가지고 있는지에 대한 의문. 리히튼의 옆이라면 바꿀 수 있다고 믿는, 그 빌어먹게 긍정적인 태도에 대한 가소로움. 그럼에도 나와 비슷한 처지라는 동질감. 그날 죽이지 못했다는 후회.

'후자가 가장 크지.'

되새기니 당시의 나를 또다시 원망하게 된다. 그리고 문득 깨달았다. 역시 내가 아닌 타인을 동정할 필요는 없어. 내게 불쌍한 건 나로 족해. 그리 여기니 머리가 트였다. 오늘 아침의 다짐과는 차원이 다른, 기분 좋게 가슴을 울리는 흥분에 고취됐다. 문을 열고 시종을 불렀다.

"얼굴은 상관없어. 하녀들 중 가장 건방지고 욕심 많은 아이를 데려 와."

시종은 내가 건넨 금화를 주머니 안으로 조심스럽게 챙겼다.

"이왕이면… 개처럼 사느니 죽기 전에 한 탕 뛰고 싶어 하는 아이로."

몇 시간이 흘렀을까. 시종이 낯선 하녀를 데려왔다. 발레리아처럼 어려 보이는 하녀는 아니었다. 갈색머리에 갈색 눈을 가진, 독기도, 간절함도 느껴지지 않는 흔하디흔한 하녀였다. 나는 그녀에게 물었다.

"어디까지 할 수 있니?"

고개를 든 하녀가 답했다.

"아버지의 노름으로 가세가 기울어졌습니다. 어머니와 두 동생은 불치병으로 침대에서 일어서지 못하고, 늙은 노부가 판 약초로 제 가족 모두가 겨우 입에 풀칠하고 있습니다."

조금의 떨림도 느껴지지 않는, 완벽하리만치 차분한 목소리였다. 마음에 드네.

"이름은?"

"나타샤 폴입니다.

"그 이름은 잊어. 오늘부터 네 이름은 발레리아 몰타야."

하녀가 영문을 알 수 없다는 눈으로 나를 응시했다. 하지만 곧 시선을 내리깔고 길게 숨을 들이켰다.

"알겠지, 발레리아?"

"예."

서랍을 열어 금화가 든 주머니와 유리병이 든 상자를 꺼냈다. 그중에서 주머니는 발레리아에게 던지고, 상자는 내가 직접 열었다. 발레리아는 어안이 벙벙하게 주머니를 받았다.

"이건…."

"어디서 났느냐고 물으면, 아그레인 캐롤드가 네게 구애하느라 재산을 탕진하는 중이라 말하렴."

말과 함께 상자에 들어 있던 작은 유리병을 들었다. 나의 혈액. 다른 말로는 잉고르드의 독이 든 유리병이었다.

"내일부터 너는 근 나흘간 앓을 예정이야, 발레리아."

두 개의 유리병을 천으로 곱게 감싸 발레리아의 품 안에 넣어 주었다.

"이 병은 딱 두 개만 줄 거야. 하나는 오늘부터 세 번 나눠 삼키고, 나머지 하나는 지옥이 눈앞에 보일 때 삼키도록 해."

"이게 무엇인지 여쭈어도 될까요?"

"네 미래."

나름대로 평정심을 유지하던 발레리아의 표정이 눈에 띄게 굳었다. 걱정하지 마. 사람은 죽기 직전의 고통까지는 참을 수 있어. 나는 그녀를 안심시키기 위해 밝은 미소를 보였다.

"차라리 죽는 게 낫겠다고 생각될 때면… 어쩔 수 없지. 네 가족을 생각하며 잘 참아 보도록 해. 그 정도 마음은 먹고 왔잖아. 그렇지?"

"…예."

발레리아가 마른침을 삼켰다. 내가 너를 과연 어디까지 이용할 수 있을까?

"앞으로도 우리 잘 지내 보자, 발레리아. 너와 나는 좋은 친구가 될 수 있을 거야."

가능하면 세 번째 발레리아는 없길 바랐다.

Episode 14.
수잔

[제인을 돌려 줘.]

바위에 쇠가 긁히는 듯한 목소리였다. 나는 가만히 눈을 깜빡이며 찻잔을 들여다봤다. 잔잔하던 표면에 파문이 인다. 마른하늘에서 하나둘, 빗방울이 떨어지고 있었다.

[아그레인.]

비비안느가 나를 불렀다. 그제야 잔을 내려놓고 그녀의 시선이 향한 방향쪽으로 고개를 돌렸다. 저 멀리 몰려오는 먹구름 아래에, 눈이 보이지 않을 만큼 긴 더벅머리를 한 마른 몸뚱어리가 서 있었다. 두 팔과 두 다리는 크고 작은 상처들로 형편없이 망가져 있었다. 몸뚱어리의 주인, 리히튼이 재차 요구했다.

[제인을 돌려줘.]

제인이 누구더라? …아아. 먼지에 쌓여 있던 기억이 어렴풋하게 떠올랐다. 리히튼의 소중한 그 하녀를 말하는 거구나. 오래전에 내버려서 어떻게 되었는지도 알 수 없는 그 하녀. 그날부터 며칠이 흘렀더라. 한 달… 한 달이 흘렀나?

[왜 이렇게 늦게 왔어?]

의자에서 일어나 리히튼에게 다가갔다. 비비안느와 정원에서 티타임을 즐기던 때였다. 따라 일어선 비비안느가 등 뒤에 서서 내 팔을 꽈악 잡아당겼다.

[아, 아그레인….]

그녀는 무언가 몹시 두려워하는 눈치였다. 나는 상관 않고 리히튼에게 조금 더 가까이 다가갔다. 뒤늦게라도 나를 찾아온 건 몹시 기뻤지만, 보름이 흘렀음에도 그 하녀를 잊지 못했다는 게 마음에 들지 않았다.

[그 애는 널 기다리다가 죽었어. 외로워서.]

[개소리 지껄이지 마.]

[개소리? 내가 그런 가치 없는 목숨으로 왜 개소리를 해?]

리히튼이 그녀를 노려봤다.

[제인은… 너 같은 미친 계집애는 몰라, 제인의 목숨은 가치 없지 않아.]

나는 의아함을 느꼈다. 리히튼은 제인의 죽음에 분노하고 있었으나, 그 분노가 순전히 제인을 위한 것인지 확신할 수 없었던 것이다. 무려 한 달이 흐른 후 찾아오지 않았는가?

[너 지금 나 가르치니?]

[너처럼 정신 나간 계집애를 가르쳐서 뭘 하겠어?]

[말을 참 서운하게 하네. 나도 그렇게 생각하던 시기가 있기는 했지. 한, 일주일 정도.]

이곳에 처음 왔던 일주일. 이제는 적잖은 시간이 흘러 제대로 상기할 수도 없는 과거였다.

[일주일도 너무 길었어. 그 일주일이 내 삶에서 가장 무가치한 시간이었거든….]

[네가 어떤 정신 나간 삶을 살아 왔었는지 조금도 궁금하지 않아. 닥치고 제인을 내놔.]

[왜?]

리히튼은 그다지 간절하게 보이지도 않았고, 그의 지친 음성은 오히려 매달리기 위한 매달림처럼 느껴졌다. 그가 제인에게 애착을 가지고 있는 건 분명한 사실이었다. 한데 그 애착이…. 아하, 그래. 제인이 아닌 본인을 위한 애착인 거야?

[도대체 왜 그 쓰레기한테 그렇게 절절한 거니? 그 애가 널 빌힐름에게 갖다 판 돈으로 잘 먹고 잘 살고 있던 건 알아?]

대답이 없다. 그런 사실에는 일말의 관심도 없어 보이는, 이미 알고 있던 것이 확실해 보이는 흐리멍텅한 눈이었다. 장담컨대 저 눈동자보다 흙탕물에 섞여가는 빗물이 더 투명할 것이다.

[리히튼, 너 내 생각보다 굉장히….]

병신 같구나. 정말로. 그의 한심한 얼굴을 그만 보고 싶었다. 하지만 절대 그리할 수 없는 일이었다. 나에게는 곧 죽어도 리히튼이 필요했다. 관에 갇히더라도 리히튼과 비비안느를 양손에 쥔 채 갇힐 것이다.

[제인을 잃은 게 그렇게 고통스럽다니… 좋아. 내가 그 대가를 받으면 되겠지.]

정원 테이블로 돌아가 식기를 집어 들었다. 파운드케이크를 자르기 위해 놓여 있던 나이프였다. 나는 나이프를 리히튼에게 내밀었다.

[찔러.]

멍청했던 청회색 눈동자에 미세한 빛이 스쳤다. 하. 리히튼의 헛웃음은 이제껏 그에게서 들었던 목소리 중 가장 컸다.

[아, 아그레인.]

비비안느가 금방이라도 울음을 터트릴 음성으로 내 허리춤에 손을 올렸다. 나에게는 그녀를 신경 쓸 여유가 없었다.

[안 찌르고 뭐 해? 네가 원하는 답을 못 들려 줬잖아.]

눈앞의 리히튼이 무엇이라도 하길 바랐으니까. 물론, 그는 아무것도 하지 못했다. 제인과 함께 그 행복한 새장 속에 갇혀 있을 때처럼. 내게 하나뿐인 애착인형, 제인을 빼앗겼을 때처럼.

[그게 너의 문제야.]

번뜩이는 은색 날을 따라 추락하는 빗물을 응시했다. 더 이상의 실망감은 없었다. 그저…. 순간, 흐물흐물했던 머릿속이 마법처럼 맑아졌다. 지금이었다. 그래, 지금이라면 미래를 볼 수 있어. 잠시라도 망설인다면 다신 오지 않을 기회였다. 손끝의 떨림이 심장을 흔들 정도로 빨랐고, 머릿속이 핑 도는 기분이었다. 하지만 이 기회를 포기할 순 없었다.

나이프가 나를 관통했다. 아, 아, 아그레이인! 비비가 목청을 높여 울었다. 성 안에서 놀고먹고 있을 하녀들이 깜짝 놀라 고개를 내밀 정도로, 날카로운 외침이었다.

[봤지? 리히튼.]

빗줄기가 거세졌다. 차갑게 식어 가는 공기가 무색하게 전신이 뜨거워지고 있었다.

[어, 어떡….]

비비안느가 박힌 나이프를 뽑으려 했다. 나는 사랑스러운 바보의 손을 겨우 밀어냈다. 이걸 빼서 피가 멈추지 않으면 어쩌려고 그러는지. 나의 귀여운 비비안느는 생각이라는 게 없다니까.

[그 애는 오직 널 이용하기 위해 네 곁에 남았지만, 나는 아니야.]

발아래가 포도주를 쏟은 것처럼 붉었다. 리히튼은 못 박힌 듯 그 자리에 서서 나를 바라보고 있었다.

[이것 봐. 나는, 널 위해서라면 그 애보다 더한 것도 할 수 있어.]

[읏, 흑. 아그레인, 제발!]

날 잡아끄는 비비안느의 악력은 턱없이 약했다. 그녀는 빗물 때문인지 울음 때문인지 모를 일그러진 얼굴로 뛰어 나갔다. 시종이라도 데려와 날 끌고 갈 심산인 듯했다. 상관없다. 나는 내 목표만 이루면 되니까.

[이건 오직 널 위한 거야, 리히튼… 널 위하고 이해할 수 있는 사람은 온 세상에 나밖에 없어. 진심이야, 이건.]

리히튼에게 다가갔다. 걷기가 쉽지 않았으나 더 대단한 일을 해내야 하는 내게 이쯤은 아무것도 아니었다. 리히튼은 한 발자국 뒤로 물러섰지만, 그렇다고 나를 피하지 않았다. 지금의 그는 훨씬 사람처럼 보였다. 백금발 뒤로 낯선 안광이 보였다. 썩은 동물의 눈동자에서 생기가 느껴졌다. 그의 눈이 이토록 마음에 드는 건 처음이었다. 나는 진심을 다해서 입을 열었다.

['우리'를 위해서라면 내 목숨도 걸게. 그러니까 날 선택해.]

그리고 세상이 뒤집어졌다. 빗물로 습했던 시야가 암전되며 귀가 막히고 눈이 막혔다.

아, 드디어! 나는 환호했다. 이게 몇 년 만에 보는 미래인지! 그러나 나의 환희는, 눈앞에 나열되는 일련의 미래들을 확인한 후 거짓말처럼 사그라들었다.

꿈에서 깬 이후 오랜 시간 동안 정신 차릴 수 없었다. 처음으로 미래라는 것을 봤다. 아니, 보기 전에 잠에서 깨어나기는 했으나 확신할 수 있었다. 나는 미래를 봤다. 그리고 나의 예상이 맞다면, 미래를 보는 방식은 몹시 폭력적이고 비인도적이었다.

'지금 당장 확인해 볼까.'

한차례 고민이 일었으나 결국 실행하지 못하고 침대에서 일어났다. 적어도 지금의 나는 과거의 나보다 훨씬 겁쟁이였다. 의지 하나만으로 내 몸에 구멍을 뚫을 수 없단 뜻이었다. 나타샤, 아니 발레리아의 모습은 보이지 않았다. 며칠간 죽은 듯 앓아야 할 테니 당연했다.

똑똑.

"들어와."

이른 시간부터 시종이 찾아오는 건 드문 경우다. 아니, 정확히 말하자면 비비안느를 멀리한 후 처음 있는 일이었다. 들어온 시종은 멀찍한 거리에 서서 말했다.

"조나단 부인께서 사냥에 초대하셨습니다."

"몇 시?"

"오후 네 시입니다."

"알겠다고 전해라."

시종이 허리를 깊이 숙이고 방을 나갔다.

'그 여자가….'

이런 식으로 적극적일 줄은 몰랐는데. 하지만 내게는 지금 당장 그녀를 거부할 이유가 없었다. 날 돕겠다고? 순수한 동정에서 기인한 호의라면 이용할 가치가 충분했다. 실제로 내게 도움이 될지 모를 일이지.

정오에도 날은 흐렸다. 다만 어제까지 내내 불이 꺼져 있던 별채가 오늘은 밝았다. 흐릿한 하늘 아래에서 드문드문 밝혀진 창이 노랗게 빛난다. 갑작스러운 일정이 생겼다며, 약속을 취소했던 빌힐름. 그런 빌힐름과 만나게 된 별채. 저 안에서 무슨 일이 일어나고 있는지는 관심 없었다. 다만 내게는 가만히 두고 볼 마음 역시 없었다. 도착한 후원에는 이전과 달리 꽤 많은 사람이 보였다. 이 사이에 아즈마리아가 있을지도 모른다고 생각하니 어서 빨리 총성을 울리고 싶었다. 나는 안면도 없는 사람들 틈을 지나 조나단 부인 옆에 섰다. 조나단 자매는 신장이 유독 커 개미 떼들 사이에서도 눈에 잘 띄었다.

"오늘은 꽤 어여뻐 보이는군요."

답지 않은 첫인사였다. 미묘한 표정으로 바라보니 그녀가 장갑을 끼는 와중에 덧붙여 말했다.

"귀족 아가씨들이라고 해서 모두가 어여쁜 건 아니니까. 특히 올해처럼 황자 전하의 옆자리가 비어 있는 해는… 별별 꼴을 다 보게 되죠."

"다들 볼 만하다고 생각하는데요."

"저 앵무새 깃털을 머리에 꽂은 여자가? 비위가 강한가 봅니다. 아니면 관심이 없다던가."

조나단 부인은 총구를 든 채 한 바퀴 크게 돌았다. 뒤쪽에 오순도순 모여 차를 즐기던 여자들이 일순 조용해졌다. 그러나 목소리만 조금 작아졌을 뿐, 자리를 피하지는 않았다.

"왜 겁을 주세요?"

나의 물음에 조나단 부인이 대답했다.

"흩어졌으면 싶은데 통하지 않을 것 같군요."

"부인을 쫓아다니는 건가요?"

"비비안느 전하의 총애가 한 방향만을 향하니, 아쉬운 아기새들이 내 곁에 모이는 겁니다."

그녀를 따라 총을 들었다. 항상 숲 방향만을 보며 사냥감을 맞췄는데, 황성을 향하려니 이상하게 더 흥분되는 느낌이었다.

"부인만 괜찮으시다면 제가…."

말을 완전히 이을 수 없었다. 총구 끝의 인물이 나를 바라보고 있었기 때문이다. 리히튼이었다. 누군가 말했다. '저분이 잉고르드 공작 각하셔.' 잠시나마 고요했던 후원에 큰 파문이 일었다. 꽤 먼 거리임에도 불과하고 여자들의 소곤거리는 목소리가 내 지척까지 들리는 듯했다. 짐짓 아무렇지 않게 총을 내렸지만, 나는 그에게서 시선을 뗄 수 없었다.

리히튼은 젊은 신사 서너 명과 함께 모여 있었는데, 나와 눈이 마주치자 방향을 틀어 이쪽으로 다가왔다. 미친 듯이 뛰는 심장 소리 때문에 머리가 어지러웠다.

"부인, 이러려고 날 부른 건가요?"

"무슨 소리를 하는지 모르겠군요."

"사람을 잘 못 믿으시나 봐요."

"아아. 황성에서 지내다 보면 누구든 그리 되지."

조나단 부인은 내 말을 기다렸다는 듯 받아쳤다. 날 빌헐름에게서 구해 주겠다고 한 주제에, 리히튼의 사람이란 주장은 믿지 못하는 그녀였다. 비쩍 말라 죽어 버린 화원 사이를 가로질러 오는 리히튼은 그야말로 그림 같았다. 묶지 않은 화려한 패턴의 긴 머플러가 바람에 펄럭였음에도 눈에 보이는 건 얼굴밖에 없었다. 거리가 좁혀지자 그의 눈이 날 훑는 게 느껴졌다. 우리 사이에는 잠시간 아무런 말도 오고가지 않았다. 그가 내 이목구비 하나하나를 꼼꼼하게 살피는 것이 느껴졌다. 나는 먼저 입을 열 수밖에 없었다.

"잘 지내나 봐."

비스듬히 보이는 옆 시야로, 조나단 부인의 미간이 구겨지는 게 보였다. 내가 극존칭이라도 할 줄 알았나 보지. 공교롭게도 나는 그럴 마음이 조금도 없었다. 힐끔 내 총을 내려다 본 그가 말했다.

"어울려."

"총이?"

"한 몸 같기도 하고."

그와 재회하면 어떤 대화가 오고갈까? 근래에 잠이 들기 전마다 수십 번 상상하곤 했었다. 그 안에 총과 내가 어울린다는 소리를 듣게 된다는 선택지는 없었다. 뜬구름 잡는 소리에 총신을 살짝 쓸었다.

"낯빛이 다시 창백해졌군."

잉고르드의 독을 가리키는 것일 터였다.

"그러라고 준 거 아니야? 친절하게 엽서까지 보내가면서."

나는 발레리아가 꾸준히 받아 온 엽서의 발신자가 그라고 믿어 의심치 않고 있었다. 리히튼은 부정하지 않았다.

"세상일이란 게 생각하는 것만큼 마음대로 돌아가지는 않지."

그 말이 다름 아닌 리히튼의 입에서 나왔다는 게 우스웠다. 그의 세상은 그의 생각대로 돌아가고 있지 않은가.

"오자마자 날 찾아오지는 않을까, 하고 생각했었는데. 이런 식으로 우연히 만나네."

"같은 생각을 하고 있었을 거라 여기지는 않는 건가?"

"리히튼 잉고르드라면 그럴 만해. 뒤에서 날 몰래 훔쳐보는 걸 좋아하잖아?"

그가 어이없다는 듯 헛웃음을 지었다. 날씨만큼이나 냉랭하고 건조했던 얼굴에 처음으로 색이 드러났다.

"못하는 말이 없어졌군."

그리 말하는 리히튼은, 어쩐지 그리운 얼굴을 하고 있었다. 꿈속의 그가 떠올랐다. 지금과는 전혀 다른, 어리숙한 티를 풀풀 내던 그 청년이. 몸도, 얼굴도, 표정도, 모든 게 달라졌는데 그때의 그와 마주하고 있는 기분이 들었다. 리히튼도 나와 같은 기분을 느끼고 있을까? 그는… 아무 것도 모르는 수잔을 바라보며 어떤 생각들을 해 왔을까.

"두 분이 그렇게 가까운 사이일 줄은 몰랐습니다."

조나단 부인이었다. 그녀는 한쪽 눈썹을 미세하게 구부린 채 내게 말했다.

"마치 어린 시절부터 함께 어울려온 친우 사이를 보는 느낌이군요. 리히튼 각하께서는 절대 그러실 분이 아닌데."

"그러실 분이 아니란 말씀의 저의는?"

"누구에게나 항상 선을 지키신다는 의미지요."

리히튼을 바라봤다. 조나단 부인이 언급한 '선'이 무엇일지는 명명백백했다. 크로허츠 영지의 연회에서 보았던 리히튼은 누구에게나 다정하고 친절한 사람이었다. 말 그대로, 누구에게나.

"두 분이 어떻게 가까워지신 건지 궁금하네요. 각하께서는 이제껏 단 한 번도 아그레인 양을 언급한 적이 없으신데."

"특별한 사이죠. 비록 제가 빌힐름 전하의 사람이기는 해도."

조나단 부인을 향해 싱긋 웃으며 덧붙였다.

"이 말은 전하께 비밀로 해 주실 거죠?"

"아그레인."

날 부르는 목소리는 조나단 부인이 아닌 리히튼에게서 들려왔다.

"잊은 것 같아 말해 두는데… 네 자유는 내가 베푼 기회다. 설마 네 스스로가 얻은 거라 생각하고 있지는 않겠지."

나는 입을 닫았다. 칼을 베어 문 말과 달리 리히튼의 시선은 바람 한 점 없이 고요했다.

"뭐라도 할 것처럼 나간 것치곤 일 년 만에 돌아온 황성은 그대로군. 적잖이 실망스러워."

담담한 그와 다르게 내 얼굴이 싸늘하게 굳어 가고 있음을 느꼈다. 그대로라서 실망스럽다니. 그는 내가 황제의 목을 날리길 바라기라도 한 것일까.

"나는 오래 참을 수 있는 사람이 아니야. 시간이 얼마 남지 않았다는 걸 알아두길."

무언가 미련이 남은 눈이었다. 하지만 리히튼은 끝끝내 그 미련을 버리고 등을 돌렸다. 나는 멀어지는 그의 뒷모습에서 한동안 눈을 떼지 못했다. 리히튼은 나를 협박하고 있었다. 그런 식으로 미적지근하게 굴다간 잉고르드로 데려가 버리겠다고.

"이제 믿으시겠어요, 부인?"

"…아그레인 캐롤드."

조나단 부인은 진심으로 알 수 없다는, 속 깊숙한 곳에서 배어 나온 진정한 의문을 내보였다.

"그대는 대체 어디서 뭘 하다 온 사람입니까?"

어디서 뭘 하다가 왔냐고?

"이상한 질문이네요, 부인… 나는 처음부터 이곳에 있었어요."

그야말로 웃음 짓지 않을 수 없는 질문이지 않은가. 내 집은 이곳, 황성이다.

"당신들이 몰랐을 뿐."

나는 무언가를 하다 온 게 아니라 돌아온 것이었다.

사냥이 끝난 후에는 금방 날이 어두워졌다. 리히튼과 재회한 탓인지, 멍하니 뜬눈으로 저녁을 지새우다가 침대에 누웠다. 내가 실망스럽다고?

"실망이라."

인정한다. 황성에 온 후 나는 그저 잃기만 했다. 애초에 얻은 것이 있기는 했던가?

'킨이 내 핏줄이라는 것 하나 정도 알아내기는 했지.'

과거의 나는 달랐다. 그때의 나는 결국 원하는 대로 황성을 벗어났고, 지금 이 자리에 내가 서 있도록 만들었다. 어떻게 가능했을까?

'당시의 내가 그만큼 간절했던 걸까?'

그렇다면 지금의 나는 그만큼 간절하지 못한 거구나. 그리 긴 시간도 아니었다. 황성에서 지낸 지 고작 몇 달이 흘렀을 뿐인데, 잉고르드를 막 나서며 벼리고 있던 내 칼날은 이미 반쯤 이가 빠진 상태였다. 물론 이대로 멍청하게 시간을 보내면 안 된다는 것 정도는 알고 있었다. 그렇다면 내게 필요한 게 뭘까?

'동기?'

나는 나를 알지만 완전히 알지 못한다. 내가 아는 나는 퍼즐 조각이 듬성듬성 빠진 미완성의 작품에 불과했다. 과거의 내가 겪어온 기억에 공감하고, 지금의 나를 만든 자들에게 복수심을 불태우면서도 시간이 흐른 뒤 남은 건 허무함밖에 없었다. 왜일까? 설마 지쳤다거나.

'아니야, 나는 지치지 않았어.'

그래, 이건 과정에 불과했다. 나는 지치지 않았다. 내가 바라는 건 오직 나를 되찾는 것과 복수하는 것, 그리고…. 그리고.

'아아.'

이런 고민이 다 무슨 소용이란 말인가. 어차피 내일 해가 뜨면 또 무뎌질 텐데. 나는 눈을 감았다. 기이하게도 아주 긴 밤이 될 것 같은 기분이 들었다.

휘이이익.

아주 긴 휘파람이었다. 저 멀리 창공을 날던 매가 방향을 틀어 고도를 낮추기 시작했다. 나는 남자의 팔뚝만한 매의 두 다리가 서서히 내려와 팔에 안착하는 광경을 한순간도 놓치지 않고 쳐다봤다. 매의 부리는 내 주먹보다 커다래 보였다.

[각하께서 네게 주신대.]

고개를 틀었다. 내 양쪽 어깨를 꽉 잡은 킨이 정수리에 턱을 올리며 말을 이었다.

[저 매 말이야.]

[저렇게 큰 거 나는 못 다뤄.]

[일이 년만 지나면 네가 훨씬 커질걸.]

[원칙대로라면 내가 아니라 네가 먼저 받아야지.]

머리가 흔들렸다. 킨이 열심히 웃는 중인가 보다.

[나이는 내가 많아도 적녀인 네가 먼저 배우는 게 옳아.]

[나는 매 같은 거 필요 없어. 너나 키워.]

[각하께서도 어렸을 땐 그렇게 생각하셨대.]

[됐대도.]

킨은 별것도 아닌 데서 꼭 나를 먼저 챙기려고 한다. 꼴에 오라비라 이건가? 하지만 아는 건 내가 더 많은걸? 나는 킨이 매를 먼저 받은 후에 새로운 아기 매를 받을 거다. 이미 마음먹은 지 오래였다. 아버지에게도 그리 말해 둘 생각이었다.

겨울이었기에 해가 금방 졌고, 저녁 식사 시간도 빠르게 찾아왔다. 큰 저택에 가족이라곤 덩그러니 셋뿐이라, 우리의 식사 시간은 언제나 조용했다. 세 명밖에 없는 식탁이었으나 허전하다고 느낀 적은 단 한 번도 없었다. 아버지와 단둘이 사용했을 때는 무서울 정도로 넓게 느껴졌던 것 같은데, 작년 초 킨이 들어온 이후부터는 그런 느낌을 받지 못했다. 오히려 나는 가족이 함께 둘러앉은 식사 시간을 가장 사랑하게 되었다.

[킨의 말 잘 듣고.]

[아, 정말!]

한데 오늘은 결국 짜증을 참지 못하고 식기를 내려놨다. 내 예의 없는 태도에도 아버지는 눈을 한 번 흘겨 뜰 뿐 별다른 말씀이 없으셨다.

[그만 좀 당부하세요. 그 말만 열 번째야!]

[그걸 다 셌어?]

맞은편에 앉은 킨이 눈치 없이 내게 물었다.

[세고 싶어서 센 줄 알아? 귀에 딱지가 앉겠어!]

[식사하면서 소리 지르지 말거라, 아그레인. 네가 자꾸 그런 식으로 말을 안 들으니 이 아비도 같은 소릴 반복하는 게다.]

콧김을 강하게 내뿜고 다시 포크와 나이프를 집었다. 아버지는 늘 옳은 말씀만 하셔서 대꾸하기가 힘들다. 작게 웃던 킨이 나를 타일렀다.

[내일부터 열흘 동안 자리를 비우시잖아. 각하께서 걱정하실 만도 해.]

저건 정말.

[너는 맨날 아버지 타령이야. 꼬박꼬박 각하라고 부르는 주제에. 아버지가 그렇게 좋으면 같이 황성 구경이라도 가지 그래.]

킨의 얼굴이 머리칼만큼이나 눈에 띄게 붉어졌다. 누가 들으면 좋아하는 여자애가 고백이라도 한 줄 알 것이다.

[말을 곱게 써야지, 아그레인.]

딱 잘라 말씀하신 아버지가 킨에게 시선을 돌리셨다.

[킨. 이제 각하라는 호칭은 그만 쓰거라. 일 년이 흘렀는데 아버지라 부를 때도 되지 않았느냐.]

킨이 당황하는 표정으로 손을 저었다. 한두 번 들은 소리도 아니면서 늘 저렇게 당치도 않다는 반응이다. 생각이야 뻔했다. '나 같은 놈이 어떻게….' 정도 되겠지.

[당장은… 시간이 지나면 자연스럽게 바뀌겠지요.]

[그 말만 일 년이란 소리라구, 바보야.]

[너도 슬슬 킨에게 경칭을 써야지. 누가 오라비에게 그리 방정맞게 군단 말이냐?]

이번에는 내가 딱 잘라 말했다.

[나보다 수학도 못하는 오라비는 오라비 아니야.]

킨은 글도, 수학도, 그림도, 음악도 전부 이곳에 와서 처음 배웠다. 나이는 킨이 많아도 배움은 늘 내가 앞설 수밖에 없는 것이다.

나는 이를 핑계로 항상 킨에게 말을 놓았다.

[제가 어서 수학을 잘할 수 있도록 노력해 보겠습니다.]

어차피 킨은 바보같이 착해서 불만을 가지지 않는걸. 나는 모르는 척 익은 생선살을 꼭꼭 씹어 먹었다.

아버지가 캐롤드를 떠난 후, 캐롤드의 하늘은 한창 맑았다. 보통 이 시기의 날씨가 평탄하면 새해가 지난 후 거센 눈보라가 몰아치는데, 나는 차라리 그리 하길 바라고 있었다. 황성처럼 먼 거리는 날씨가 얄궂으면 오고 가는 길에 큰 사고가 나기 부지기수라, 이제 막 길을 떠난 아버지가 사고에 휘말리는 일만은 없었으면 하는 바람이었다.

안 그래도 사람이 적은 저택이었다. 아버지마저 안 계시면 한겨울 캐롤드 저택에 감도는 적막감은 배가 된다. 나는 킨의 방을 찾아갔다가 그의 방이 비었음을 확인하고 서재로 향했다. 킨이 방에 없을 때는 대개 기사관에서 수련을 하거나 서재에서 책을 읽는데, 날이 어두우므로 전자보다는 후자에 있을 가능성이 농후했다. 아니나 다를까, 킨은 서재에 틀어박혀 무언가를 뚫어져라 내려다보고 있었다. 그는 내가 옆으로 다가가자 기겁하며 옆으로 물러섰다.

[왜 그렇게 놀라? 이상한 거 봐?]

내 얼굴을 확인한 그가 안도의 한숨을 쉬었다. 킨은 잠시 불편한 낯을 하다가 조심스럽게 입을 열었다.

[아그레인. 혹시 이 집에 너 말고….]

무엇이 문제인가 싶어 그가 한참 바라보던 서책을 확인했다. 캐롤드의 가계도였다. 길게 이어진 뿌리 그림의 끝에 세 개의 이름이 적혀 있었다. 아그레인과 킨, 그리고….

[아. 수잔을 말하는 거구나.]

수잔. 이름으로만 접한 존재.

[내 쌍둥이야. 지금은 죽고 없어.]

[쌍둥이? 네게?]

킨이 눈에 띄게 놀란 얼굴을 했다.

[몸이 약해서 태어나자마자 죽었대. 나만 건강하게 태어났었나 봐. 얼굴도 모르는 언니의 기운을 다 먹고 자란 건가.]

[그런 소리 하는 거 아니야, 아그레인.]

별 생각 없이 뱉은 말인데, 킨의 반응은 진지했다. 나는 기록된 것이라곤 가계도에 쓰인 이름이 전부인 '수잔'을 매만지며 말했다.

[어머니에게도 굉장히 충격적인 일이었던 것 같아. 시름시름 앓다가 내가 태어난 지 백 일도 안 되어서 돌아가셨다고 들었어.]

슬픈 이야기지만, 딱히 슬플 거리가 없는 이야기이기도 했다. 적어도 내 기억 속에 그들의 죽음이 남아 있지는 않으니까. 그러나 킨은 자신이 그러한 불행을 겪기라도 한 듯 무거운 눈으로 입을 꾹 닫고 내 머리를 쓸어 내렸다. 그 모습이 우스워서 웃음이 터졌다.

[엄마 없는 건 너도 똑같으면서.]

[그렇기는 하지만, 네게 쌍둥이가 있었을 줄은 몰랐어.]

[수잔이란 이름 예쁘지? 내 성격이 이렇게 괴팍하니, 그 애의 성정은 엄청

살갑고 고왔을 거야. 아버지께 말씀드린 적은 없지만 꿈에서도 몇 번 만났어. 내가 상상한 그대로의 모습이더라. 물망초 향이 날 것 같은 청초한 숙녀에, 말 한마디 한마디가 조곤조곤하고….]

꿈속에서 그 애를 만나면 그동안 어떻게 지냈는지 대화만 해도, 다음날의 해가 훌쩍 뜨곤 했다. 수잔의 꿈을 꾸면 늘 그러했다. 생일날에는 아버지에게서 늘 다른 선물 두 개를 받았다. 하나는 내 것이고, 하나는 수잔의 것이었다. 생일날 밤에는 수잔의 선물을 머리맡에 두고 잠들었다. 꿈속이든 어디든 그 애가 잘 받았기를 바라면서.

[수잔이 있었다면 우리도 조금 더 재밌었을 텐데.]

[너만큼 나를 좋아해 줬을까?]

[누구라도 킨을 좋아할걸. 너는 잘생기고 키도 큰 데다 착하고 잘 웃잖아. 조금 바보이기는 해도.]

[네게 그 바보 같단 소릴 안 듣기 위해 얼마나 열심히 공부하고 있는지 모를 거야.]

[우리 가정교사 말이야, 킨. 너를 마음에 두고 있는 게 분명해. 보는 눈빛이 나랑은 다르다구.]

킨이 질린다는 얼굴로 한숨을 내쉬었다.

[그 소리 좀 제발 그만 해, 아그레인. 지겹지도 않아?]

[하지만 사실인걸.]

[그 아가씨와 나 사이엔 아무 일도 없었고, 앞으로도 없을 거야. 알았어?]

어울리지 않게 단호한 어투였다. 어차피 놀릴 사람이라고는 나밖에 없는데 그렇게 화낼 일인가 싶었다. 심지어 거짓말도 아닌데 말이야.

[수수한 건 킨의 취향이 아니구나?]

[하여간.]

[알았어. …그런데 수잔 이름 위에 그려진 이 그림은 무슨 의미야?]

킨이 내가 손가락으로 가리킨 가계도 위로 시선을 돌렸다. 그림은 언뜻 점처럼 보일 만큼 아주 작았지만, 꽤 섬세했다. 자세히 살피니 태양이나 별에 가까운 모양이었다.

[한 명씩 있네. 나랑 킨에게는 없어. 다 여자인 것 같기도 하고….]

아버지에게도 없었으나, 선조를 타고 올라가면 한 세대에 하나씩은 반드시 그려져 있었다.

[글쎄.]

[나 이런 거 궁금해서 못 참아. 아버지가 오면 물어 보자.]

킨이 드물게 냉소적인 표정을 보였다.

[각하께서 알려 주실 것 같진 않으니, 너무 기대하진 마.]

왜 그런 말을 한 걸까? 마치 자신은 그 이유를 알고 있기라도 한 양.

그날 밤은 이상하게 잠이 안 왔다. 달이 유독 크고 밝아 방 안이 낮처럼 환했기도 환했지만, 수잔을 생각하느라 눈이 감기지 않았던 것 같다. 유독 그런 날이 있다. 오늘이 바로 그런 날이었고, 뜬 눈으로 해가 뜨길 기다려야 했다.

이튿날 저녁. 회색빛 하늘에서 함박눈이 흩날리는 날씨를 뚫고 아버지가 귀성하셨다. 정해진 일정보다 이틀이나 빠른 귀환이었다.

[아그레인!]

지도를 구경하다가 잠깐 졸았던 것 같다. 비몽사몽한 기분으로 엎어져 있던 소파에서 몸을 일으켰다. 아버지의 부름이 점차 가까워 졌다.

[아그레인!]

[나 여기 있어요.]

숨이 거칠다. 당장 느껴진 것은 나를 쥔, 거친 손이었다. 그 손은 얼음장처럼 차가웠다. 아버지의 그런 얼굴은… 단연코 처음 보는 얼굴이었다. 확신컨대 아버지는 내가 모르는 무언가를 굉장히 두려워하는 듯했다.

[시간이 없다. 어서 빨리 나갈 채비를 하거라.]

너무나 갑작스러운 말이었고, 나는 영문도 모르는 채 자리에서 벌떡 일어났다.

[어디를요?]

아버지는 대답 없이 등을 돌리셨다. 혹시나 하는 마음으로 내 방에 돌아갔을 때, 아버지는 내 겨울옷과 눈에 보이는 잡화들을 커다란 가방 안으로 구겨 넣고 있었다.

[무슨 일이에요, 아버지. 저도 황성에 따라 가나요?]

아버지는 대답 없이 가방을 채우는 데 급급해 보이셨다. 돌연 불안해졌다. 딱딱하게 굳은 아버지를 향해 연신 이유를 물었으나, 돌아오는 대답은 똑같았다.

[설명할 시간이 없어.]

나는 아버지의 손에 죄인처럼 끌려갔다. 후문을 나가자 낡고 추레한 마차가 보였다. 저 멀리서 킨이 외투도 챙겨 입지 못한 채 뒤따라 나왔다.

[각하.]

마차가 점차 가까워져 갔다.

[각하!]

미동도 없는 고개에 킨이 이를 악물며 다시 한번 외쳤다.

[아버지!]

그제야 아버지가 고개를 돌려 우리를 쳐다봤다. 새하얀 입김보다, 코앞에 마주한 아버지의 낯이 더 창백했다. 킨이 물었다.

[무척 불안해 보이십니다. 황성에서 무슨 일 있으셨던 겁니까? 아그레인을 어디로 데려가시려고요?]

잠시간 말이 없던 아버지는 킨의 등 뒤로 집사가 도착한 즉시 입을 여셨다.

[너도 따라 와라, 킨. 해리! 누군가 아그레인의 행방을 묻거든 지독한 중풍에 걸려 의원을 찾으러 나갔다고 전해. 방문을 기다릴 수 없을 만큼 아주 위독한 상태였다고.]

[예. 알겠습니다, 주인님.]

나는 무엇이 아버지를 괴롭히고 있는지도 모르는 채 멀거니 마차에 올라탔다. 우리는 네 시간을 달려 산기슭 아래의 작은 마을에 도착했다. 그 마을의 가장 깊숙한 곳에 위치한 낡고 작은 목조 건물이 우리의 목적지였다.

[너는 당분간 이곳에서 지낼 거다, 아그레인.]

[왜요?]

이해할 수 없는 일투성이였다. 그러나 아버지는 내 질문에 대한 대답 대신, 가방을 열어 짐을 꺼내기 바쁘셨다. 계속되는 답답함에 점차 화가 나기 시작했다.

[사흘에 한 번씩 사람을 보낼 테니 식사는 걱정하지 말거라. 창고에 들어가면 올해 겨울을 나기에 충분한 장작이 쌓여 있으니, 아끼지 말고….]

[제가 왜 여기에서 지내야 하냐고요! 설마 지금 절 버리겠다고 말씀하시는 거예요?]

머플러를 꺼내던 손이 멈추었다. 몹시 무거운 침묵이었다. 그 침묵 끝에 아버지가 말씀하셨다.

[수잔이 죽었단다.]

이 시점에 그런 어처구니없는 이름이 나오다니. 나를 놀리고 계시는 걸까?

[그 애는 아주 예전에 죽었잖아요. 제가 태어났던 까마득한 과거에요.]

[아니, 아니야… 살아 있었어. 너는 모르겠지만 그간 수잔은 황성에서 지내고 있었다. 사흘 전까지는.]

[왜요?]

왜요. 정말 살아 있어요? 왜 살아 있어요?

[왜 황성에서 지내요? 내 쌍둥이잖아요. 우리의 집은 캐롤드에 있는데.]

[아버지.]

그때, 벽난로에 기름을 부어 막 불을 지핀 킨이 대화에 끼어들었다.

[무례한 질문인 걸 알지만… 아그레인을 이곳에 데려오신 게 설마 『태양이

흐르는 강』과 연관되어 있는 겁니까?]

나는 전혀 모르는 이야기였다. 그러나 아버지는 킨의 말에 긍정이라도 하듯 길게 한숨을 내쉬었다.

[…그래. 서재를 하루가 멀다 하고 드나드는데, 네가 안다고 해도 이상할 건 없겠구나.]

킨의 안색이 눈에 띄게 어두워졌다. 아버지가 내게 말씀하셨다.

[아그레인. 우리 캐롤드의 핏줄에는 저주가 걸려 있다. 건국부터 시작된 아주 오래된 저주이자 마법이고, 악몽이지….]

저주?

[한 세대에 한 명이야. 우리는 선조 대대로 황성과 언약하여, 가문을 종속하는 대가로 한 세대에 한 명의 아이를 바치기로 했단다. 저주 받은 아이를 말이다.]

[그 저주란 게 뭔데요?]

되묻던 나는 이내 고개를 뒤흔들고 다시 입을 열었다.

[아니요, 그런 건 궁금하지 않아요…. 그럼 수잔은요? 수잔은 황성에서 행복하게 잘 살았나요?]

잘 열리기만 하던 아버지의 입이 녹슨 쇠문처럼 다시 굳게 닫혔다.

[왜 죽었어요? 캐롤드 후작 가문의 영양으로서 잘 대우 받다가 갑자기 죽은 거예요? 대답 좀 해 봐요, 그렇게 벙어리처럼 입 닫고 있지만 말고!]

[아버지.]

킨 역시 아버지를 불렀으나 한 차례 고개를 저은 아버지는 무릎을 굽혀 나를 당겨 안으셨다.

[미안하구나. 시간이 없어, 아그레인. 제대로 설명하기에는 시간이 너무나 부족해….]

아버지는 몸도 마음도 이상하리만치 급해 보이셨다. 당신께서는 내 어깨를 으스러지게 안은 후 급히 몸을 떼어내 꽉 닫혀 있던 문을 여셨다. 몰아치는 눈보라가 킨의 발등을 적셨다.

[너라면 분명 이 아비의 마음을 이해할 거라 본다. 그럴 게 분명해. 그러니 조금만 기다려다오. 이게 널 위한 일이야.]

그리 말한 아버지는 무언가에 홀린 듯 등을 돌리셨다. 그대로 가 버리는 거야? 나를 여기에 이렇게 두고? 반사적으로 뛰어나가 아버지를 쫓았다.

[아버지! 아버….]

[아그레인.]

그때, 앞으로 쏘아진 내 몸을 강하게 잡아당기는 힘이 있었다.

[아그레인? 진정해, 쉬이…. 괜찮아, 나를 봐. 이건 널 위한 거야.]

킨의 따뜻한 손이 내 얼굴을 감쌌다. 무언가 결심한 듯 단호한 그의 얼굴에 나는 여기서 그만 체념해야 한다는 사실을 인정했다. 정확히는 내가 고를 수 있는 선택지가 오직 하나라는 점을 인정해야 했다.

[널 보호하려면 이 방법밖에 없어. …걱정하지 마, 내가 꼭 데리러 올게. 나를 믿지?]

[못 믿으면?]

[아니야, 아그레인. 나는 반드시 널 데리러 올 거야. 우리는 이제 서로가 하나뿐인 남매잖아.]

킨은 한참동안 날 껴안았다. 등 뒤에서 부는 문밖의 눈보라가 차갑다. 나는 이 상황이 이해되지 않아 눈물조차 나지 않았다. 다만 정신을 차렸을 땐 마른 장작 냄새가 나는 넓고 어두운 실내 안에 홀로 놓여 있었다. 혼자가 되었다. 나는, 이 지독한 겨울의 한가운데서 오롯이 혼자였다. 겨울의 밤은 끔찍하리만치 길었다.

홀로 갇혀 지내려니 그 사실이 더 확연하게 와 닿았다. 첫날에서 둘째 날은 침대에 누워 종일 잠만 잤다. 사흘째가 되는 날부터는 아버지와 킨이 걱정되어 하루 종일 창밖만 내다봤다. 그리고 나흘이 흐른 어슴푸레한 새벽. 문 앞에 나와 보니 급히 휘갈겨 쓴 쪽지가 걸려 있었다.

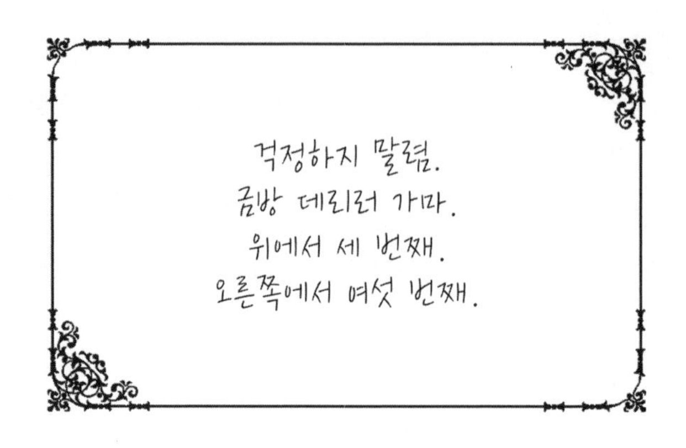

짧은 쪽지였으나, 나는 나흘 만에 처음으로 마음을 놓을 수 있었다.

[그런데 이건….]

위에서 세 번째. 오른쪽에서 여섯 번째. 암호인 걸까? 나는 하루 종일 그 쪽지를 붙잡고 머리를 굴렸다. 다행히 이곳에서는 남는 게 시간이라, 그 뜻을 해석하기가 어렵지 않았다. 책장 앞에 서서 암호가 가리키는 위치에 꽂힌 책을 꺼냈다. 책 사이에는 오래되어 노랗게 착색된 서신들이 끼워져 있었다. 나는 맨 앞에 놓인 서신을 꺼내 읽었다.

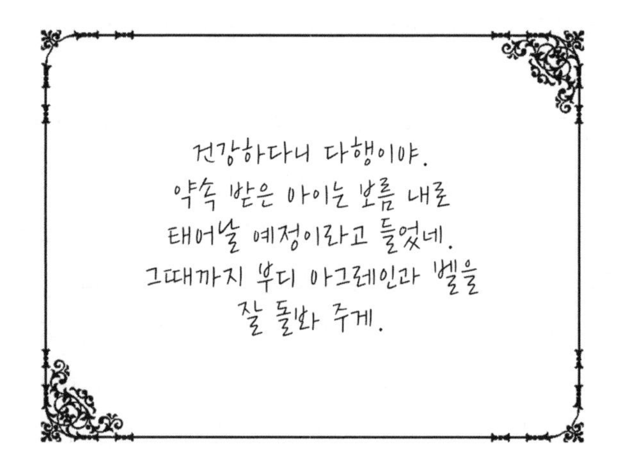

벨은 오래전 죽은 친모의 애칭이었다. 나는 다음 서신을 펼쳤다.

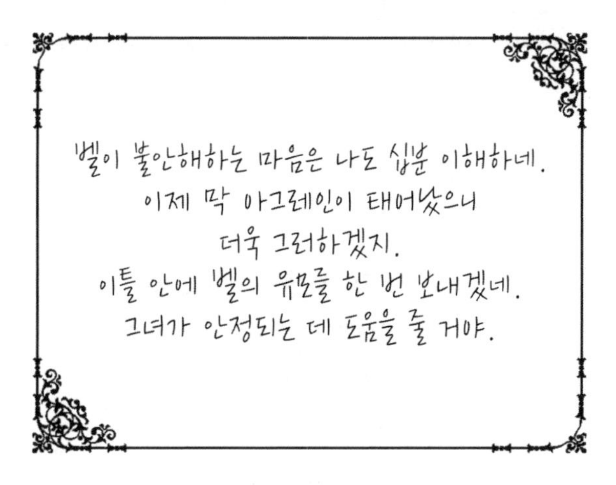
벨이 불안해하는 마음은 나도 십분 이해하네.
이제 막 아그레인이 태어났으니
더욱 그러하겠지.
이틀 안에 벨의 유모를 한 번 보내겠네.
그녀가 안정되는 데 도움을 줄 거야.

다음 서신.

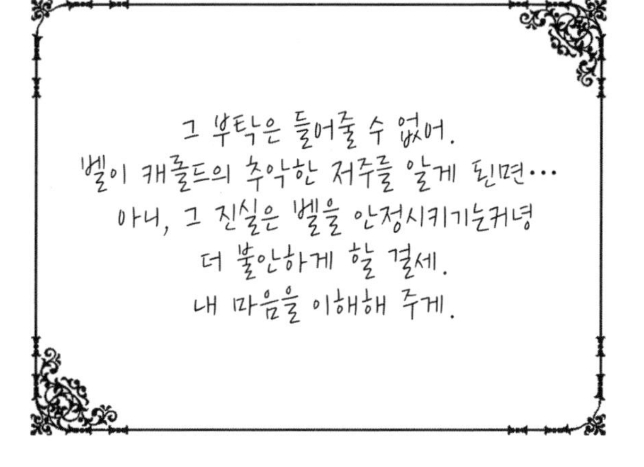
그 부탁은 들어줄 수 없어.
벨이 캐롤드의 추악한 저주를 알게 되면…
아니, 그 진실은 벨을 안정시키기는커녕
더 불안하게 할 걸세.
내 마음을 이해해 주게.

자신을 이해해 달라. 아버지가 내게 했던 말과 똑같지 않은가? 나는 이 서신의 발신자를 알 것 같았다.

지금의 필체보다 더 힘이 느껴지기는 했으나, 아버지가 보낸 서신들임이 분명했다. 네 번째 서신에는 이전과 달리 빳빳하고 두꺼운 종이가 접혀 있었다.

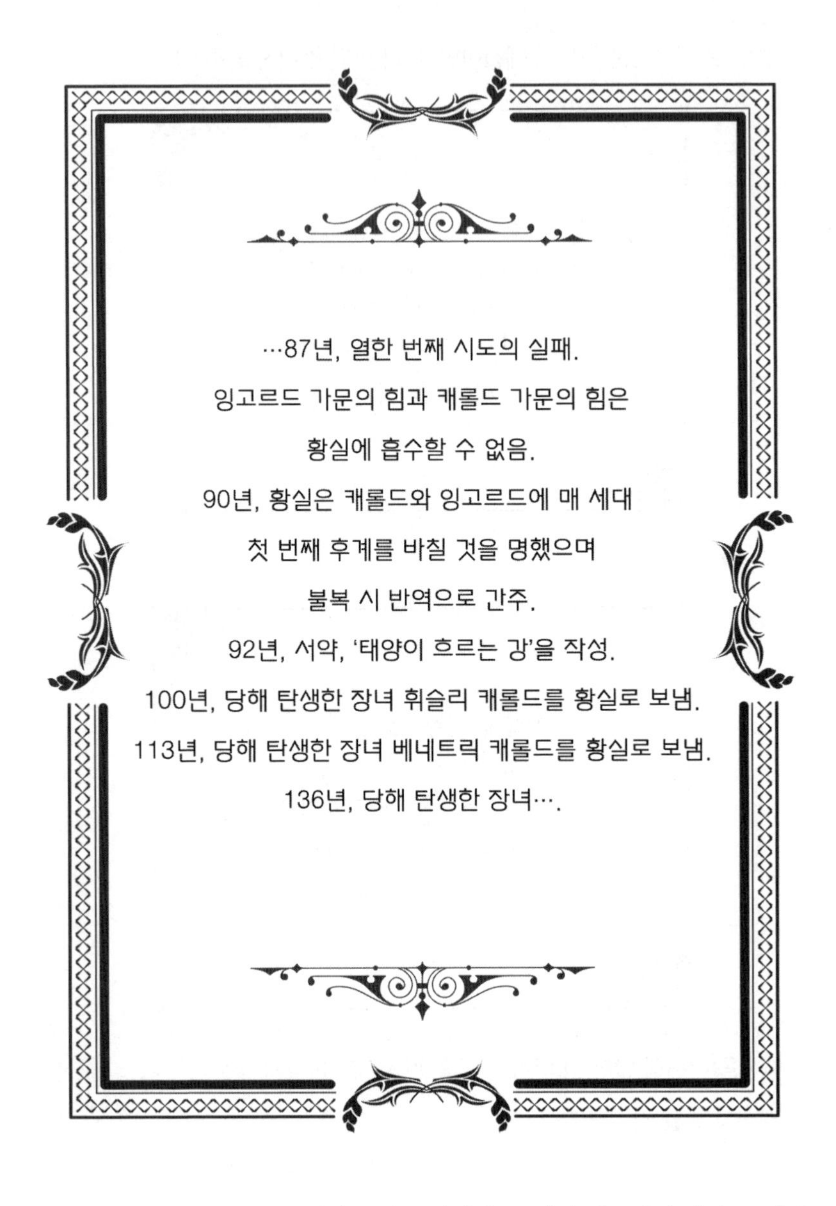

…87년, 열한 번째 시도의 실패.
잉고르드 가문의 힘과 캐롤드 가문의 힘은
황실에 흡수할 수 없음.
90년, 황실은 캐롤드와 잉고르드에 매 세대
첫 번째 후계를 바칠 것을 명했으며
불복 시 반역으로 간주.
92년, 서약, '태양이 흐르는 강'을 작성.
100년, 당해 탄생한 장녀 휘슬리 캐롤드를 황실로 보냄.
113년, 당해 탄생한 장녀 베네트릭 캐롤드를 황실로 보냄.
136년, 당해 탄생한 장녀….

나는 떨리는 손으로 두 번째 종이를 펼쳤다. 종이에 언급되어 있던 그 서약서였다.

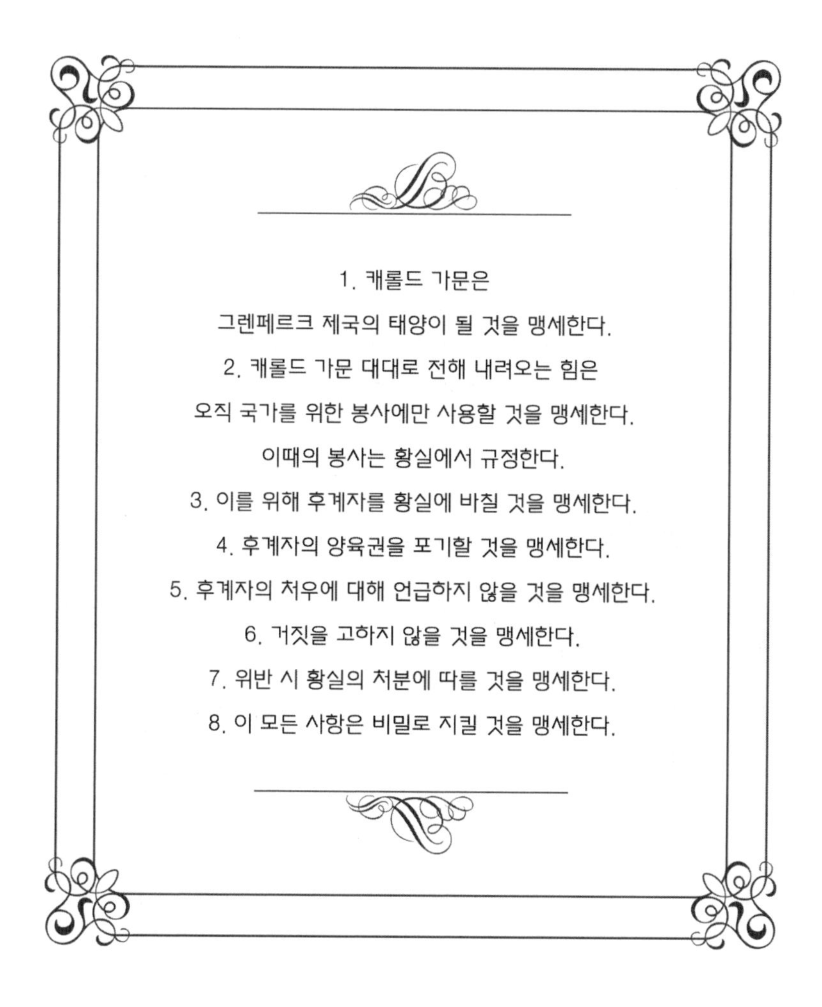
1. 캐롤드 가문은
그렌페르크 제국의 태양이 될 것을 맹세한다.
2. 캐롤드 가문 대대로 전해 내려오는 힘은
오직 국가를 위한 봉사에만 사용할 것을 맹세한다.
이때의 봉사는 황실에서 규정한다.
3. 이를 위해 후계자를 황실에 바칠 것을 맹세한다.
4. 후계자의 양육권을 포기할 것을 맹세한다.
5. 후계자의 처우에 대해 언급하지 않을 것을 맹세한다.
6. 거짓을 고하지 않을 것을 맹세한다.
7. 위반 시 황실의 처분에 따를 것을 맹세한다.
8. 이 모든 사항은 비밀로 지킬 것을 맹세한다.

이제야 알 것 같았다. 어째서 수잔이 황실에 보내졌는지. 어째서 아버지가 그 사실을 내게 숨겼는지.

[그 힘이란 게 대체 뭐기에….]

얼마나 대단하기에 황실에서 무려 열한 번을 흡수하려 시도했던 걸까? 얼마나 두려웠기에 죄 없는 어린 아이들까지 빼앗아간 것일까? 복잡해지는 감정을 뒤로한 채 나머지 서신을 펼쳤다. 남은 건 고작 두 개. 그러나 몇 줄 되지도 않는 다섯 번째 서신을 읽은 후에는 몸을 굳힐 수밖에 없었다.

약속된 아이가 태어났다고 전달 받았네.
내일 오전에 바로 그곳으로
보내도록 할 예정이야. 잊지 말게.
보내질 아이는 우리 캐롤드 가문의 장녀이며,
아그레인의 자매이자 후계자야.

설마. 나는 허겁지겁 마지막 서신을 펼쳤다. 빠르게 요동치는 심장과 다르게 손가락 끝은 차갑게 식어 가고 있었다.

보내질 아이의 이름은 수잔으로 정했네.
다시 말하건대 절대 잊어서는 안돼.
장녀는 수잔이야.
수잔과 아그레인은 한 날 한시에 태어난
캐롤드 가문의 적녀이며,
황실에는 아그레인이 아닌 수잔이
보내지게 될거야.
내가 보낸 서신은 모두 정리하여
언급해 둔 책 사이에 보관해 두게.
누구에게도 들켜선 안되네.
아이가 도착하면 이틀 후에 캐롤드로 돌아오게.

툭.

손 안에서 떨어지는 서신들을 황망한 기분으로 내려다봤다. 내가 꿈을 꾸고 있는 걸까? 그럴지도 모르겠다. 아니, 차라리 그러길 바라는 심정으로 입술을 깨물었다.

[…아파.]

따끔거리는 느낌과 함께 옅은 피 맛이 났다. 꿈이었으면 했지만, 안타깝게도 이곳은 현실이었다.

[수잔.]

얼굴도 모르는 그 애가 떠올랐다. 막연하게 나와 비슷할 거라 여겼었는데, 이제는 그조차도 아님을 안다. 수잔과 나는 완벽한 남이었다. 그 애는 나를 대신해 도축당한 최고급 돼지처럼 황실에 팔려 갔다. 다행인 건가? 이걸 다행이라고 할 수 있을까?

그날부터 나는 몇 날 며칠 동안 서신만 기다렸다. 하지만 사흘이 흐르고 나흘이 흘러도 기조는 보이지 않았다. 멈춘 눈보라가 다시 불기 시작해도 그때와 같은 쪽지가 도착하는 날은 없었다. 그렇게 캐롤드를 떠나고 열흘이 흐른 늦은 밤.

똑똑.

알 수 없는 손님이 찾아왔다. 나는 반사적으로 몸을 일으켰다. 읽고 있던 책의 내용은 머릿속에서 저 멀리로 사라진 지 오래였다. 숨을 죽인 채 귀를 기울이자 같은 소리가 한 번 더 들렸다.

똑똑.

[킨?]

이상하게 다리가 움직이지 않았다. 숨이 가빠지며 오감이 예민해지는 게 느껴졌다. 머지않아 문이 열렸다. 하늘이 어두워 문 너머의 풍경은 보이지 않았다. 그곳에서 들려오는 것은 오직 바람 소리만이 전부였다. 그때, 문 밖에서 무언가가 둔탁한 소리를 내며 실내로 굴러 들어왔다.

머리였다. 내 발 앞에 도달한 그 머리는, 다른 누구의 머리도 아닌 아버지의 머리였다.

[아.]

나는 너무 놀라면 소리도 나지 않는단 사실을 그때 처음으로 깨달았다. 두 팔을 뻗어 아버지의 머리를 안았다. 아버지의 머리는 무겁고 딱딱했으며 눈을 뭉친 것처럼 차갑게 식어 있었다.

[아버지.]

왜 머리만 왔어요? 내게 분명 기다리라고 말했잖아요.

[아아. 가엾은 내 누이.]

등불이 걸어 들어왔다. 다른 인기척은 들리지 않았다. 느릿하게 가까워진 걸음이 나를 향해 천천히 등을 숙였다. 노란 불에 일렁거리는, 눈보다 하얀 낯이 평화로운 미소를 그려냈다. 그 천사 같은 얼굴에서 나는 이제껏 단 한 번도 느껴본 적 없는 공포를 느꼈다.

[혼자 남겨진다는 건 참 외로운 거야. 그렇지?]

[빌힐름.]

[모두가 그렇게 말했으니 아마 누이도 그럴 테지. 혼자 남겨진 고독 말이야.]

빌힐름과의 인연은 황제의 탄생연에서 고작 서너 번 만난 게 전부였다. 그때마다 빌힐름은….

[왜 다를까?]

그래, 그게 그런 뜻이었어. 나를 볼 때마다 물었던 저 질문의 의도가 바로 그런 의도였던 거야. 등불을 내려놓은 빌힐름이 무릎을 구부리고 나를 쳐다봤다.

[왜 다를까… 라고 생각했지. 연회에 참석한 누이를 볼 때마다 말이야. 항상.

매일. 왜 아그레인과 수잔은 다를까? 수잔은 갈색에 가까운 적발을 가졌는데, 아그레인의 머리칼은 왜 살아 숨 쉬는 불꽃처럼 선명한 적발일까. 수잔은 윗입술이 두꺼운데 아그레인은 왜 얇을까. 수잔은 손가락이 짧은데 아그레인은 왜 손가락이 길까.]

얼어붙은 것처럼 차가운 빌힐름의 손이 내 오른손을 잡아끌었다. 나는 불에 덴 듯 깜짝 놀라며 그에게서 손을 뺐다. 하하. 짧은 웃음소리가 들렸다.

[그건 그만 이리 줘. 아니면 방에 장식이라도 해 둘 생각이야?]

그가 팔을 뻗었을 때 나는 아버지의 머리를 더 강하게 끌어안았다. 빌힐름이 고개를 숙여 내 얼굴을 확인했다. 눈앞이 흐릿해 제대로 보이지는 않았으나, 그는 의아한 표정을 짓고 있었던 것 같다.

[울지 마. 네 머리 아니잖아.]

개새끼.

[이게 아닌가? 미안해, 아그레인. 살면서 누구를 위로해 본 적이 없어서. 네 머리가 떨어진 사과처럼 땅을 구르는 일은 없을 거야.]

나는 양쪽 귀를 막고 울었다. 아버지가 죽은 게 슬퍼서 우는 건지, 그가 두려워서 우는 건지, 킨이 걱정되어 우는 건지는 알 수 없었다. 그저 쉴 새 없이 눈물이 흘러서 숨쉬기가 버거웠다.

그러다가 문득 주체할 수 없는 분노에 몸을 일으켰다. 아버지의 죽음을 조롱하는 빌힐름을 용서하기 싫었던 것 같다. 손에 잡히는 족족 그에게 내던졌다. 얼마나 시간이 흘렀을까? 나는 빌힐름에게 양쪽 손이 잡힌 채 질질 끌려갔다.

[돌아가자. 집에 데려가 줄 테니.]

[놔.]

[너도 마음에 들 거야. 그랬으면 좋겠어.]

[놓으라고!]

[너무 슬퍼할 필요 없어, 아그레인. 네 오라비가 너를 기다려.]

발버둥을 멈추고 그를 올려다봤다. 내 시선을 의식한 빌힐름이 고개를 돌려 다정한 미소를 보였다.

[어서. 착하지?]

머리 위로 차가운 눈발이 떨어지고, 등 뒤로는 문 닫히는 소리가 들렸다. 킨. 제발, 킨은….

[내가 갈게.]

[어디를?]

[내가 수잔을 대신하면 되는 거잖아. 맞지? 그렇지? 내가 황성으로 갈게. 우리는 아무 것도 몰랐어, 제발 킨을….]

[알았으니 어서 마차에 올라. 재회는 누이가 움직여야만 가능하니까.]

빌힐름은 마치 생기 있는 인형처럼 느껴졌다. 아름답고 자상한 얼굴을 지니고 있었으나 사람처럼 보이지 않았다. 그는 나의 슬픔에 조금도 공감하지 못했고, 이해할 마음도 없는 듯했다. 그래서 더 무서웠다. 텅 빈 괴물이 사람을 흉내 내는 것 같아서.

마차를 타는 내내 두고 온 아버지의 머리가 잊히질 않았다. 빌힐름은 눈을 감고 있거나 혹은 창밖을 봤다. 그러다가 나와 시선이 마주치면 짧게 웃었다. 나는 무슨 희망을 갖고 있었던 걸까? 빌힐름이 나와 킨만은 용서해 주리란 희망이었던 걸까?

기나긴 길을 건너 마차의 문이 다시 열렸지만, 나는 내릴 수 없었다. 은하수 아래의, 활활 타오르는 저택에서 눈을 뗄 수 없었기 때문이다.

[이 불이 꺼지면 누이의 오라비를 볼 수 있을 거야. 하녀도, 시종도, 유모도.]

매캐한 탄내가 뇌를 흔들었다. 타오르고 있다는 점만 빼면 마차를 둘러싼 모든 풍경이 내게는 너무나 익숙한 것들이었다. 여자가 항아리를 기울고 있는 백색 분수대, 겨울잠을 자고 있는 라벤더, 은색 정원 테이블…. 저것들이 모두 불타면 내게 남는 것은 없다.

나는 굳은 몸을 일으켜 불 속으로 뛰어 들어갔다.

[킨!]

푹푹 파여야 할 눈이 반쯤 녹아내려 가고 있었다. 누군가 내 팔목을 잡아챘다. 거칠게 손을 휘둘렀으나 나머지 손 역시 꼼짝없이 잡히고 말았다.

[이거 놔, 킨! 킨이…!]

몸이 뒤집혔다. 발버둥을 쳤으나 힘에 부쳐 휘청거리다가 눈밭 위에 쓰러지고 말았다.

[아그레인 캐롤드.]

새까만 밤하늘 아래로 빌힐름의 적안이 보였다. 타오르는 불길에 그의 안면과 눈동자가 노란빛으로 일렁였다.

[그거 알아? '진짜'는 불사에 가까운 육체와 미래를 보는 눈을 지닌다는 걸.]

그의 눈빛은 너무나 평온해, 마치 다른 세계에 떨어진 기분이었다.

[너는 과연 진짜일까, 아그레인?]

[…킨을 살려 줘.]

[차차 알아 가면 되겠지. 서로 교감하고… 애정을 쌓으면서.]

[제발, 킨을… 유모를… 사람들을….]

불길에 거대한 무언가가 무너지는 소리가 났다. 하늘 위로 검은 연기가 한층 더 커다랗게 타올랐다. 그가 두려웠다. 내게 처음으로 완연한 무력감과 공포, 공허함을 선사한 빌힐름이 마치 죽지 않는 악마처럼 보였다.

[모든 것을 불태웠으니 처음으로 돌아가자, 누이. 내 옆에서 다시 시작하는 거야. 누이가 있어야 할 그곳에서.]

하얀 손이 내 뺨을 쓸었다. 축축한 물기가 그의 손에 닦여 나갔다. 멈추지 않는 울음으로 숨을 내쉬기가 버거웠다. 그런 나를, 빌힐름은 더없이 사랑스럽다는 눈빛으로 포옹했다.

[나는 네가 그 가짜처럼 고장 나지 않길 바라.]

추웠다. 꿈에서 깨어난 직후, 나는 관 속에서 일어서는 기분을 만끽했다. 차가운 겨울 땅 속에서 오랫동안 죽어 있다가, 다 썩은 시체가 되어 눈을 뜬 기분. 그 기분은 단순히 개 같다는 일차적인 감상만으로 표현할 수 없었다. 몰려오는 공허함과 후회, 분노에 다시 관이 닫히길 바랐다.

내가 아버지였다면, 나는 과연 어떤 선택을 했을까? 아버지처럼 자식을 대신할 희생자를 바쳤을까? 반역자로 몰려 멸문될 위기를 감수하면서까지? 그렇다면 아버지에게 나라는 존재는 캐롤드 가문의 존속보다 더 귀중했다는 의미일까? 아버지의 머리를 끌어안았던 그 감각이 아직도 두 팔 안에 생생했다. 싸늘했던 감촉을 되새기자 파도처럼 밀려오던 상념이 순식간에 자취를 감추었다. 아버지는 결국 죽었다. 식솔들은 모두 산 채로 불태워졌으며 수년이 흐른 후 나는 황성으로 돌아왔다. 무엇을 위해서?

'…나를 위해서.'

내가 가진 모든 것을 파괴한 황실에 복수하기 위해서.

며칠 만에 몸과 마음이 가벼워졌다. 머릿속이 또렷해지고 전신에 혈기가 도는 기분이었다. 그날, 나는 황성에 온 이래 가장 화려하게 몸을 치장했다. 이건 일종의 의식이자 의지였다. 향과 색, 그리고 빛으로 완전히 무장하여 그 어떤 공포에도 이정표를 잃지 않았으면 했다. 그리고 이정표를 따르기 위해서는 미래를 알아야 하며, 미래를 알기 위해서는 고통을 감수해야 한다.

'지금이 딱 좋은 시기야. 지금 해야 해.'

지금이라면 그 어떤 고통도 이겨낼 수 있을 것 같았다. 차갑게 굳어 있던 아버지의 머리와 겨울밤을 불태우던 캐롤드 저택의 모습이 내 두려움을 희석시켰다.

'하지만 너무 어지러웠어.'

출혈하는 상태로 정신을 잃으면 어떻게 될지 모른다. 발레리아도 없는 상태에서 혼자 자상을 내는 것은 멍청한 행동이었다. 그렇다면….

방을 나섰다. 손님들로 소란스러운 황성의 공기가 피부로 와 닿았다. 고작 하룻밤이 흘렀을 뿐인데 세상이 뒤집힌 것처럼 느껴졌다. 이 역겨운 곳에서 하루하루를 멍청하게 소비했던 어제까지의 내가 혐오스러웠다.

시종의 도움을 받아 목적지에 도착했을 때, 익숙한 여자의 목소리가 흐릿하게 들려왔다. 동시에 누군가가 문을 열고 방을 나왔다. 베르크네였다. 나를 알아챈 그의 눈이 살짝 커졌지만, 이내 늘 그랬듯 금방 평정심을 찾았다.

"이렇게 보니 캐롤드의 혈통이란 소리가 거짓은 아니었던 것 같군."

어떤 의미인지는 뚜렷했다.

"출신을 외양으로 판단하시나 봐요."

"눈에 보이는 것은 단순히 외양만이 아니다, 아그레인. 그 사람이 지닌 기질과 성품, 특히 움츠리고 있느냐, 아니냐 정도는 한눈에 알아 볼 수 있지."

"어떤 말씀인지 알 것 같아요. 적어도 제가 움츠리고 있지는 않단 뜻이겠죠."

그가 살피는 눈으로 내 얼굴을 훑었다. 오래간만의 재회에 반가워한다거나, 반대로 불편해하는 기색은 조금도 찾아 볼 수 없었다. 나는 베르크네의 그런 점이 좋았다. 그와 나 사이에 존재하는, 늘 한결같은 얇은 벽이 내 마음을 편하게 했다.

"한 계절도 흐르지 않았는데 사람이 완전히 달라졌군."

"안 바뀌는 게 더 놀라운 일 아닌가요? 이곳에서 저는 황자 전하의 손님인걸요. 계단을 청소하던 한낱 하녀는 이제 없어요."

"황성에 살면서 신분이 상승한 하녀나 집시쯤은 나도 많이 봐 왔다. 그들은 바뀐 게 아니라 바뀐 척했을 뿐이야."

"그럼 이게 진짜 저인가 보죠."

살짝 일그러져 있던 베르크네의 눈썹이 서서히 누그러지며 평온을 되찾았다. 그가 원한 답이기라도 했던 걸까? 힐끔 문을 응시한 베르크네가 말했다.

"안에는 아즈마리아 윌도 있다."

"알아요. 목소리가 들렸어요."

"귀가 좋군."

그야 잉고르드의 독에 중독된 상태니 좋을 수밖에. 내 어깨를 가볍게 두들긴 후, 베르크네는 통로를 돌아 사라졌다. 그의 걸음은 황성의 시종들만큼이나 곧았다. 베르크네도 원래는 황성의 사람이라 했었지. 그는 황성을 방문할 때마다 어떤 생각을 할까. 그리울까? 아니면 껄끄러움을 느낄까. 시종이 나의 방문을 알리기 전에 문을 열었다.

"아, 아가씨…."

방으로 들어선 순간. 나는 마치 잉고르드로 돌아온 듯한 느낌을 만끽했다. 긴장한 낯으로 차를 들이키고 있는 아즈마리아와, 멀찍이 떨어진 창가에 몸을 기대고 있는 리히튼. 그 곁에 선 힐마르티노와 조나단 부인을 제외하면 퍽 익숙한 풍경이었다. 이제는 조나단 자매마저 익숙해졌지만.

"…수잔?"

나를 가장 먼저 반긴 건 아즈마리아였다. 아니, 반겼다기보다는 경계하는 눈치가 만연한 것을 봐선 내가 한 번쯤 이곳을 찾아올 거라 확신하고 있었던 듯했다. 리히튼이 내게서 눈을 떼지 않는 동안 그 옆에서 대화를 나누던 힐마르티노가 헛웃음을 지었다.

"저거는 시건방짐이 하늘을 찔러. 여기가 어디라고 발을 들이미는 걸까? 혹시 못자리 확인하러 온 거니?"

"힐."

조나단 부인이 힐마르티노를 나무랐다. 그러나 누가 나무란다고 하여 욕을 멈출 여자는 아니었다.

"이래서 얼굴만 쓸 만한 것들은 예뻐해 줄 가치가 없어. 그렇게 발정 난 공작새처럼 꾸미고 오면 넘어가 줄 줄 안 거냐?"

말하는 꼴 하고는. 나는 아즈마리아의 건너편에 앉은 즉시 눈을 치켜떴다.

"언제 나를 예뻐해 줬다고 그래?"

"네 목숨이 무사한 게 그 방증이란다."

"사람을 낙마시키는 게 조나단 가문에서 애정을 표현하는 방법인가 보네. 너무 끔찍해서 빌힐름이 울고 가겠어."

빌힐름을 언급하자 힐마르티노는 금방 입을 다물었다. 세상에 제 적은 없다는 듯 망나니처럼 구는 여자가 빌힐름 앞에서는 아닌 티를 내는 게 재밌었다. 이해했다. 미친 것들에게도 급이 있기 마련이니까. 찻잔에 차를 따르고, 식기 위로 잘린 케이크를 옮기는 내내 아즈마리아의 눈은 내게 박혀 있었다. 그녀의 열렬한 관심과 애정을 독차지하는 기분이라 반응해 주지 않을 수 없었다.

"안녕, 아즈마리아. 잘 지냈니? 너는 정말 겁도 없구나. 그 점은 본받을 만해."

"고맙군요. 그쪽은 잘 지내나 봐요."

"덕분에."

아즈마리아는 의식적으로 내게서 눈을 틀었다. 언행을 최대한 조심하려는 게 느껴졌다. 리히튼은 나의 방문에 놀란 기색 없이 차분히 기다리고 있었다. 홍차를 한 입 마신 후 그를 불렀다.

"리히튼."

대답을 대신하듯, 그의 짙은 속눈썹이 느리게 깜빡였다.

"네가 필요해서 왔어. 이렇게 많은 사람이 있을 줄은 몰랐지만…."

그것도 심지어 탐탁지 않은 사람들만 용케 모여 있지 않은가? 조나단 자매와 아즈마리아라니. 여기에 빌힐름만 들어온다면 기름을 두르고 불을 붙일 수 있을 것 같았다.

"괜찮다면 사람들을 물려 줄래?"

탁. 창문 닫히는 소리가 났다. 흘러 들어오던 겨울바람을 봉쇄한 리히튼은 팔을 뻗어 커튼을 끌어 내렸다. 소음 속에서 아즈마리아의 턱없다는 헛웃음이 들려왔다.

"이래서 천출은."

아즈마리아가 저런 말도 할 줄 아는 여자였던가? 나는 그녀의 유리알처럼 맑은 눈동자를 가만히 들여다봤다. 하기는, 소설『태양이 흐르는 강』속의 빌힐름과 실제 빌힐름도 같은 인물이라 보기 어려우니까. 내가 안다고 생각하는 아즈마리아보다 눈앞에 앉아 있는 아즈마리아가 그녀의 본성에 더 가까울 수 있겠다.

"황실에서 몇 달 지냈다고 당신의 지위가 공작 각하를 웃도는 줄 아는 건가요?"

내게 아즈마리아의 비난은 투정처럼 들렸다. 그래서인지 화는커녕 가소롭지도 않았다.

"너는 말을 너무 비약적으로 해, 아즈마리아. 부탁이라는 건 지위에 관계없이 누구든 할 수 있는 거야."

"나는 당신에게 하대를 허용한 적이 없어요."

"나도 알아."

아하하! 어디선가 커다란 폭소가 터졌다. 확인해 보지 않아도 힐마르티노의 경박한 웃음소리임은 자명했다.

"흐흥. 아그레인은 맹랑한 게 매력이긴 하지. 설마 리히튼 각하 앞에서까지 그럴 줄은 몰랐지만."

그때, 아즈마리아의 새하얀 낯 위로 짙은 의문이 드리워졌다.

"아그레인이라고요?"

그녀는 나의 얼굴을 한 번, 그리고 힐마르티노의 얼굴을 한 번 확인했다. 이윽고 아즈마리아는 힐마르티노의 시선이 내게 고정되어 있는 것을 확인하곤 멍청한 얼굴이 되었다.

"그게 무슨…."

"너. 너 맹랑하다고."

나의 대답을 아즈마리아는 납득하지 못하는 기색이었다. 마지막 커튼이 닫히자 방 안은 깊은 동굴 속에 갇힌 것처럼 어둡고 고요해졌다. 리히튼은 말없이 등불을 켰다. 그의 발걸음 소리만 울리는 와중에도 방을 벗어나는 사람은 없었다. 조나단 부인은 오히려 내가 어떤 부탁을 할지 무척이나 궁금해하는 눈치였다. 나는 짧게 한숨을 쉬었다.

"리히튼. 솔직히 말해서 나는 이들이 전부 남아 있어도 상관없어. 조금 남사스러울 것 같기는 하지만."

리히튼은 고개를 틀어 내 얼굴을 확인하지도 않았다. 킥킥 웃은 힐마르티노가 내가 앉은 소파의 옆자리로 몸을 던졌다.

"각하. 오늘 오후는 제게 시간을 할애한다고 약속하셨잖아요."

질세라 뱉어진 아즈마리아의 발언에 힐마르티노가 내게 속삭였다.

"재밌어라. 저 아가씨보다는 우리 예쁜이가 한 수 위인가 봐. 쯧쯧, 겁이 나서 제 입으로 바짓가랑이를 붙잡네."

아즈마리아의 눈빛이 절벽 앞으로 밀려난 것처럼 한없이 불안했다. 그녀는 급히 자리를 일어서 대답 없는 리히튼에게로 다가갔다. 힐마르티노에게는 그녀의 노골적인 구애가 퍽 인상 깊은 모양이었다.

"무려 각하의 약혼자이신데 말이야…. 과거의 사랑까지 물리치고 매의

둥지로 숨어 들어온 소녀, 아즈마리아 윌. 아그레인, 네가 그 분홍빛 서사를 이긴다고?"

"그야 약혼자가 아니니까."

"흐음?"

가볍게 대답하자 힐마르티노가 눈을 얇게 뜬 채 내 표정을 살폈다. 나는 그런 그녀의 얼굴에 대고 싱긋 웃음을 지어 주었다.

"그런 건 당장 오늘에라도 깨부술 수 있거든."

여섯 번째 등불이 밝혀진 후에야 리히튼은 아즈마리아에게로 고개를 돌렸다. 노란빛에 밝혀진 리히튼의 이목구비는 곧고 선명했으나, 그것이 전부였다. 그는 아즈마리아의 존재를 달가워하거나 귀찮게 여기지 않았다. 그냥, 그 자리에 서 있기에 그녀의 말을 들어 주는 것처럼 보였다.

"너는 대체 무엇을 어디까지 알고 있는 걸까?"

힐마르티노의 목소리에는 노골적인 흥미가 깔려 있었다. 나는 대수롭지 않게 대답했다.

"자문하는 거야? 좋은 대답을 생각해내길 바랄게."

곧 분한 얼굴이 된 아즈마리아가 리히튼으로부터 등을 돌렸다. 그녀는 거친 걸음으로 실망했다는 기색을 풀풀 풍기며 방을 벗어났다. 이윽고 다가온 리히튼이 정중한 미소와 함께 입을 열었다.

"후작, 그리고 부인. 괜찮다면 시간이 나는 대로 만남을 잇도록 하겠습니다."

"어쩔 수 없군요. 알겠습니다."

조나단 부인의 시선이 한차례 나를 훑고 멀어진다. 한껏 아쉬워하는 표정으로 한숨을 쉰 힐마르티노가 내 어깨에 이마를 한 번 기댄 후 일어섰다.

"너 너무 재밌다."

너처럼 제정신이 아닌 사람만 할까. 둘이 떠나자 너른 방 안에는 무겁고 건조한 적막이 돌았다. 리히튼은 테이블을 가볍게 돌아 힐마르티노가 앉았던 내 옆자리에 자리를 잡았다. 그와 나 사이의 간격은 고작 한 뼘이었다. 한 뼘만 가까이 다가가면 어깨가 닿을 거리에서 리히튼이 나와 눈을 맞추었다.

"이 정도면 충분하겠지."

예전에는 몰랐는데, 지금은 알 수 있었다. 단둘이 남았을 때 그의 목소리는 타인이 함께 할 때보다 훨씬 낮고 부드러웠다. 더불어서 조금 더 느리고 끝이 늘어지는 느낌이 든다. 그 사실을 인지하자 나는 그의 숨이 코앞에서 떨어지는 듯한 착각이 일었다.

"말했듯, 리히튼. …나는 네가 필요해서 왔어."

리히튼의 시선이 내 뺨과 눈, 코, 입, 턱 곳곳으로 엉켜들었다. 솔직하게 말하자면 나는 그의 맹목적인 관심에서 안정을 얻는다.

"하지만 이건 변명에 불과해. 사실 나는 네게 자존심을 세우러 온 거야. 너는 모르겠지만… 아니, 누구보다 잘 알겠네. 나는 이 일에 관해서만큼은 자존심이 꽤 세거든."

이쯤이면 내가 찾아온 이유에 대해 물어봐야 했다. 하지만 리히튼은 내 쪽으로 상체를 비스듬히 튼 채 눈을 맞추기만 할 뿐, 별다른 반응을 보이지 않았다. 침묵에 가라앉기 일보 직전, 결국 참지 못하고 그에게 물었다.

"왜 그런 눈으로 봐?"

"입 맞추고 싶어서."

너무 황당한 대답이라 나도 모르게 얼굴 근육이 풀렸다.

"뭐?"

"다른 이들에게 보이기 남사스러운 일이란 게 그것 말고 더 있나?"

본능적으로 고개를 돌려 방 안을 살폈다. 그림자가 내려앉은 실내에는 나와 그밖에 없었고, 문은 굳게 닫힌 상태였다. 리히튼은 그런 소릴 한 주제에 조금도 아무렇지 않아 보이는 뻔뻔한 낯을 하고 있었다. 어떻게 사람이 이렇지?

"그런 의미로 한 말이 아니란 걸 알잖아."

그래, 알겠지. 리히튼이라면 알면서도…. 그가 팔을 뻗었다. 차가운 손끝이 내 콧등을 타고 떨어졌다.

"아그레인. 네가 그렇게 오늘이 마지막인 것처럼 치장하고 올 때마다…."

그리고 내 턱을 감아쥐어 부드럽게 끌어당겼다.

"내가 무슨 상상을 하는지 죽어도 알 수 없을 거야."

입술 위로 숨이 떨어졌다. 그의 몸이 나를 소파 아래로 천천히 내리눌렀다. 손바닥 아래로 느껴지는 리히튼의 어깨는 무겁고 단단했으며 또한 사나웠다. 그와의 간격이 좁아질수록 선명한 고양이 머릿속을 불태웠다.

"아…."

리히튼이 나를 안아 침대 위로 눕혔다. 그의 입술은 나의 턱과, 목, 어깨, 그보다 더 아래를 오가며 뜨거운 자국을 남겼다. 나는 그를 거부할 수 없었다. 그와 숨을 나눌 때마다 죽어 있던 온몸의 신경이 되살아나는 기분이었다.

"무엇이든 해, 아그레인."

리히튼이 자신의 목을 휘감고 있던 나의 팔을 풀었다. 부드러우면서도 강인한 힘이 내 손을 침대 위로 떨어뜨렸다.

"오직 내 앞에서만."

그건 정말로 순식간의 일이었다. 날카로운 단도가 왼쪽 손바닥을 꿰뚫고 침대에 박혔다. 비명을 지를 틈도 없이, 시야가 뒤집히며 수백, 수천 개의 목소리가 내 머릿속을 뒤덮었다. 숨이 막히고 심장이 갈비뼈를 뚫고 나올 듯 가쁘게 뛰었다. 시야가 흐릿한 와중에 뜨거운 입술이 내 뺨에 닿았다.

"아그레인, 집중해. 고통보다 중요한 게 네 앞에 있잖아."

수많은 목소리들 틈에서 몇 가지만이 또렷해지기 시작했다. 그건 황제의 웃음소리였다. 이윽고 자각몽을 꾸듯 눈앞에 흐릿하면서도 선명한 그림이 그려지기 시작했다.

황제는 팔을 뻗었다. 흑색 소매가 트레이에 닿는다. 주름진 두터운 손가락이 황금색 술잔을 잡았다. 왼쪽에서 세 번째. 중앙에서 위쪽 잔을. 시종이 황송하다는 듯 허리를 숙였다. 이윽고 귀족들이 뒤따라 팔을 뻗어 술잔을 가져갔다.

'오늘 사냥은 만족스럽군. 아주 만족스러워. 더할 나위 없이 기쁜 날이야.'

'하늘도 폐하의 탄생일을 축복하는 모양입니다.'

푸르륵. 말이 고개를 흔드는 소리가 들린다. 모두가 즐겁다는 듯 목을 젖히고 웃었다. 그 웃음소리를 끝으로 나는 눈을 떴다. 동시에 극심한 통증이 왼쪽 손에 몰려 왔다.

"읏…."

몸이 미치도록 무거웠다.

"진통제가 필요하면 서랍 첫 번째 칸에서 가져가."

이윽고 어둠을 뚫고 리히튼의 목소리가 들려왔다. 나는 멍하니 눈을 깜빡였다. 천천히 고개를 돌리니 창밖에 떠오른 흐릿한 달이 눈에 들어 왔다. 10분도 채 흐르지 않은 것 같은데, 어느새 밤이 찾아온 것이다.

"…내가 잠들었어?"

"바로 정신을 차릴 때도 있지만, 육체의 피로도가 높은 날은 정신을 잃기도 하지."

둘 모두 '미래를 본 후'라는 전제 하에 일어나는 일이었다.

'역시 나에 대해서는 나보다 더 잘 알아.'

떨어져 나갈 것 같은 손을 쥐고 몸을 일으켰다. 등 뒤가 식은땀으로 축축했다.

"지금쯤이면 진통제의 효과가 서서히 풀리고 있을 거다. 완전히 풀리기 전에 서랍을 열든가, 아니면 고통을 참든가."

진통제라면 내 방에도 있었다. 이슬라의 환청. 약제 중에서 가장 강한 진통 효과를 지닌 약제이기도 하니까.

'내가 방금 본 그 장면이… 미래.'

그런데 왜 하필 그런 특징 없는 미래를 본 것일까. 애초에 불특정한 장면만 볼 수 있는 건가? 아니면…. 나는 문을 열기 전에 잠시 걸음을 멈추고 리히튼을 바라봤다. 그는 등불 옆에서 책장을 넘기고 있었다. 내가 억지로 끌어 내렸던 타이가 다시 가지런하게 매여 있었다.

"이곳에서 하룻밤을 보낼 생각이라면, 나는 상관없어. 오히려 환영할 일이지."

리히튼은 내가 그리 하지 않으리란 걸 알고 있었다. 가만히 그를 응시하던 나는 조용히 문을 열고 방을 나갔다. 어쩐지 리히튼의 곁보다 고요한 황성의 공기가 더 차가운 기분이었다. 화롯불 안에 손을 집어넣은 것처럼 손등과 손바닥이 홧홧했다. 그날 밤은 고통이 이만저만이 아니라, 비비안느에게서 받았던 이슬라의 환청을 사용해야 했다.

'이런 식으로 사용하게 될 줄 몰랐는데.'

단 한 번도 사용한 적 없었던 유리병의 뚜껑을 열었다. 입으로 열었기 때문인지 가루가 쏟아져 나왔지만, 상관 않고 소량을 입 안에 털어 넣었다. 이제 안 아프겠지. 아마 그럴 거야. 그러나 약의 효과는 조금도 느낄 수 없었다.

다음날. 꿈쩍도 못할 거라 예상했던 것과 달리, 왼손의 상태는 놀랍도록 호전되어 있었다.

'그거 알아? 진짜는 불사에 가까운 육체와 미래를 보는 눈을 지닌다는 걸.'

불사에 가까운 육체.

"설마."

그러고 보니 별채에서 생긴 상처는 어떻게 됐더라? 언제 완전히 나았지? 아니, 다음날 고통을 느끼기는 했었나? 순간, 머릿속을 스친 벼락같은 깨달음에 침대에서 몸을 일으킨 즉시 방을 나섰다. 그리고 주방으로 들어가 아무 하녀나 잡아 물었다.

"발레리아… 아니, 나타샤 폴은 어디에 있니?"

눈 밑이 거무죽죽한 하녀는 나의 질문에 겁먹은 눈이 되어 어깨를 움츠렸다.

"나, 나타샤는 여기 없어요."

"뭐?"

"주, 죽었어요."

하녀의 어깨를 잡고 있던 두 팔에 힘이 풀렸다.

"어떻게?"

두 손을 달달 떨던 하녀가 등을 돌려 주방 밖으로 뛰쳐나갔다. 나는 멍하니 서서 힐끔 훔쳐보기 바쁜 하녀들을 응시했다. 그들의 시선에는 두려움이 만연했다. 나와 눈이 마주치면 급히 고개를 돌려 어깨 아래로 푹 숙였다.

그야말로 누구 하나가 도망가도 이상하지 않을 아슬아슬한 분위기였다.

"아가씨."

그때, 하녀장이 멀거니 선 내 곁으로 다가왔다. 그녀는 나를 이끌고 주방을 나가 한산한 복도의 구석에 멈춰 섰다. 다른 하녀들과 달리 차분한 낯이었다.

"나타샤의 시체는 며칠 전에 장의사에게 넘겨졌습니다."

"언제 죽은 거지? 무슨 일로?"

"자세한 건 아무도 모릅니다. 새벽 내내 고통으로 울부짖다가 피를 토하더니, 결국 숨이 끊겼죠. 그 일이 일어난 뒤로 같은 방을 쓰던 하녀들 사이에 불경한 소문이 돌고 있습니다. 아가씨의 눈에 띄면 무사하지 못하다는 소문이…."

뒷말은 귀에 들어오지 않았다. 다만 생각지도 못한 결과에 머릿속이 어지러웠다. 두 번째 발레리아, 나타샤가 죽은 이유는 간단했다. 잉고르드의 독은 애초에 인간이 적응할 수 있는 독이 아니었다.

'오직 나라서 가능했던 거야.'

내 육체가 불사에 가까웠기에 독에 굴복하지 않고 끝끝내 해독까지 성공했던 것이다.

'베르크네가 잉고르드의 독에 중독됐다는 건 거짓말이었어. 그럼….'

리히튼도 독을 삼킨 적이 없던 걸까? 헷갈렸다. 하지만 그 역시 잉고르드 대대로 내려오는 '힘'을 가졌다는 이유로 황성에 갇혀야 했다.

'잉고르드의 힘은 뭘까.'

하나하나 천천히 정리하려던 참이었다. 주변을 살피던 하녀장이 내게 몸을 바짝 붙이며 속삭였다.

"리히튼 각하께서 이 이야기를 들으면 흡족해하실 겁니다. 나타샤는 며칠 전에 갑자기 들어온 아이거든요. 귀하신 분의 명이라고 전달받았었기에 거부할 수 없었습니다."

"…리히튼?"

이게 무슨 말이지? 뜬구름 잡는 소리를 하는 것치고는 하녀장의 표정이 더없이 진지했다. 그녀는 이전과 달리 날카롭게 벼려진 눈을 하고 있었다.

"나타샤는 황제가 발레리아를 사냥했던 날 직후에 들어왔습니다. 아마 발레리아를 치우고 나타샤를 이용해서 아가씨의 일거수일투족을 감시하려는 계획이었겠지요."

아. 나도 모르게 감탄사가 터졌다.

"마침 각하께서 황성을 방문하신지라 말씀을 전하려 했는데… 그전에 아가씨께서 해결하신 덕에 일이 쉽게 풀렸습니다. 그러나 앞으로는 더욱 조심하셔야 합니다. 황제의 귀에도 들어갔을 테니, 아가씨를 더욱 예의주시할

게 분명합니다."

놀라웠다. 설마 황성의 하녀장이 리히튼의 사람이었을 줄이야. 덕분에 나타샤가 황제의 끄나풀이었다는 사실에 상대적으로 담담할 수 있었다. 그렌페르크 제국의 중심에 더 깊숙이 파고들수록, 리히튼이라는 인물은 더 의문에 휩싸인다. 고작 황성의 개에 불과했던 그가 어떻게 이 모든 걸 손에 쥘 수 있었을까? 나는 하녀장에게 질문했다.

"약초를 판다던 그 아이의 노부는? 어머니와 두 동생이 불치병으로 일어서지 못한다고 들었어."

하녀장은 당연하다는 표정으로 대꾸했다.

"그 거짓말을 믿으세요?"

질문한 내가 바보처럼 느껴질 정도로 확고한 답이었다. 그런가. 황성은 모두 거짓말만 하는구나. 나 또한 마찬가지이니 당연한 일인가. 칼날에 관통 당했던 손등을 내려다봤다. 편두통처럼 따라오는 고통은 여전했으나 고작 하루가 지난 것치곤 놀랍도록 호전된 상태였다. 나타샤는 아마 독에 의해 내장이 녹아 가는 고통을 느끼며 죽었을 것이다. 철저히 나의 판단 착오하에 벌어진 일이었다.

하지만 나타샤의 죽음을 전해 들었을 때, 나는 미약한 죄책감도 느끼지 않았다. 오히려 그녀가 황제의 끄나풀이었다는 소리를 들은 후에는 그녀의 죽음에 안도했다. 번거롭게 상대할 필요가 없어졌다는 이유 하나로.

'나나 빌힐름이나 다를 바 없네.'

하지만 내 바람을 이루기 위해서라면, 인간성의 부재 따위는 중요한 일이 아니라고 생각됐다. 바람을 쐬기 위해 성 밖으로 걸음을 옮겼다. 차가운 겨울바람이 뺨을 두드리고 지나갔다. 어떤 빌어먹을 우연인지는 몰라도, 빌힐름으로 분명해 보이는 뒷모습이 낯선 여자와 함께 계단 아래에 서 있었다. 나를 발견한 빌힐름이 내 쪽으로 몸을 틀었다. 그리고 다가오라는 듯 가볍게 턱짓했다.

'인사라도 나누자고? 뻔뻔하긴. 황성에는 죄다 거짓말쟁이에 뻔뻔한 것들뿐이야.'

나는 그를 위해서 기꺼이 계단을 내려갔다. 누군가와 만날 꼬락서니가 아님에도 괘념치 않았다. 빌힐름의 곁에 선 여자는 윤기 나는 적발을 곱게 틀어 올린, 보기 드문 미인이었다. 누굴까 싶었던 차에 떠오르는 이름이 있었다.

'마가렛 헨서웨이.'

빌힐름의 비공식적 연인.

"좋은 아침이에요, 빌힐름."

빌힐름은 건방진 호칭에도 전혀 당황하지 않았다. 그는 오히려 내 오른손을 끌어 손등에 부드럽게 입을 맞추었다.

"좋은 아침입니다. 내 착각이 아니라면 낯빛이 안 좋아 보이는군요, 아그레인."

"그럴만한 일이 있었거든요. 한데 이분은?"

잠시 당황스러워하던 여자가 곧 능숙한 웃음을 만들어냈다.

"저는 마가렛 헨서웨이에요. 그리고 보통은 이름을 묻기 전에 본인의 신분부터 밝히는 게 예의이죠."

"멸문한 가문 출신의 숙녀에게 신분이랄 게 있나? 나는 아그레인 캐롤드예요. 굳이 신분을 따지자면… 빌힐름의 손님 정도?"

내 귀로 들어도 경박한데 멀쩡한 귀족 아가씨 귀에는 얼마나 경박하게 들릴까, 싶었다. 반응이 훤히 보이는 얼굴을 보는 게 이상하게 즐거웠다. 힐마르티노가 이런 기분으로 나를 상대하는 걸까?

"만나서 반가운데, 우리 악수라도 할까요?"

마가렛은 내 제안에 동조하지 않았다. 나는 그녀의 손을 억지로 끌어서 악수했다.

"…뭐 하는 거죠? 기분 나쁘게."

마가렛이 얼굴을 일그러뜨리며 손을 빼냈다. 솔직하네. 아즈마리아였다면 억지로라도 웃었을 텐데.

"황성에서 꽤 지냈다고 들었는데, 무례하기가 힐마르티노 각하 빰치네요."

"그런가요? 의자매라 그런가. 원래 자매끼리는 닮는다잖아?"

내가 아무렇지도 않게 거짓말을 하자 마가렛이 어이없다는 얼굴을 했다. 나는 그녀가 한 번 더 입을 열기 전에 빌힐름에게로 고개를 돌렸다.

"아즈마리아와는 전혀 다른 느낌의 영애네요. 분위기도, 말투도. 사실은 이쪽이 당신의 진짜 취향인 건가요?"

"하!"

"어떻게 보면 나와 닮은 것 같기도 하고. 혹시 일부러 저와 비슷한 여자를 만드신 건지."

빌힐름의 선한 얼굴에선 여전히 조금의 동요도 느껴지지 않았다. 나의 조롱과도 같은 언사에 화를 낸 건 그가 아닌 마가렛이었다. 그녀가 무어라고 지껄이는 동안 빌힐름의 시선은 오롯이 한 곳을 향해 있었다.

"손등의 상처가 큽니다, 아그레인."

바로 내 왼쪽 손등에. 꿈속에서 날 내리누르던 빌힐름의 얼굴이 떠올랐다. 빌힐름은 과연 어떤 방식으로 내가 '진짜'임을 실험해 봤을까?

"모든 일에는 대가가 필요하더라고요."

"그래서 원하는 것은 얻었습니까?"

빌힐름이 초원에 부는 미풍처럼 따사로운 미소를 지었다. 누가 보더라도 자애롭고 상냥한 웃음이었다. 무언가 이상했다. 왜 나는 미래를 읽는 힘을 지녔으면서도, 이 남자의 울타리에서 벗어나지 못했는가. 혼자 행동하기에는 새끼 오리처럼 몹시 허약해서? 벗어날 용기가 없어서? 아니다. 과거의 내가 고작 그런 이유로 시간을 허비했을 리 없었다.

"…언젠가는 얻겠죠."

그 이유를 알게 되기까지는, 적어도 미래를 보는 힘에 대한 발언은 조심해야겠다고 마음먹었다.

"가능한 몸을 아끼는 게 좋습니다. 고통이 즐겁지만은 않을 텐데."

빌힐름이 대수롭지 않은 어투로 대답했다. 키우는 애완동물을 놀리듯 미세한 장난기가 밴 음성이었다. 심장이 빠르게 뛰었다. 확실했다. 어떤 이유에선지 몰라도 그는 내가 미래를 볼 수 없다고 단정하고 있었다. 빌힐름의 눈과 입술과 목소리가 그리 말하고 있었다. 이걸 이용해야 한다. 단언컨대 몇 없는 기회였다.

"어젯밤부터 식사를 못해 허기가 지네요. 인사는 나누었으니 먼저 올라가 봐야겠어요."

"아쉽군요. 제 취향은 안 듣고 가십니까?"

"제가 듣기에는 너무나 끔찍할 취향일 것 같아서."

빌힐름이 요새와 같던 평정을 잃고 웃음을 터트렸다. 커다란 웃음소리가 내 고막을 두들겼다. 나는 굳은 표정의 마가렛을 두고 도망치듯 그 자리를 벗어났다.

'시간이 얼마 없어.'

시간이 흐르면, 내가 아무리 조심한다고 해도 미래를 본다는 사실이 밝혀질 수밖에 없다.

'그러니 빌힐름이 방심하고 있는 지금을 노려야 해.'

수많은 미래 중에서, 나는 왜 그 미래를 봤을까? 왜 하필 귀족들이 모여 있는 한가운데서, 황제가 술잔을 고르던 미래를 봐야 했을까. 조금 늦었지만, 나는 지금에서야 그 이유에 대해 알 수 있을 것 같았다.

'죽이면 되는 거야.'

모레 열리는 탄생연에서 나는 황제를 죽일 것이다. 그것이 내가 바라는 첫 번째 미래이자 복수이므로.

저녁이 다 되어 가는 시간에 빌힐름의 시종이 내 방을 방문했다.

시종이 내게 건넨 서신에는 리히튼의 필체보다 훨씬 경직되고 화려한 필체가 적혀 있었다.

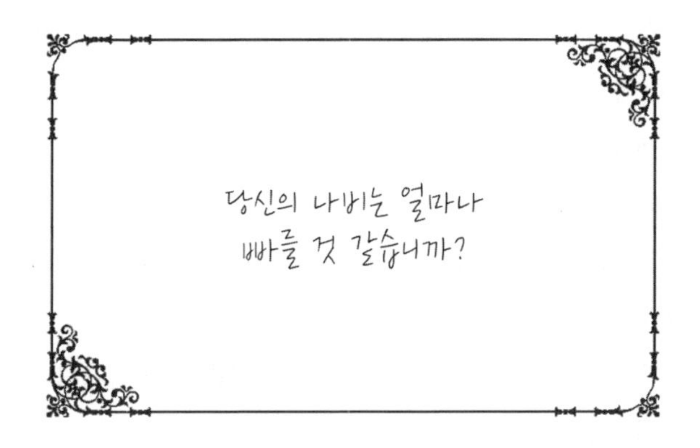

낮술이라도 한 건가. 헛소리를 적어 보낼 줄이야. 그러나 그 밑에 짧게 적힌 내용을 확인한 후에는 생각이 바뀌었다. 빌힐름은 오늘 저녁에 가까운 손님들을 초대해 나비 경주를 할 계획이라고 했다.

"아가씨께서 필히 참석했으면 한다고 전하셨습니다."

사흘에 한 번씩 얼굴을 보기로 했으나, 어제 저녁에는 처음으로 그를 찾아가지 않았다. 얌전히 대화만 나눌 자신이 없었기 때문이다.

"그러지."

나의 긍정에 빌힐름의 시종이 만족스러운 얼굴로 방을 나갔다. 나비 경주. 귀족들의 놀이란 참 고상하기도 하지. 까만 레이스 장갑을 벗어 왼쪽 손등의 상처를 확인했다. 이제는 피딱지도 거의 아물어 가고 있었다.

'괴물이구나. 이건 괴물이나 다름없어.'

그만큼 쓸모 있는 몸이란 뜻이니 만족스러웠다. 약속된 시간이 이십 분 가량 흐른 뒤에 빌힐름의 방으로 향했다. 황성의 동쪽 구역 꼭대기 층에는 황제의 방, 그 아래층에는 빌힐름의 방이 위치한다. 때문에 이층에 거주하는 내가 계단을 오르는 도중에 황제의 방문자를 만나는 건 흔한 일이었다. 그 얼굴이 베르크네일 경우도 있다는 건 생각지 못했었지만.

"아그레인."

베르크네는 멀끔하고 고리타분한 모습이었다. 그리고 나는 그런 베르크네가 이상하게 반가웠다.

"베르크네. 황성이 좁으니 자주 만나네요."

"그렇군."

나는 그가 멈춰선 계단의 위쪽을 올려다봤다. 여기서 더 위쪽은 황제의 방이 위치한 꼭대기 층이 전부였다.

"황자를 찾아가는 건 아닌 것 같고, 황제 폐하를 뵈러 가시나 봐요."

"정확하게는 불려 가는 거다."

"불경죄라도 지으셨어요?"

베르크네는 평온한 얼굴로 대답했다.

"아니. 내가 폐하의 눈이며 팔이고 귀이니까."

처음에는 그 뜻을 이해하지 못했다. 과거에는 어땠는지 몰라도, 현재는 리히튼의 사람인 그가 황제의 수족이 될 수 없다고 여겼기 때문이다. 하지만 베르크네가 이중 첩자라면 이야기는 달라진다.

'그리고 이중 첩자라는 사실이 중대한 비밀이었다면 내게 밝히지 않았겠지.'

내 표정이 영 좋지 않았는지, 베르크네가 한 번 더 입을 열었다.

"때로는 평화를 위해 적당한 선에서 합의해야 할 때가 있다. 서로의 목적에만 부합한다면 말이야."

황제와 리히튼이 합의 하에 서로의 정보를 나눈다는 의미였다. 리히튼은 대체 어디까지 손을 뻗고 있는 거지? 이제는 놀랍지도 않았다.

“그럴싸한 소리네요. 그러고 보니 베르크네 씨에게 묻고 싶었던 게 있었어요.”

“노닥거릴 시간은 없으나 기꺼이 들어 주도록 하지.”

“잉고르드의 독에 중독된 적 없죠?”

베르크네는 한 박자 늦게 대답했다.

“그래.”

“고마워요.”

베르크네도 거짓말이란 걸 하는구나. 돌려 말하면 말했지, 누굴 속일 사람은 아니라고 생각했는데. 볼일은 그것으로 끝이냐는 듯 눈으로 묻던 베르크네가 몸을 돌려 계단을 올라갔다. 잠시 고민하던 나는 그를 다시 불러 세웠다.

“베르크네 씨, 하나만 더 여쭐게요.”

다행히 그는 귀찮은 티를 내지 않고 나와 눈을 맞춰 주었다.

“오늘이 폐하를 뵐 마지막 기회라면, 그분에게 어떤 질문을 올리고 싶으세요?

이번에는 칼같이 답이 나왔다.

“후회하지 않는지.”

그 후회가 무엇에 관한 걸까? 어차피 알아낼 수 없을 사안일 테니 질문을 목 안으로 삼켰다.

“그럼, 그 질문. 꼭 오늘 여쭤보세요. 저 요즘 그 명언에 푹 빠져 있거든요. 오늘이 마지막인 것처럼 살아라….”

“조언 고맙군. 감사의 의미로 나 또한 한 마디 남기도록 하지.”

이어서 언급된 이름은 전혀 예상하지 못한 이름이었다.

“킨은 네가 아그레인임을 아직 몰라.”

"…그런 건."

뒤통수를 후려 맞은 듯 머리가 멍했다. 나의 배다른 형제. 척박한 북쪽의 땅에서 유일하게 나의 친구였던 인물. 이제는 둘만 남은 캐롤드의 후계자. 킨이 무너져가던 캐롤드 저택의 불길에서 어떻게 살아남았는지는 모르겠지만….

"굳이 알 필요 없으니 평생 모르라고 하세요. 그리 중요한 사실도 아니잖아요?"

그가 나를 알고, 혹시라도 나를 찾아 황성에 온다 한들 무엇이 달라질까. 나는 똥통을 구를 생각이었다. 하지만 킨까지 그럴 필요는 없었다. 베르크네와 헤어진 후 곧장 빌힐름이 안내했던 다른 방으로 향했다. 문 바로 앞에서도 시끄러운 소리가 들려왔다.

"아아. 들어가기 싫어."

문을 열어 주던 시종이 힐끔 내 눈치를 살폈다. 하지만 나는 이용할 수 있는 건 죄다 이용할 생각이니까, 이런 초대에는 응하는 게 옳았다. 나는 방 안으로 발을 디뎠다.

"엉덩이 저리 치워!"

"이것 봐요. 내 아이는 다리가 더 길어. 가장 빠를 거라구."

"이번에는 뭐라도 거는 게 어떤가? 경주만 즐기려니 좀이 쑤시는군."

방의 내부는 그야말로 엉망진창이었다. 타이를 풀어 헤친 채 소리치는 남자들과 술에 빠져 새빨개진 얼굴로 소리치는 귀부인들이 한데 뒤섞여 요란한 꼴을 보이고 있었다. 어디선가 꺼림칙한 탄내가 풍겨오기도 했다. 나는 이 향의 정체를 알고 있었다.

'이슬라의 환청.'

마약까지 즐기는 건가. 아주 살 판 났군. 각자 뒤엉켜 놀기 바빴기에 방에 들어서도 이목이 집중되지 않은 건 좋았다.

"그 나비는 날개가 크잖아요. 무거우니까 뒤뚱뒤뚱 걷지!"

"고작 예쁘다는 이유로 선택한 머저리가 누구일지 궁금해."

걸음을 옮겨 사람들이 가장 많이 모여 있는 곳으로 향했다. 그들은 모두 등을 굽히고 바닥을 살피기에 여념이 없었다. 그곳에는 나비가 기어가고 있었다.

'…날아가는 속도로 경주하는 게 아니었어.'

날개는 장식에 불과했다. 두꺼운 책으로 허술하게 만들어진 벽 안쪽의 나비들은 하나같이 날개가 서로 붙어 있었다. 날지 못하는 나비. 귀족들은 날개가 붙어 꾸역꾸역 기고 있는 나비로 경주를 즐기고 있던 것이다. 악취미야. 심지어는 느릿느릿하기만 해서 무슨 재미로 보는 건지 모르겠다.

나는 몸을 틀어 테이블 위의 샴페인 잔을 쥐고 아무 자리에 앉았다. 머리 바로 위쪽에 청색 휘장이 걸려 있었다. 두 개의 창이 하늘을 겨누고 네 장의 날개가 퍼덕거리고 있는 그림….

"그건 레그윈 가문의 휘장이야. 멋지지? 안 그래, 응?"

술에 취해 반쯤 꼬인 목소리였다. 나는 자리가 푹 꺼진 옆자리 소파로 시선을 돌렸다. 키 큰 흑발의 청년이 눕듯이 소파 등에 기대고 있었다. 남자는 초점 없이 축 처진 눈매로 느릿하게 말을 이었다.

"폐하는 병에 걸렸어. 레그윈을 사랑해서, 평생 레그윈만 보고 사는 병 말이야. 그래서 방 안 곳곳에 레그윈의 휘장을 걸어 놓으셨지. 원래 사람은 좀 쉽게 질려야 해. 수십 년이 흘러도 오직 하나만 사랑하는 건 미친 거라고. 그래서 레그윈의 핏줄에 광기가 각인된 건가?"

약을 해서 제정신이 아닌 걸까? 꽤 흥미가 가는 이야기였기에 적당히 대답했다.

"겁도 없네. 전하가 계신 자리에서 그런 소리를 하다니."

"그런 것치곤 조금도 신경 쓰지 않는 표정인데? 붉은 머리의 숙녀분…. 오오, 이렇게 보니 빌헬름의 취향을 그대로 빼다 박았어."

남자가 목을 길게 빼 내 이목구비를 샅샅이 살폈다. 남자의 하얀 얼굴에 박힌 호박색 눈동자가 황금 사과처럼 화려하게 빛났다.

“그 사람의 취향이 나야? 마가렛과 내가 조금 닮기는 했지. 하지만 헤어진 전 약혼녀는 전혀 다른 분위기던걸?”

“으응? 숙녀분은 황성 사람이 아닌가? 아즈마리아가 빌힐름에게 버림받기 싫어서 먼저 선을 끊은 건 아주 유명한 일화라구. 수년을 불안해했지. 적발에 초록 눈을 가진 빌힐름의 정부들 사이에서.”

정부들. 한 명은 아니었다는 소리다. 선하고 금욕적인 빌힐름의 인상과는 정반대의 사생활이었다.

“우리의 귀여운 아즈마리아는 도망칠 만했어. 아암, 그렇고말고. 모두에게, 하물며 하수구에 처박힌 쥐새끼에게도 사랑받고 싶어 하는 여자인데. 어?”

“서로 잘 아나 봐.”

“푸흐흐… 그렇게 보이나?”

하기는, 같은 빌힐름 파에 또래 나이의 귀족이면 서로에 대해서 모르기가 더 힘들 터였다.

“사랑받고 싶어 미친 것들은 누구보다 사랑에 예민하단 말이지. 진작 알고 도망간 거야. 등신처럼 더 끔찍한 사내새끼에게 가 버렸지만….”

내가 샴페인을 홀짝거릴 동안 남자는 술에 취한 투로 이 소리 저 소리를 내뱉었다. 그 속에서 알 수 있는 건 남자의 지위가 꽤 높다는 사실 뿐이었다. 어느 순간부터인가 남자가 조용해졌다. 무슨 일인가 싶어 고개를 돌리니, 웬 여자와 진한 입맞춤을 나누고 있었다. 입술을 뗀 여자가 고혹적인 미소를 지으며 말했다.

“우리 놀러 가요, 어서.”

멍하니 눈을 깜빡이던 남자가 제 무릎 위에 앉은 여자를 느릿하게 밀어냈다.

"아아! 아니야, 오늘은 아니야, 부인."

"아이, 참. 그런 게 어디 있어요? 놀아 준다고 했으면서."

"오늘은 새로 온 친구분과 귀한 시간을 나누기로 했단 말이지. 아주, 매우, 몹시 귀한 시간이야. 친구가 생기는 거니까."

그렇지? 동의를 구하는 눈빛으로 남자가 내 얼굴을 쳐다봤다. 물론 나는 대꾸도 하지 않았다. 남자의 말에 여자가 새침한 표정으로 일어섰다.

"모리타트 각하는 항상 제멋대로라서 짜증나요. 오늘만 넘어가 줄 테니 그리 알아요."

'…모리타트?'

모리타트 잭이라면 잭 공작 가문의 가주지 않은가. 나는 새삼스러운 시선으로 흑발의 남자, 모리타트를 쳐다봤다. 젊다고는 들었는데 이렇게나 젊을 줄이야. 기껏해야 나와 한두 살 차이로밖에 보이지 않는데.

"우리가 어디까지 이야기했지? 으흠…. 그래, 내가 하고 싶었던 말은. 숙녀분께서 빌힐름의 취향이라는 소리지."

공작 대접을 해 줘야 할까, 싶었지만 당사자가 그리 신경 쓰지 않는 눈치라 편하게 대답했다.

"그래서?"

"방금 좋은 생각이 났는데 말이야. 우리 작은 놀이 하나 해 보는 게 어때?"

"들어 보고."

개구지게 웃은 모리타트가 내 옆으로 몸을 바짝 붙였다. 그의 미소에선 이상하게 소년의 분위기가 풍겼다. 그는 대뜸 내 어깨 위로 팔을 올리며 속삭였다.

"내게서 고개 돌리지 마. 빌힐름이 아까 전부터 우리를 주시하고 있거든. 어어… 마침 마가렛은 술에 취해 저 안쪽에 널브러져 있군. 바보 같지만 명랑하고 귀여운 여동생이지."

술을 마셔서 쓸데없는 소리를 하는 건지, 본래부터 말이 많은 사람인지 알 수 없다.

"놀이의 내용은 간단해. 빌힐름이 그쪽에게 관심을 가지면 그쪽이 이기는 거고, 아니면 내가 이기는 거야."

그의 말에 잠깐이나마 돋았던 흥미가 순식간에 식었다. 승자가 이미 정해진 게임이지 않은가. 내 반응을 살피던 모리타트가 서운한 투로 말했다.

"하아… 너무하네. 이봐, 그렇게 관심 없는 얼굴 하지 말아 줘. 쉬이 포기하지 말란 말이야. 정말 재미있을 거야. 장담하지."

놀이는 이미 재미없을 것으로 확정됐다. 남은 건 그가 무엇을 거느냐였다.

"뭘 걸 건데?"

"황금?"

투박하기 짝이 없다. 나는 택도 없다는 눈짓을 보내며 고개를 저었다.

"땅?"

나는 잭 영지가 어디에 있는지도 모르는 사람이었다.

"허, 까다롭기는. 그렇다면… 내 정부? 어때, 이건 괜찮지 않나? 부인은 불가능해, 내가 기혼이라."

"없던 이야기로 할게."

자존심이 걸렸다고 생각하는 걸까? 모리타트는 알코올 내를 풀풀 풍긴 채 자신의 머리를 쥐어뜯었다.

"아아, 좋아! 사냥 대회의 우승 상품!"

이번에는 꽤 놀랐다. 모리타트 공작이 그때 그 사냥 대회의 우승자였던 건가. 모리타트가 은근한 미소를 지었다.

"어때. 동하나? 폐하께서는 워낙 배포가 크셔서 바라는 그 무엇이든 허락하시지. 나는 아직 우승 상품을 사용하지 못했어. 폐하께 소원을 비는 것 말이야. 그걸 우리 놀이에 걸지."

고작 이딴 놀이에 그 귀한 것을 거느냐는 물음은 불필요해 보였다. 남자의 호박색 눈이 내게 끝없이 속삭이고 있었기 때문이다. '무료해 죽을 것 같아. 나랑 놀아 줘.'라고. 그렌페르크 제국에 망조가 든 걸까? 황족부터 고위 귀족이란 것들이 하나같이 이 모양이라니.

"그 말, 무르지 않기야."

"이 모리타트 잭의 말을 신뢰하지 못하는 건가?"

나는 반쯤 풀린 눈에 대고 대답했다.

"공작 각하의 명예를 믿어 보지."

그리고 모리타트의 목을 끌어 입을 맞췄다. 잠시 멈칫하던 그는 내 허리를 끌어안으며 열렬히 반응했다. 밀려오는 힘에 목이 꺾일 것 같았다. 열린 입술 사이로 뜨거운 숨이 들어오려 할 때쯤 모리타트를 밀어냈다. 열기가 식지 않은, 다소 어리둥절한 그의 얼굴이 멀어졌다. 시종이 다가온 건 그때였다.

"빌힐름 전하께서 부르십니다."

시종은 정확히 내 귀에만 속삭였다. 모리타트의 표정이 기이하게 변했다. 술에 절어 기분 좋게 풀려 있던 얼굴 근육이 퍼즐 맞추듯 제자리를 찾아갔다.

"아하… 아하! 그래, 그런 거였군. 하하. 그쪽이었나? 우리 빌힐름이 사랑해 마지않는 아그레인 캐롤드가."

모리타트의 타이를 당겨 입술을 닦고 말했다.

"나라면 그런 끔찍한 소리를 지껄이느니 가만히 입 닫고 있는 걸 추천하겠어."

어이없다는 듯 목을 젖히고 웃은 모리타트가 손을 뻗어 내 눈가를 매만졌다.

"우리 숙녀분…. 이렇게 보니 빌힐름과 똑같은 눈을 가졌네. 못 알아 본 내가 머저리였어."

입 밖으로 내뱉는다는 소리가 죄다 사람 성질 건들게 하는 소리였다.

"고마워, 각하. 우승 상품은 잘 가져갈게."

"으흐흠. 이거 마녀한테 홀린 기분인걸."

모리타트를 뒤로하고 시종을 따라 걸음을 옮겼다. 나비 경주가 시작되었는지 실내의 정중앙은 흥분의 도가니였다. 그들의 열기와 비명에 나조차 정신을 잃을 것 같았다. 시종이 나를 안내한 곳은 커다란 채집장이 서로 엉겨 붙어 있는 창가였다. 저 안에 들어 있던 나비가 지금 열심히 땅을 달리고 있겠지.

빌힐름은 자그마한 원형 테이블에 걸터앉아 있었다. 그의 시선은 몇 마리 남지 않은 채집장 속의 나비에게로 고정된 채였다. 가까운 의자에 자리를 잡자 저 멀리 정면으로 모리타트의 얼굴이 보였다. 그는 눈이 마주치자 기다렸다는 듯 능글맞은 웃음과 함께 손을 흔들었다. 나는 고개를 돌려 버렸다.

"누이."

누이. 날 부르는 빌힐름의 목소리가 수년 전 그의 목소리와 겹쳐 들렸다. 타오르는 불길 속에서 날 마주하던 그때의 목소리와.

"충분한 시간이었다고 생각하는데. 그간 내 제안에 대해서 잘 생각해 봤어?"

캐롤드의 재건을 뜻하는 말일 터였다.

"필요 없으니 거절할게."

"이유를 물어봐도 될까?"

"나는 이곳에서 놀고먹는 걸로 족해."

빌힐름이 소리 내어 웃었다. 씨알도 먹히지 않을 변명이기는 했다. 그의 시선이 나비를 떠나 내게로 향했다.

"누이도 경주에 참여하면 좋을 텐데. 저들에게 새벽은 낮이나 마찬가지야. 나비의 다리가 떨어져 나갈 때까지 계속되겠지."

"내 취향이 아니라서. 이런 정신 나간 경주는 누가 제안한 거야?"

"나."

빌힐름은 싱긋 웃으며 홍차가 담긴 잔을 입술로 가져갔다. 뒹굴거나 괴성을 내지르기 바쁜 사람들 틈에서 홍차를 마시는 사람은 그밖에 없었다.

"심신 안정에 몹시 뛰어나지. 누이에게 추천한 이유도 그 때문이야. 필요해 보이거든."

"날개를 묶고 땅을 기게 만드는 놀이가?"

"바로 그 점을 말한 거야."

그의 표정은 더없이 진중했다.

"날개가 없어도 다리로 걸을 수 있다는 점. 날개를 이고 죽기 살기로 발버둥 치는 모습이… 마음에 평온을 선사하는 거지."

"정상적인 취미는 아니라고 생각해."

"그럼 반대는 어때."

빌힐름이 채집장을 열어 딱 한 마리 남아 있던 나비를 꺼냈다. 검붉은 색의 얼룩무늬가 인상적인 나비였다. 그는 아무렇지 않게 나비의 몸체에서 여섯 개의 다리를 차례로 떼어냈다.

"기는 게 안타깝다면야. 질리도록 날게 하면 되지."

미친놈.

"사실 누이에게 줄 나비였는데. 내가 가진 것들 중 가장 작지만… 가장 아름다운 나비였지."

"보통은 아름다울수록 소중히 하는 법이야."

"여기서 얼마나 더?"

다리 없는 나비가 빌힐름의 손바닥 위를 굴렀다. 그러나 움찔거리기만 할 뿐 날아가지는 못했다.

"완벽한 건 쉽게 질려. 불완전한 욕망이야말로 가장 사랑스럽지."

바닥을 구르던 머리. 불타오르는 저택 위로 뭉게뭉게 퍼져가는 까만 연기. 나는 매캐한 연기를 삼킨 것처럼 어지러운 머리를 휘저었다.

"그래서 내게는 누이밖에 없었어."

그래. 살아남기 위해 개처럼 구는 내가 네게는 가장 큰 즐거움이었겠지. 각인된 공포가 옅어진다. 나는 점차 피가 식어 가는 것을 느꼈다.

"역시 이것도 쓰레기였군."

빌힐름은 나비의 구실을 못하는 나비를 쓰레기통에 처박았다. 그리 실망하는 기색이 아니었다. 예상했다는 얼굴이었다. 늘, 언제나 그래 왔다는 듯이. 나는 날개를 후들후들 떠는 나비를 내려다보며 물었다.

"발레리아에게도 이렇게 했어?"

빌힐름은 부드럽게 웃었다.

"또 그 이름."

그러나 목소리는 얼어붙은 강처럼 차갑고 시렸다.

"정말 끔찍하게 사랑했었나 봐. 비비가 억울해서 울겠어. 응?"

"내 알 바 아니야. 발레리아에게도 이런 식으로 했느냐고 묻잖아."

"그런 걸 어떻게 일일이 기억할까? 당장 내일이면 저 나비들도 까맣게 잊힐 텐데."

빌힐름은 당당했다. 아니, 정확하게 말하자면 무엇이 문제인지 조금도 모르는 얼굴이었다. 역시 개새끼에게 화를 내는 건 내 손해일까? 고개를 숙이고 지끈거리는 이마를 부여잡았다.

"슬퍼? 누이가 마음이 여리기는 했지."

"너를 어떻게 무너뜨릴까 고민 중이야."

달칵. 찻잔을 내려놓는 소리가 났다. 고개를 숙이고 있었음에도 눈앞에 그의 행동이 그려졌다. 평온한 낯으로 아무렇지 않게 찻잔을 비웠겠지.

"안 돼, 아그레인. 너는 죽어도 나를 이길 수 없어. 이건 운명이야."

천천히 머리를 들었다. 운명이라고? 다른 이라면 몰라도 빌힐름은 절대 사용하지 않을 것 같은 단어지 않은가. 마주한 빌힐름의 눈은 이전과 미세하게 달랐다. 그는 태연하지도, 평온하지도, 하물며 내 속을 뒤집어 놓는 선한 웃음을 짓고 있지도 않았다. 도리어 무언가를 체념한 눈이었다.

"우린 그렇게 타고났어. 수백 년을 반복해 왔지. 개와 주인일 수밖에 없는 운명. 평생을 서로의 곁에서 썩어 가야 하는 운명. 태어날 적부터 거스를 수 없는…."

느릿하게 눈을 감았다 뜨며, 빌힐름이 내게 물었다.

"황후로 만들어 줄까? 누이."

마치 오늘 하루는 어땠냐는 물음처럼 한없이 가벼운 음성으로.

"어차피 우리는 후계를 가질 수 없으니까. 반쪽끼리 맺어지는 것도 나쁘지 않겠지."

반쪽이라니, 그가 무슨 소리를 하는 건지 알 수 없었다. 정신머리를 말하는 걸까? 그래, 너는 물론이고 나 역시 반쯤 정신이 나가 있기는 하지. 혀가 입 안쪽에 얽혀 꿰매진 듯 옴짝달싹하지 않았다. 방에서 풍겨오는 매캐한 약 냄새에 숨이 막힐 것 같았다. 나는 아무런 대답도 하지 못하고 그 방을 빠져 나왔다. 이루 말할 수 없는 불쾌함이 느껴졌다. 나비의 사지를 잘라냈다는 점에서 느끼는 불쾌함이 아니었다. 후계를 가질 수 없다는, 반쪽이라는 마지막 한 마디가 머릿속에서 사라지지 않았다.

'아니야, 생각을 바꿔… 그런 건 중요하지 않아. 빌힐름은 내게 힌트를 준 거야.'

운명. 레그윈과 캐롤드, 그리고 잉고르드 셋을 묶는 운명이라면 『태양이 흐르는 강』밖에 존재하지 않는다. 그렇다는 소리는….

'레그윈의 핏줄에도 대대로 내려오는 힘이 존재한다는 의미겠지.'

그 힘이 캐롤드와 잉고르드를 개로 만들고, 과거의 내가 황성에 묶여 있도록 만들었을 것이다.

'무슨 힘일까.'

짐작조차 어려웠다.

황제 탄신일의 해가 밝았다. 이른 아침부터 황성이 들들 끓는 게 느껴졌다. 새벽처럼 고요한 분위기였음에도 날이 선 긴장감이 맴돌았다. 나는 잠에서 깬 이후로 오직 하나에만 집중하고 있었다. 왼쪽에서 세 번째. 중앙에서 위쪽 칸. 구멍이 뚫렸던 왼쪽 손은 이제 아무렇지도 않았다. 비현실적인 회복력이었다.

그렌페르크 제국에서 황제보다 위에 선 인물은 없다. 따라서 국경일인 황제 탄신일에는 황제가 직접 단상에 올라 축언을 읊는다. 내용은 별것 없었다. 제국의 번영을 위해 신민의 충성과 헌신을 바람. 끝나갈 때 즈음에는 이미 젊은 청년 귀족들 중 반이 졸고 있었다.

"마음을 편안히 하고 속죄하는 시간을 갖도록 합시다."

시종장이 말했다. 이윽고 편안하고 차분한 음률의 현악 4중주가 시작됐다.

"폐하께선 명상을 사랑하시지."

바로 옆에서 작게 속삭이는 소리가 들렸다. 누가 오지랖을 부리나 싶어서 확인했더니 모리타트였다. 어제의 흐리멍덩했던 눈과 달리 지금 그의 눈은 초점이 또렷했다. 풀어졌던 타이도 깔끔하게 매여 있었으며 멀끔하게 정리한 흑발도, 빳빳한 셔츠도 완벽했다.

"내면을 다스리는 걸 몹시 중요하게 여기셔."

어쩌라는 표정으로 쳐다보자 모리타트가 씨익 웃으며 속삭였다.

"그 표정 예쁜데?"

"부인에게나 시시덕거리지 그래."

"우리는 내외한 지 오래야."

모리타트가 앞쪽 한구석으로 턱짓했다. 뒷모습밖에 보이지 않는 금발의 여자와 어떤 남자가 찰싹 붙은 채 앉아 있었다.

"그녀는 이루어질 수 없는 사랑에만 심장이 뛰는 여자지."

"황제와 똑같네."

"어느 점이?"

"쓸데없는 데에 시간 낭비한다는 점."

황제는 명상을 하며 내면의 어떤 평화를 가꾸려고 할까. 더 행복하게 사람을 사냥하는 법? 더 끔찍하게 사람을 고문하는 법? 내 눈에는 시간 낭비로밖에 느껴지지 않았다.

"이봐, 아그레인 양."

"말 시키지 마. 여기서 떠드는 사람은 각하밖에 없어."

"매정하게 굴지 말고 한 번만 봐 줘. 그동안 아그레인 양에게 반드시 묻고 싶었던 질문이 있어."

모리타트는 공작이라는 지위와 어울리지 않는 남자였다. 위엄이라고는 쥐뿔도 없고. 말 많고. 가진 건 얼굴밖에 없는… 나열하고 보니 킨과 비슷하네. 하지만 킨은 지위도 없었다.

"이곳에는 왜 돌아온 거야?"

오롯이 정면을 향하고 있던 시선을 살짝 틀었다.

"응? 어제 널 만난 후부터 궁금해 미칠 것 같았다고."

내게만 겨우 들릴 작은 음성이었음에도, 모리타트의 흥분이 여실히 묻어나왔다.

'내가 황성에 갇혀 있었다는 사실을 아는 건가.'

나와 빌힐름의 관계를 아는 자와 모르는 자의 명확한 기준을 알 수 없었다. 나는 그에게 말했다.

"빌힐름의 유모인 조나단 부인은 나를 모르는데. 각하는 어떻게 날 아는 거지?"

"조나단은 참여하지 않았으니까."

"무엇에?"

"『태양이 흐르는 강』 서약."

꿈속에서. 아버지의 서신 사이에 꽂혀 있던 오래된 서약서 사본이 떠올랐다.

'하나, 캐롤드 가문은 그렌페르크 제국의 태양이 될 것을 맹세한다. 둘….'

그 끔찍한 서약에 다른 가문들도 연결되어 있었다는 거군. 말없이 쳐다보고만 있자 모리타트가 입을 열었다.

"묵인하겠다는 서명. 서명에 참여한 가문들은 황성에서 벌어지는 일에 묵과하는 대신 황실 소유의 땅을 사이좋게 나누어 가졌지. 아주 비옥한 황금 땅들을 말이야."

당장 생각나는 가문들이 몇 존재했다. 에리얼의 크로허츠, 아즈마리아의 윌, 그리고 눈앞의 잭…. 아버지의 죽음에 가세한 가문들이었다.

"그런 비밀을 내게 알려 줘도 돼?"

모리타트가 태연한 낯으로 대답했다.

"알려 줘도 아그레인 양이 할 수 있는 건 아무 것도 없잖아."

나는 밝게 웃어 주었다. 고마워, 그렇게 생각해 줘서.

"그래서, 내 질문에 대한 답은?"

음악이 끊겼다. 명상의 시간이 끝난 것이다. 하나둘 자리를 뜨기 시작했다.

"오늘 보여 줄게."

나 역시 그들을 따라 일어서며 모리타트에게 말했다.

"기대해도 좋아."

오늘은 다나한 2세가 별세하는 날이다. 나는 그에게 잊을 수 없는 탄생일을 선물하고 싶었다.

사냥에 미쳤다는 별칭에 걸맞게, 황제는 탄생일의 오후 일정을 사냥으로 채웠다. 귀족들의 말을 훔쳐 들으니 황제가 만족스러운 사냥을 하지 못하면 그날 밤 열리는 연회의 분위기가 여러모로 불편해질 거라 했다.

'역시 명상은 시간 낭비에 불과해.'

그리고 황제가 승마복을 걸치고 나왔을 때, 나는 한눈에 알아 봤다. 미래에서 술잔을 쥐던 황제의 소매와 지금 황제가 걸친 승마복의 소매가 똑같다는 것을. 심장박동이 빨라지기 시작했다.

"무슨 생각을 하고 있어요?"

들려오는 목소리에 고개를 돌렸다. 그러나 대답은 내가 아닌 다른 여자에게서 나왔다.

"오늘은 왜인지 분위기가 다른 것 같네요."

"다들 그렇게 여기고 있을 거예요. 듣기로는 연회에서 빌힐름 전하의 혼인 상대가 발표된다던데…."

"모두가 생각하는 그 여자겠군요."

이름 모를 여자들은 자연스러운 대화와 함께 점차 멀어졌다. 어디선가 차디찬 겨울바람이 불었다. 가만히 눈을 감고 숨을 들이켰다. 사람들의 웃음소리, 말이 발을 구르는 소리, 총알을 장전하는 소리가 사방에서 또렷하게 들려왔다.

'왜지.'

나는 미세한 긴장도 느끼고 있지 않았다. 내 몸은 믿을 수 없을 정도로 차분했고, 정적이었으며, 그 때문에 이 순간이 마치 꿈처럼 느껴졌다.

'이 장면, 어디선가 본 것 같아.'

선명한 기시감이었다. 어쩌면 과거의 내가 지금 이 순간을 봤을지도 모르겠다고 생각했다.

탕!

컹컹, 컹컹!

사냥을 알리는 총이 발사되고, 수십 마리의 사냥견이 앞다퉈 달려 나갔다. 함께 달려 나가는 얼굴들 틈에는 모리타트도 있었다. 즐거움을 주체하지 못하는 얼굴이었다. 저렇게 좋아 죽으니 우승을 하지.

"어때. 그간 실력이 좀 늘었을지 궁금하네."

언제 다가왔는지 모를 힐마르티노가 가죽 장갑을 끼며 내게 물었다. 나는 시종으로부터 총을 건네받으며 대답했다.

"우리 내기 할까?"

"흐흥! 웬 자신감이니? 무슨 꿍꿍이일지 의심스러운데."

"할 거야, 말 거야."

"어여쁜 아그레인이 뭘 걸지 들어 보고."

"비비안느."

"하?"

힐마르티노가 샐쭉한 표정을 지었다.

"내가 왜 개와 주인이라고 표현했는지 궁금하지 않아?"

"너. 꽤 대범해졌단 말이지."

"내가 없으면 지금의 비비안느도 없었어. 비비안느도 부정하지 않을걸?"

그 말에 힐마르티노는 고민하지 않고 즉각 고개를 주억였다.

"나쁠 것 없지. 네게 지느니 죽는 게 더 나을 테니까. 그럼 나는…."

"모리타트 잭의 약점."

전혀 예상하지 못한 이름이었던 걸까? 힐마르티노가 무슨 꿍꿍이냐는 얼굴을 했다. 나는 그녀가 입을 열기 전에 말을 가로챘다.

"누가 더 훌륭한 사냥감을 잡느냐로 승자를 결정짓는 거 어때?"

그때 힐마르티노의 얼굴이 불쑥 내 코앞으로 다가왔다. 그녀는 이해할 수 없다는 듯 눈을 얇게 뜨며 중얼거렸다.

"아그레인의 껍질을 뒤집어 쓴 미친년은 아닌 것 같고…."

이윽고 그녀는 거리를 벌려 자신의 말의 안장 위에 올라탔다.

"건방지게 군 걸 후회하게 해 주마."

멀어지는 흑마의 꼬리털과 힐마르티노의 머리칼 모두 똑같은 흑색이었다. 미안한데 이번 사냥은 내가 이길 것 같아. 나는 그녀의 뒤를 따라 서쪽 숲 안으로 들어섰다. 두 시간 남짓한 시간 동안 내가 잡은 건 족제비 한 마리가 다였다. 애초 노력할 마음도 없었기에 가장 먼저 황성 앞으로 돌아왔다. 얼마 지나지 않아 귀족들이 하나둘 돌아오기 시작했다. 내 사냥감을 확인한 힐마르티노가 커다랗게 비웃었다. 얼마나 큰 웃음이었는지 거리가 꽤 있음에도 내 지척까지 소리가 들릴 정도였다. 술잔은 보통 한 번의 사냥이 끝난 후 돌려진다.

그러니 내 사냥은 지금부터 시작이었다.

"원하신다면 노루라도 한 마리 바쳐 드리지. 어때?"

모리타트가 한쪽 눈을 찡긋하며 내 곁을 스쳐 지나갔다. 그가 멀어지는 방향에 리히튼이 있었다. 그는 물끄러미 나를 바라보고 있었다. 문득 궁금해졌다. 그는 내가 오늘 어떤 일을 벌일지 알고 있을까? 그때, 시야의 가장자리로 트레이를 든 시종이 지나갔다.

'아.'

저 시종이야. 고작 한 번 본 얼굴임에도 알아볼 수 있었다. 말을 돌려 빠르게 그쪽으로 달려갔다. 시종이 깜짝 놀란 표정으로 내게 술잔이 가득 쌓인 트레이를 내밀었다. 시종에게 물었다.

"이름이 뭐지?"

장갑을 벗으며, 새끼손가락을 소매 안쪽에 고정시켜 두었던 자그마한 칼날에 그었다.

"제넌입니다."

"발레리아를 아니?"

"아니요. 잘은 모르나 이름은 들어 봤습니다."

시종이 내게 눈을 맞추고 있을 동안 왼쪽에서 세 번째, 중앙에서 위쪽 잔을 잡는 척, 손가락의 피를 포도주에 털어냈다.

"그 애가 네 이야기를 종종 했지. 꼭 한 번 말을 걸어 보고 싶다고. 그전에 집으로 돌아가 버렸지만."

시종이 얌전히 고개를 숙였다. 나는 피가 흐르는 손을 자연스럽게 떨구고 반대 손으로 다른 술잔을 쥐었다.

"네 얼굴을 보니 발레리아가 그리워지는구나. 이만 가 보렴."

시종이 말 사이를 누볐다. 그의 트레이는 곧 황제에게 가까워졌다. 황제가 손을 뻗어 잔을 잡았다. 내가 피를 털어 넣었던 그 잔이었다. 잠시의 틈도 없었다. 황제는 즉시 술을 목구멍 뒤로 넘겼다. 그 순간 나는 기이한 공허함을 느꼈다. 황제든 하녀든, 허무한 죽음이란 지위를 가리지 않는구나.

"폐하?"

말 머리를 돌렸다. 어디선가 숨넘어가는 소리가 들렸다. 사람들의 시선이 일제히 한 곳을 향했다. 그들이 그곳을 향해 천천히 이동할 동안 나는 반대 방향으로 움직였다.

"폐하!"

고작 한 모금에 불과한 술에, 그만큼의 피를 털어 넣었으니….

"시종! 당장 의원을 불러와! 지금 당장!"

다시 장갑을 꼈다. 언뜻 확인한 새끼손가락의 손톱 아래 살이 뭉텅 잘려나가 있었다. 아팠지만, 동시에 아프지 않았다. 그리고 어느 순간 사위가 고요해졌다. 마치 시간이 멈춘 것처럼.

"푸흡."

아, 제기랄.

"아하, 아하하하!"

결국 웃음을 참지 못했다. 몸을 가누지 못해 말에서 떨어질 뻔했어도 나는 웃음을 멈추지 못했다. 이러지도, 저러지도 못하는 커다란 눈망울들이 내게로 쏠렸다. 나는 손을 내저으며 변명하듯 입을 열었다

"아… 죄송해요. 제 찢어진 장갑이 너무 우스워서."

"푸훗."

그때, 멀리 떨어지지 않은 곳에서 또 다른 웃음소리가 들려왔다. 비비안느였다.

"후후…!"

비비안느가 입을 가리고 웃음을 터트렸다. 내게 한마디 하려는 듯 붉으락푸르락한 낯으로 달려 나오던 늙은 귀족이 깜짝 놀라 걸음을 멈추었다. 모두가 유령을 보는 듯한 시선으로 비비안느와 나를 쳐다봤다. 하하하. 정적이 내려앉은 그곳에서, 오직 나와 비비안느만이 미친 듯이 배를 잡고 웃었다.

누군가가 나를 가리키며 외쳤다. '저 여자가 폐하를 죽였다!' 하지만 어떤 이도 그 발언에 동조하지 않았다. 여자, 남자, 청년, 노인 가릴 것 없이 모두가 혼돈에 빠진 채 입을 닫았다.

그 즈음에는 나도 입꼬리가 아파 더는 웃을 수 없었다. 헐레벌떡 뛰어온 의원이 잔디 위로 추하게 엎어진 황제의 앞에 무릎을 꿇었다. 그러더니 송구하다는 듯 고개를 돌리고 황제의 맥박과 숨을 확인했다. 의원은 곧 침통

한 얼굴로 말했다.

"황제 폐하께서 타계하셨습니다."

타계! 한차례 파문이 일었다. 안장에 올라가 있던 귀족들이 하나둘 땅을 밟기 시작했다. 나도 그들을 따라 말에서 내려왔다. 시종장이 황제의 눈을 감겼다. 극심한 고통에 눈을 뜬 채로 죽은 건가. 나쁘지 않네. 자리에서 일어난 시종장이 귀족들을 향해 선언했다.

"이번 일의 전말이 밝혀질 동안 그 누구도 황성을 벗어날 수 없습니다."

그는 이어서 리히튼과 모리타트가 선 방향을 향해 차례로 허리를 숙였다.

"이해해 주시리라 생각합니다."

"물론이지. 이번 일은 우리 잭 가문에서도 쉬이 넘어갈 생각이 없소. 제국의 명예가 달린 일이니 어떤 희생을 치르더라도 범인을 밝혀내야 할 거요."

엄숙하게 발언하는 모리타트 공작은 내가 알던 모리타트와 상이했다. 이윽고 모두의 시선이 리히튼에게로 향했다. 리히튼은 감흥 없는 목소리로 말했다.

"이틀까지는 시간을 내주지. 그 이상 이곳에 머물 생각은 없다."

"각하. 재고해 주십시오. 이 사안은 그렌페르크의 명예가 달린…."

"더 시급한 사안은 새로운 황제 폐하를 모시는 일일 텐데."

그의 한마디에 노골적인 긴장감이 감돌기 시작했다. 젊은 귀족들은 모르는 척 시선을 돌렸다. 반대로 죽은 황제를 둘러싸고 있던 늙은 귀족들이 분통한 눈빛으로 리히튼을 노려봤다.

"아직 폐하의 옥체가 채 식지도 않았습니다!"

"시체는 하루면 식지. 그렇담 내일이면 새로운 황제 폐하께서 제위에 오르시겠군."

"어찌 그리 무정하십니까? 폐하께서는 언제나 각하를 존중하셨습니다!"

나는 시종장과 늙은 귀족들이 무엇에 화를 내는 것인지 이해할 수 없었다. 황제의 별세를 애도하는 것보다 리히튼의 무정한 태도에 목청을 높이는 것이 더 앞선 일인 걸까?

"그거 참 감읍할 일이군."

한마디를 끝으로 리히튼은 거리낌 없이 등을 돌렸다. 사람들 사이로 스쳐 지나가는 그의 시선이 짧게나마 나를 향했다. 착각이 아니었다면 눈이 마주친 순간 웃었던 것 같다.

하늘에서 천둥이 쳤다. 곧 얼음송곳 같은 빗물이 우르르 떨어지기 시작했다. 머리를 가린 귀족들이 바퀴벌레처럼 흩어졌다. 시종장을 제외하고 그 자리에 가장 오래 남아 있던 건 비비안느와, 그녀의 머리를 가리는 힐마르티노, 그리고 나였다. 빌힐름은 보이지 않았다. 어쩌면 그 누구보다 빠르게 성 안으로 돌아갔을 수도 있다고 생각했다.

방으로 돌아온 지 30분도 채 되지 않아 황실 기사 두 명이 붙었다. 그들은 만일의 사태를 대비해 내 곁을 지킨다고 했지만, 누가 보더라도 호위보다는 감시에 가까운 배치였다. 그들은 특수 상황이라는 명목으로 내 방 안을 벗어나지 않았다. 일부러 승마복을 벗고 속옷 차림으로 방 안을 활보해도 눈 하나 깜짝하지 않았다. 재미없었다.

똑똑.

빗줄기가 강해질 무렵, 시종이 방문자를 알리기 위해 들어왔다. 시종은 두 눈을 동그랗게 뜬 채 급히 고개를 숙였다. 내가 원하는 반응이었다.

"흐음."

날 찾아온 이는 모리타트였다. 그는 당황하지 않고 문 양 옆에 선 기사들과 속옷만 걸친 내 꼴을 천천히 훑었다.

"내가 실수를 한 걸까, 아그레인 양? 기사들과 재미를 보는 중이었다거나."

"원한다면 각하도 껴 줄 마음은 있어."

모리타트는 고개를 끄덕이고 성큼성큼 걸음을 옮겨 의자 위에 걸쳐 있던 담요를 내 어깨 위에 덮었다.

"당신은 뭘 좀 아는 여자야."

그의 고개가 기사들을 향해 돌아갔다.

"나도 아그레인 양과 재미를 좀 봐야겠는데… 남정네들 앞에서 쇼를 할 생각은 없어서 말이야."

내 속옷 차림에도 무덤덤하던 기사들이 눈에 띄게 당혹스러운 얼굴을 했다.

"저희는 시종장님의 명으로…."

"이해해. 시기가 시기인 만큼 아주 중요한 명을 받았을 거야. 안 그래? 그러니 잠시만 나서 망 좀 봐 달라고. 아가씨의 명예를 위해서 모르는 척해 달라는… 설마 머저리처럼 못 알아듣지는 않겠지?"

모리타트는 주춤거리는 기사들을 향해 미소 지으며 검지로 자기 자신을 가리켰다.

"나 모리타트 잭이라고. 알지?"

못 봐 줄 정도로 유치하네. 하지만 그 유치함이 잘 통했는지, 기사들이 주춤거리며 방을 나갔다. 황제가 살아 있었다면 지금처럼 저리 선선하게 자리를 비켰을까? 다나한 2세의 죽음은 여러모로 유익했다. 나는 모리타트에게서 몸을 돌려 타오르는 벽난로 앞의 의자로 걸음을 옮겼다. 등 뒤에서 그의 목소리가 들려왔다.

"이봐, 아그레인 양. 혹시 의뢰도 받나?"

무슨 말인가 싶어 의자에 앉다 말고 그를 쳐다봤다.

"의뢰?"

"모르는 척하기는. 청부 살인 말이야."

"…하?"

"솜씨가 아주 기가 막혀. 의뢰금은 얼마지? 다나한 2세까지 골로 보냈으니 천정부지로 솟았으려나? 성 한 채? 아니면 두 채?"

어이가 없어서 웃음이 터졌다. 너무나 큰 웃음이었기에 몸을 제대로 가누지 못하고 의자 앞에 쓰러져야 했다. 모리타트는 그런 나를 아주 진중한 눈빛으로 쳐다봤다.

"나는 몹시 진지해, 아그레인 양. 그대는 내가 기다리고 기다리던 완벽한 암살자란 말이지."

이쯤 되니 그가 내게 농을 던지는 건지 아닌지 확신할 수 없었다.

"암살자? 아하하, 어처구니가 없네. 나는…."

헛소리하지 말라고 말하려다 말문이 막혔다. 생각해 보면 베르크네에게 짧게나마 암살 교육을 받은 전적이 있기는 했다.

'그래, 틀린 말은 아니야.'

의자에 제대로 앉아 그를 올려다봤다. 황제가 죽었다. 그것도 황위 후계자가 결정되기 직전에. 당분간 황성의 분위기는 외나무다리에 오른 것처럼 아슬아슬할 것이다. 한차례 피바람이 불 수도 있었다. 비비안느는 몰라도 빌힐름은 충분히 그럴 인물이었다. 한데 빌힐름의 최측근이자 그를 편하게 이름으로 부를 만큼 친밀한 사이인 모리타트가, 대책 회의를 해도 모자를 시간에 나를 찾아왔다?

"설마 비비안느 황녀를 죽여 달란 소리는 하지 않겠지."

"위험한 소리를 하는군, 아그레인 양. 방금 그 말은 못 들은 것으로 하겠어."

"그렇다면 누굴 말하는 건데?"

"누구인지 묻는다는 것은, 가능하다는 뜻으로 받아들여도 되나?"

나는 긍정도, 부정도 하지 않았다. 현 상황에 나를 부리나케 찾아온 그의 의도가 궁금했기 때문이다. 대답 없이 그를 가만히 응시했다. 능글맞고 속을 알 수 없는 미친놈인줄 알았는데, 이렇게 보니 조금 달랐다. 꽤 진실해 보였던 것이다.

'힐마르티노라면 이런 식으로 먼저 자기 패를 보이지 않았겠지.'

아니나 다를까, 잠시 고민하던 모리타트가 맞은편 의자에 자리하며 입을 열었다.

"내 부인."

"네 부인을 죽여 달라고?"

"부디, 목소리를, 낮춰서."

그의 표정은 진심이었다. 그래서 더욱 이해가 되지 않았다. 빌힐름이 황위에 오르는 것보다 부인을 처리하는 게 더 중요하다니.

"착수금은 무엇이든 가능해. 돈, 땅, 명예…."

"진심이구나, 각하."

그런데 어쩌지. 나는 그런 번거로운 짓을 할 용의가 눈곱만큼도 없는데.

쾅!

그때였다. 누군가가 거칠게 문을 걷어찼다. 이윽고 늘씬한 여자가 비에 젖은 상태 그대로 성큼성큼 방 안에 들어섰다. 힐마르티노였다. 나를 발견한 그녀는 찬바람이 부는 싸늘한 얼굴로 다가왔다. 모리타트가 있든 말든 조금치 괘념치 않아 하며. 오늘은 손님이 많네.

"너, 이…."

발길질로 테이블을 밀어낸 힐마르티노가 내 멱살을 쥐려 했다. 그러나 내가 담요만 걸친 속옷 차림이라는 사실을 깨닫고는 얼빠진 얼굴을 했다. 그녀는 나와 모리타트를 번갈아 쳐다봤다.

"설마?"

"절대 아니니 이상한 오해 말게."

모리타트가 평정심을 잃지 않고 대처했다.

"아하. 이상한 오해는 아닌 것 같습니다만?"

"내가 찾아왔을 때 아그레인 양이 속옷 차림이었을 뿐이야."

"보통 속옷 차림인 숙녀의 방을 방문하지는 않지요."

그리 관심 있지도 않으면서, 힐마르티노는 모리타트의 말을 물고 늘어졌다. 하나하나 따지는 그녀의 목소리가 내게는 축객령처럼 들렸다. 모리타트도 다르게 느끼지는 않았던 듯했다. 미친개에게 물리기 전에 모리타트는 혀를 차며 방을 나갔다. 힐마르티노는 그가 나간 즉시 내게 얼굴을 바짝 들이대며 이를 갈았다.

"너 대체 뭐 하는 미친년이니?"

"뭐야. 자기소개 해?"

"얼마나 대단한 사냥감일까 했지… 그래, 그래. 아주 대단한 사냥감이었어. 인정할게."

제국의 귀족이란 작자들이 황제의 죽음에 탄복하기는커녕 하나같이 기뻐하기에 바쁘다. 그녀는 가슴팍에서 쪽지를 꺼내 내게 던졌다.

"네가 바라던 모리타트 잭의 약점이다."

사람을 시켜 전달하는 게 더 나았을 것이다. 이런 식으로 우르르 몰려오면 누가 봐도 내가 가장 수상할 텐데.

'하긴. 나는 이쪽도 저쪽도 아닌 사람이니까. 누군가 날 챙겨 줄 필요는 없지.'

하지만 힐마르티노는 여기서 그녀의 볼일을 끝낼 생각이 없는 듯했다. 늘 쥐고 다니는 검은색 로드에서 튀어나온 기다란 검이 내 턱 아래에 닿았다. 질린 눈으로 힐마르티노를 올려다보자, 그녀는 밝은 미소로 화답했다.

"자아, 예쁜아. 다나한 2세처럼 개죽음 당하기 싫다면 그때의 그 쪽지 내용이 어떤 의미인지 말하렴."

어떤 쪽지를 가리키는 건지는 뻔했다.

"개와 주인? 말 그대로인데 굳이 설명할 필요가 있으려나."

"이번에는 귀걸이가 아니라 귀야."

날카로운 날이 귀 아래를 파고들었다. 살이 베였는지 따끔거렸다. 문득 날아간 귀도 다시 생길지 궁금해졌다.

"이제 와 알아서 무슨 소용이야?"

나의 물음에 힐마르티노는 이제껏 보아 온 얼굴 중 가장 짐승 같은 얼굴로 대답했다.

"너 같은 정신 나간 년을 비비의 곁에 둘 수 없어."

"자기소개 하지 말래도."

그때, 기다렸다는 듯 다시 한번 방의 문이 열렸다. 내가 이토록 인기 많은 여자였던가? 세 번째 방문자는 조나단 부인이었다. 그녀는 미쳐 날뛰는 힐마르티노를 힐긋 보고는 문을 연 자세 그대로 서 입을 열었다.

"쓸데없는 일에 힘쓰지 말고 나오세요, 각하. 드릴 말씀이 있어 모시러 왔습니다."

힐마르티노는 고개를 저었다.

"여기서 해. 난 이 아이에게서 반드시 받아 내야 할 답이 있거든."

"검을 거두세요."

"후우…. 오늘따라 왜 그래? 같은 말 반복하게 만들지…."

"폐하의 유서가 공개되었습니다."

황제의 유서. 힐마르티노의 몸이 바위처럼 굳었다. 그 모습을 가만히 지켜보던 조나단 부인이 천천히 눈을 내리깔며 말했다.

"황위는 빌힐름 황자가 잇게 될 거예요."

그날 밤, 나는 꿈을 꾸었다.

[뭐가 문제야.]

꿈속에서 리히튼은 혼자였다. 그는 경사적인 날에 걸맞게 몹시 화려하고 멋진 차림을 하고 있었다. 가슴팍에 새겨진 잉고르드 가문의 문장과 금색 견장에서는 빛이 나는 듯했다. 뒤로 넘긴 백금발 덕분에 멀끔한 이마가 훤히 보였다.

[무엇이 문제냐고. 멍청하게 서 있지만 말고 입을 열어, 아그레인.]

오늘은 비비안느의 황위 즉위식이 열리는 날이었다. 새장에 갇힌 개에 불과했던 우리가 결국 이 자리까지 왔다. 리히튼의 뒤에 서서, 그의 고군분투를 가만히 지켜만 보던 내게 지금 이순간은 마치 꿈처럼 느껴졌다. 앞으로 도래할 비비안느의 시대에, 그녀의 머리 꼭대기 위에 서서 원하는 모든 것을 얻게 될 리히튼. 나는 그런 그가 자랑스러웠으며, 사랑스러웠고 또한 존경스러웠다.

[널 사랑해, 리히튼.]

그러니 그것으로 되었다.

[하지만 더 이상 내 삶은 가치가 없어.]

황제는 죽고 빌힐름은 참수됐으며 비비안느가 황좌에 오르고 리히튼이 그렌페르크를 통치하는 이곳에, 나는 더 이상 필요 없었다.

[오늘도, 내일도… 마치 파도를 눈앞에 둔 모래성 같아.]

나는 모든 것을 이루었어. 내가 그리던 나의 미래는 여기서 끝이었다.

리히튼이 마른세수를 했다.

[아그레인. 거기서 떨어지면 너라도 죽어.]

그러기 위해 이곳을 고른 것이다. 황성 별채의 꼭대기. 영화로운 즉위식 날 그 누구도 찾지 않을 공간. 하지만 리히튼만은 턱 아래의 땀까지 훔쳐 가며 나를 만나러 온 공간.

[제발, 내 이야기를 들어. 네가 없으면 이 세계는 내게 아무런 의미가….]

[미안해.]

발코니 뒤로 몸을 눕혔다. 리히튼이 이를 악물고 내게로 뛰어왔다. 하지만 내 몸은 이미 차가운 겨울 공기가 감싸 안은 뒤였다. 그는 단 한 번도 시선을 돌리지 않고, 내가 추락하는 모습을 끝까지 내려다 봤다. 그가 처음으로 텅 비어 보였다. 그렌페르크를 쥐락펴락하고, 종국에는 황위마저 제 입맛대로 뒤바꾸어 버린 남자에게선 절대 볼 일이 없으리라 여긴 얼굴이었다.

리히튼은 지친 듯했다. 이상하지. 죽음을 앞둔 순간에는 과거의 기억들이 조각처럼 흩어져 주마등으로 나타난다고 했다. 한데 나는 왜 마지막까지 그에게서 눈을 떼지 못하는가? 멀어지는 와중에도 리히튼의 얼굴이 기묘하리만치 선명하게 보였다. 리히튼은 내게 무언가 말하려 했다. 하지만 끝끝내 입을 열지 못하고 눈을 감았다.

그것이 나의…. …번째 죽음이었다.

좌악!

전신을 뒤덮은 한기에 본능적으로 눈을 떴다. 머리가 띵했다. 세상이 둘, 아니 셋으로 쪼개졌다. 그러다가 곧 숨소리가 진정되며 잠들어 있던 청각과 시각이 원상태를 되찾았다.

'꿈이었나.'

한참이 흐른 뒤에야 깨달았다. 침대에 누워 있어야 할 내 몸이 바닥에 쓰러져 있었다.

"앞으로 끌고 와."

익숙하면서도 낯선 목소리였다. 거센 악력이 내 두 팔을 잡아끌었다. 누군가가 축 처진 내 머리를 붙잡아 허공으로 들어 올렸다. 눈앞에는 황성의 시종장, 카이로 백작이 앉아 있었다.

"당신에게 진실을 고할 기회를 주겠소."

주위는 어두웠다. 한겨울에 바깥 활동을 하는 것만큼 춥지는 않았으나 뼈 깊숙이 에이는 한기가 느껴졌다. 꿉꿉한 냄새가 나는 것을 보아 황성의 지하임이 확실한 듯했다.

'빌헬름을 생각해서라도 사릴 줄 알았는데. 설마 납치할 줄은.'

잠에서 덜 깬 척을 하며 고개를 늘어뜨렸다. 시종장이 재차 입을 열었다.

"캐롤드 영애."

아무리 머리를 굴려도 이곳에서 나갈 방도는 하나밖에 없었다. 나는 쉰 목을 가다듬은 후 대답했다.

"반역죄로 멸문한 핏줄에게 영애라니. 당치도 않습니다."

"캐롤드는 그렌페르크 제국과 역사를 함께한 건국 공신의 가문입니다. 비록 멸문했으나 그 후예는 귀족의 대우를 받아 마땅합니다."

"아무리 생각해도 지금 제 꼴이 귀족에게의 대우로 생각되지는 않은데요."

"황족, 그것도 황제 폐하를 살해한 용의를 받고 있는 인물에게 사람대우를 할 수는 없는 노릇이니."

장정들이 구속하듯 붙들고 있던 내 팔을 놓았다. 시종장은 하룻밤 사이에 놀랄 만큼 핼쑥해져 있었다. 나는 엉망이 된 앞머리를 뒤로 넘기며 말했다.

"제가 용의자가 맞기는 합니까?"

"그건 캐롤드 영애가 더 잘 알 테지."

"차라리 황족 모욕죄를 물으시지요. 그때 웃음을 참지 못한 것에 대한 죄책감은 저도 충분합니다. 충분하다 못해 넘쳐서 그날 사용했던 장갑을 불태워 버렸거든요."

거짓말이었다. 어제 사용한 피가 묻은 장갑은 아마 소파 위에 아무렇게나 던져져 있을 것이다. 시종장이 노한 얼굴로 외쳤다.

"어찌 황제 폐하를 모욕하는가!"

"정확히 말씀하셔야지요. 선황 폐하입니다."

시종장이 휘두른 팔에 얼굴이 돌아갔다. 늙은이 주제에 힘도 좋네, 제기랄. 너무 골렸나.

"이래서 반역의 핏줄은 죄다 싹을 잘라 버려야 해."

시종장이 내 머리채를 잡아당겼다. 그리고 더러운 벌레를 보는 듯한 시선으로 나를 노려봤다.

"너희 캐롤드가 결국 일을 칠 줄 알았지. 죽은 캐롤드 후작이 성스러운 『태양이 흐르는 강』 협약을 위반하고 가짜를 가져다 바칠 때부터 알아 봤어. 반역의 핏줄은 못 속이는군."

나는 웃음을 숨기지 못했다. 크게 웃을수록 근엄하던 시종장의 얼굴이 붉어졌다.

"핏줄로 따지자면 그 누가 레그윈을 이기겠습니까? 그 피에 미친 정신병자들을 말이에요. 별채로 끌려갔던 제 하녀는 어디에 묻혔나요? 아, 너무 많아서 잊으셨을까 봐 덧붙이는데 그 아이의 이름은 발레리아 몰타…."

숨이 턱 막혔다. 극심한 고통이 복부를 후려치고 심장까지 짓눌렀다. 나는 죽을힘을 다해 입술을 깨물며 바닥을 굴렀다. 구르는 순간에도 하루면 나아질 상처라 생각하니 위안 아닌 위안이 되었다.

"하아, 하아…."

"폐하를 향한 그 악의! 네년이 일의 주범임이 틀림없군."

"저는, 하아… 사실을 말씀드렸을 뿐인데요."

"폐하는 남들과 조금 다를 뿐이다."

시종장이 주름으로 자글자글한 이마를 한껏 구겼다.

"제국을 통치하는 레그윈의 핏줄이 범인들과 같을 리가! 선정에는 그만한 대가가 따르는 법이지. 어린 여자 몇으로 제국이 형통하다면 그것이야말로 만사형통인 것이야."

"아주 레그윈의 개를 자처하네…."

욱신거리는 복부에 힘을 주고 상체를 들었다. 시종장 옆에 나란히 선 두 명의 기사는 호위를 명목으로 내 방에 들러붙어 있던 그자들이었다.

"이봐요, 카이로 백작."

말이 통하지 않는 자와 오래 대화할 마음은 없었다. 어차피 다나한 2세는 내 손에 죽었으니 시종장이 그 어떤 개소리를 해도 귀에 들어오지 않았다.

"백작에게 부탁할 것이 하나 있습니다."

시종장은 코웃음도 치지 않았다.

"빌힐름 전하께서 널 거두셨다 하여 시건방지게 굴지 마라. 여자는 오래 가지면 질리는 법이고, 너만 한 얼굴은 제국에 차고 넘친다. 적발에 녹안을 지닌 여자의 빈자리는 대체품으로도 충분히 채울 수 있음이야."

빌힐름? 내가 빌힐름의 이름을 대고 목숨을 구걸할 거라 생각하는 걸까? 아니, 나는 더 이상 빌힐름의 발아래에서 등을 웅크리고 있을 마음이 없었다. 비비안느도, 조나단 자매도 마찬가지였다. 내게는 내 뜻대로 휘두를 기회가 있는, 그러나 누구에게도 쉬이 휘둘리지 않을 존재가 있었다.

"됐어요. 빌힐름 전하는 제 알 바 아니에요. 나는 모리타트 각하와 긴밀한 비밀을 나누는 사이입니다. 남녀 간의 정이 아니라, 서로 협력하는 사이란 뜻입니다. 죽기 전에 그분께 드릴 말씀이 있으니 모셔와 주세요."

시종장은 내 말에 귀 기울이는 얼굴이 아니었다. 누가 봐도 뻔하디 뻔한 거짓말을 대하는 얼굴이었다.

"증표로 각하로부터 사냥 대회 우승 상품을 인도 받았습니다. 그분께 여쭤보시지요. 그 정도는 확인해 주실 수 있지 않습니까?"

귓등으로도 듣지 않던 시종장의 눈빛이 조금 달라졌다. 이제는 어느 정도 의심이란 것을 하는 눈이었다.

'지독한 충성이야.'

레그윈에 죽고 레그윈에 사는 자가 황위 후계자로 빌힐름을 점찍은 건 어쩌면 당연한 일이었다. 그는 무려 10년도 훨씬 전부터 비비안느를 제치고 황태자 대우를 받던 후계자니까.

"맞다는 사실을 확인한 후 모리타트 각하께 '바라는 대로 부인을 죽여 드리겠다'라 전해 주세요. 그 문장이 우리의 신호입니다."

"거짓말이면 넌 죽는다."

"어차피 이 상태로는 어떻게든 죽을 처지 같은데요."

시종장으로부터 무언가를 전달받은 기사가 지하실을 벗어났다. 나는 그런 시종장의 얼굴을 보며 궁금해졌다.

'개를 자처하면 세상이 살만한가?'

나는 말 그대로 개 같았는데. 그마저도 잃고 모든 걸 받아들이면 편한 건가. 내가 받아들이지 못한 게 문제였던 걸까. 카이로 백작을 도저히 이해할 수 없었다.

끼익.

얼마의 시간이 흘렀는지 모르겠다. 무거운 발소리가 들리더니 낡은 쇳소리와 함께 문이 열렸다. 이윽고 들어선 모리타트의 곁은 여섯이 넘는 기사가 지키고 있었다. 나와 눈이 마주친 그가 미간을 구기고 혀를 찼다. 걸어 나온 기사가 내 어깨를 두터운 담요로 감쌌다. 모리타트는 나의 턱을 이리저리 돌려 얼굴 상태를 확인한 후 다소 신경질적인 음성으로 시종장에게 말했다.

"하루를 못 참은 모양이오, 카이로 백작."

"그것이 폐하에 대한 예의라고 생각합니다."

"선황 폐하겠지. 말은 똑바로 하시오."

시종장이 눈을 치켜떴다. 그가 입을 열기 전에, 모리타트가 단호한 얼굴로 말을 가로막았다.

"지금 이 순간부터 백작은 아그레인 양에게 접근할 수 없소."

꽤 세게 나가는데? 부인을 그렇게 죽이고 싶은 건가. 나는 기사의 부축을 받으며 천천히 일어섰다. 복부가 아린 탓에 등을 펼 수 없었다. 시종장이 목청을 높였다.

"그게 무슨 소리입니까? 이 여자는 가장 유력한 용의자입니다. 절대…."

"빌힐름 전하로부터."

내 꼴을 보다 못한 기사가 짧은 사죄와 함께 내 몸을 업었다. 여섯 명의 장정 전원이 나를 호위하며 지하실을 벗어났다. 내 방에서와 달리, 말 그대로 '호위'를 하면서. 습한 계단을 올라가는 중, 멀어지는 등 뒤의 지하실에서 모리타트의 목소리가 웅웅 울려 퍼졌다.

"아그레인 캐롤드 양은 곧 황후 폐하가 되실 몸이니 귀히 모시라는 명을 받았소."

…뭐?

"그러니 언행을 조심하는 게 좋을 거요, 백작. 하루라도 더 평탄한 삶을 살고 싶다면 말이지."

그 순간 머리가 번쩍 뜨였다. 내가 그렌페르크 제국의 황후가 될 예정이란 망언을 믿는 것은 아니었다. 이는 모리타트가 당장의 상황에서 벗어나려는 즉흥적인 헛소리에 불과할 테니까. 나는 기사의 등에서 내려 다시 계단을 타고 내려갔다. 이제 막 지하실을 벗어나던 모리타트가 나를 발견하고 의아한 얼굴을 했다. 그를 지나쳐 시종장에게 다가가 주먹을 휘둘렀다.

한 대 맞고 멍한 표정이었던 시종장이 몸을 벌떡 일으키며 진노했다.

"이, 이 미친 계집애가 어디서 감히 손찌검을!"

"목청 높이지 마세요. 내가 황후가 되는 날이 네 장날입니다. 알아들었어요?"

시종장이 황망한 눈으로 입을 다물었다. 역시 권력이란 좋은 거구나. 황당하다는 얼굴의 모리타트를 지나서 다시 기사에게 업혔다. 있는 힘껏 팔을 휘둘렀더니 안 그래도 아픈 복부가 더 아렸다. 밖은 아직도 캄캄한 새벽이었다. 뒤늦게 폭소를 터트리며 따라오던 모리타트가 은근한 목소리로 입을 열었다.

"우리 이제 한 배를 타는 겁니까? 그렇죠? 예비 황후 폐하."

그가 입에 담은 끔찍한 단어에 진저리를 치며 대답했다.

"충분히 도움 되었으니 그만 언급해."

"으음? 도움이 되었다니?"

"각하 덕분에 목숨은 부지했다는 소리야."

내 말을 가만히 듣던 모리타트가 헛웃음을 뱉었다.

"아그레인 양. 설마 농담이었다고 생각하는 건가?"

그 한마디에 핏속이 서늘해졌다. 모리타트는 늘 지니고 있던 옅은 웃음기를 완전히 지우고 말했다.

"국법에 따라 빌힐름 전하의 황위 즉위식은 다나한 2세가 타계한 지 정확히 한 달 후에 열리지. 그날 아그레인 양은 전하의 옆자리에 서게 될 거야. 황후로서."

그야말로 없던 입맛까지 뚝 떨어지는 소식이었다. 빌힐름의 옆에 서서 관을 쓰고 '황후 폐하'라 불려야 한다고?

'황후로 만들어 줄까? 누이.'

나비 경주에서 빌힐름이 스치듯 했던 발언이 떠올랐다. 그 누구라도 그 소리를 진지하게 받아들이지 않았을 것이다. 황후. 트리비아체 저택의 하녀에 불과했던 내가, 황후라고? 나는 기사의 등에 얼굴을 박고 웃음을 숨겼다. 그동안 모리타트는 들뜬 목소리로 말을 이었다.

"그런 황후 폐하께서 나의 청원을 들어주신다니! 이보다 더 돈독한 관계가 있을까? 응? 나비 경주에서 아그레인 양을 만난 건 내 천운이야. 아암, 그렇고말고."

나는 진심을 다해서 모리타트에게 물었다.

"빌힐름이 미쳤나?"

"빌힐름은 원래 미쳤지."

우문현답이었다. 나는 질문을 조금 바꾸기로 했다.

"나는 반역 가문의 딸이야. 그리고 다나한 2세를…."

죽였지. 마지막 말은 입 안으로 삼키고, 우리를 감싸듯 따라 움직이는 황실 기사들을 훑어보았다. 그들은 마치 귀가 없는 듯 오직 정면만을 응시한 채 걸음을 옮기고 있었다. 이미 모두 빌힐름의 사람인 걸까. 나를 물끄러미 응시하던 모리타트가 흥분에 격양된 음성으로 대답했다.

"바로 그 점이야! 아그레인 양… 나는 이제 조금 알 것 같아. 빌힐름이 왜 그렇게 아그레인 양을 특별 취급하는지."

글쎄. 네가 정말 제대로 알고 있는 게 맞을까?

"강력한 황제는 역사조차 바꿀 수 있다는 걸 잊지 말라고. 반역 가문? 단언컨대 일주일 안으로 오명이었다고 발표될 거다."

그러면 뭐 하나. 죽은 아버지와 내 하인들은 되돌아오지 않을 텐데. 기사들은 나를 방 안까지 배웅한 후 방을 나갔다. 물론 모리타트는 아니었다. 그는 마치 절친한 친우의 방에 놀러온 양 이곳저곳을 뒤지며 구경하기에 바빴다.

"죄다 구하기 힘든 물건들뿐이군. 빌힐름이 갖다 바친 건가?"

"내가 그의 재물을 물 쓰듯 사용하긴 했지."

"흐음. 역시 신기하단 말이야."

나는 창문 아래의 메마른 정원을 가만히 내려다봤다. 황성의 2층. 죽지는 않겠지만 죽어도 이상하지 않을 높이었다.

"각하. 부인은 왜 죽이려 하는 거야?"

그는 갑작스레 변한 대화 주제에 어리둥절해하면서도 친절하게 대답해 주었다. 딱히 숨기고 싶어 하는 기색도 아니었다.

"내 부인은 어여쁘고, 똑똑하고, 나와 빌어먹게 안 맞지. 그녀는 가문에 꽤나 충성스러운 여자라 나와 갈라서려 하지도 않을 거야. 뭐, 서로 정부가 있는 마당에 신경 쓸 일은 아니었어."

미약한 오르골 소리가 방 안에 울려 퍼졌다. 나는 소리가 나는 근원지로 고개를 돌렸다. 벨버른 백작이 내게 구애하며 갖다 바쳤던 소형 오르골에서 들려오는 음악이었다. 구석에 처박혀 있던 물건을 모리타트가 건든 모양이었다.

"빌힐름이 황위를 계승하기 전까지는."

모리타트는 넋을 놓은 채 발레리나가 하염없이 돌고 있는 오르골을 쳐다보며 말을 이었다.

"여자들이야말로 그런 꿈이 있지 않나? 사랑하는 자와 평생을 함께하고 싶다는 꿈."

"그래서 각하가 사랑하는 사람이 누군데?"

끔찍하게 로맨틱한 남자였다. 사랑하는 여자와 혼인하기 위해 부인을 청부살인하겠다는 건가. 시기가 시기인 만큼 대업을 위해서라 여겼는데, 이토록 인간적이면서 싸구려 같은 연유에서였다니. 문득 힐마르티노에게서 받은 물건이 떠올랐다. 나는 가슴 안쪽에 고이 간직해 두었던 쪽지를 꺼냈다.

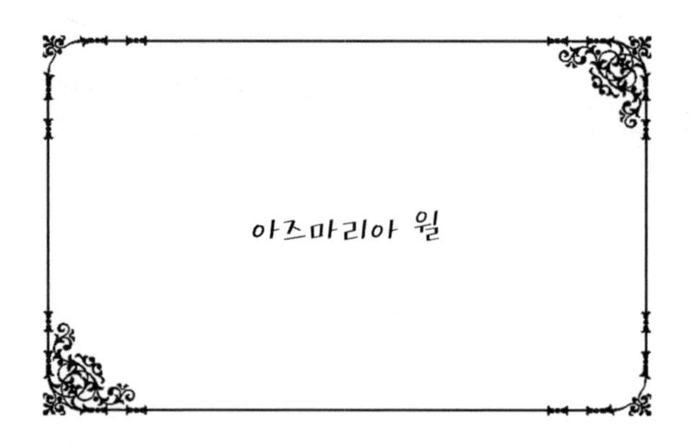

동시에 모리타트가 웃음기 서린 얼굴로 나를 돌아보며 대답했다.

"그걸 밝힐 수는 없지."

그 밝힐 수 없는 존재가 아즈마리아 윌이라 이거군. 미약하게나마 눈치채고 있던 참이었다. 나비 경주에서 아즈마리아를 언급하던 모리타트의 표정이 유독 씁쓸해 보였기 때문이다.

'부인도 이루어질 수 없는 사랑에 목을 맨다더니.'

부부 둘이서 닮은 점이 참 많은 듯했다. 원래 비슷한 사람들끼리는 오래 함께하기 힘든 법이지.

"그래서, 예비 황후 폐하. 제 청원은 언제쯤 이루어 주실 수 있으신지?"

모리타트가 기대를 숨기지 못하는 얼굴로 천천히 내게 다가왔다. 나는 쪽지를 잘게 잘라 입 안에 넣고 삼켰다. 그리고 짐승을 구경하는 눈으로 바뀐 모리타트에게 말했다.

"그보다 앞서 중요한 일이 있어."

창문을 활짝 열었다. 지하실에서와는 차원이 다른 한기가 몸을 덮쳤다. 한 번 주춤하면 두려움이 밀려 들어와 다리를 움직이기 힘들 것이다. 나는 곧장 창틀 위로 올라섰다. 그리고 모리타트에게 말했다.

"빌힐름에게 전해 줘. 황후가 되느니 죽어 버리는 게 낫겠다고."

겨울의 메마른 정원 위로 몸을 던졌다. 마지막으로 본 것은 경악에 물든 모리타트의 얼굴이었다.

"이런 미친, 잠깐…!"

그에게선 처음 듣는 커다란 외침이 빠른 속도로 멀어졌다. 모리타트에게 남긴 말은 진심이었다. 내 마음을 알아 줘, 빌힐름. 나는 거리낌 없이 투신을 할 정도로 네가 끔찍하단 말이야.

'이번에 보일 미래도 쓸모 있으면 좋을 텐데.'

큰 충격이 전신을 덮쳤다. 이윽고 긴 이명이 들려왔다. 눈앞이 흔들리고 시야가 뒤집힌다.

나는 어느새 푸른 초목이 자라나기 시작한 너른 초원을 바라보며 서 있었다. 먹구름으로 뒤덮인 하늘은 금방이라도 비를 쏟을 듯 새까맸다. 누군가 내게 말했다.

[어서 이리로 와. 누이가 돌아와야 할 곳은 내 곁이야. 꽤 즐거웠지? 이제 그만 이 장난을 끝내자.]

나는 벼랑 끝에 서 있었다. 뜨거운 적색 불꽃이 날개처럼 솟았다. 푸른빛이 펼쳐진 눈앞의 초원과, 새까만 재가 되어 무너지는 등 뒤의 저택이 마치 다른 세상처럼 느껴졌다. 나는 등을 돌렸다. 그곳에는 리히튼이 서 있었다. 어떤 얼굴인지는 보이지 않았다. 하지만 나는 알고 있었다. 그를 괴롭히는 건 빌힐름도, 저주와도 같은 그 힘도 아닌 바로 나다. 리히튼에게 말했다.

[이건 명령이야. 나를 잊고 너를 위해 살아.]

두 다리가 허공에 떴다. 나는 아마, 죽었다.

눈을 떴을 때는 낯선 방에 누워 있었다. 침대도, 천장도, 방 안을 구성하는 가구들도 내가 알던 내 방의 풍경과 너무나도 이질적이었다. 머리가 어지러웠다. 이마를 짚기 위해 팔을 들었으나 붕대로 꽉 감겨 있는 탓에 제대로 움직일 수 없었다.

'아….'

칼로 자상을 냈을 때와는 전혀 다른 후유증이었다. 다신 뛰어내리지 말아야지. 머리에 피가 통하지 않는 기분이었다.

괘종시계의 시침은 숫자 10을 가리키고 있었다. 근래에는 눈을 뜰 때마다 새벽 아니면 밤이라, 햇빛을 본 일이 적은 듯했다. 나는 다시 잠들지 못했다. 안 그래도 예민한데, 잠자리마저 뒤바뀐 탓이었다. 더듬더듬 걸음을 이어 복도를 건넜다. 창밖으로 보이는 정원의 형상을 보아하니 이곳은 황성 서쪽 구역의 삼 층이었다.

'이 층에서 삼 층… 신분 상승인가?'

즉위식과 함께 황후가 될 예정이라던 모리타트의 말이 처음으로 피부로 와 닿는 순간이었다. 그러나 힘겹게 도달한 내 방의 문은 단단하게 잠긴 후였다. 벽에 기대어 잠시 숨을 돌렸다. 내 물건이 하나도 없는 그 방에는 다시 돌아가고 싶지 않았다.

'그냥 여기서 잠들어 버릴까? 얼어 죽지는 않겠지.'

쉴 곳. 잠깐이라도 쉴 곳이 필요했다. 그러다 비척거리며 다시 몸을 일으켰다. 무의식적으로 다리를 움직여 또 다른 방 앞에 도달했다. 다행히 문은 잠겨 있지 않았다. 방 안은 어둡고 따스했다. 벽난로에서 들려오는 불꽃 튀는 소리가 마음을 차분하게 했다. 나는 그 앞에 머리를 대고 웅크려 누웠다. 침구는 없어도 그 방보다 훨씬 따스하고 평화로웠으며 고요했다.

"아그레인."

누군가 내 이름을 불렀다. 나는 변명하듯 허공에 대고 입을 열었다.

"그 방은 내 방이 아니야. 내 방은 잠겨 있어서 돌아갈 수도 없어."

"네가 사용했던 방도 진짜 네 방이지는 않지."

걸음 소리는 들리지 않았으나 그의 음성은 어느새 내 지척에 있었다. 목소리의 주인, 리히튼이 내 몸을 안아 들었다. 이미 두 팔, 두 다리에 힘이 쭉 빠진 뒤라 인형처럼 들릴 수밖에 없었다. 나는 리히튼의 체온을 느끼며 바짝 마른 입술을 열었다.

"나는 내 방을 기억해. 이곳이 아닌 캐롤드에서의 내 방 말이야."

리히튼은 내 몸을 조심스럽게 소파 위에 뉘였다. 온몸이 쑤셨으나 고통스럽지는 않았다. 꿈속을 헤매는 듯한 몽롱한 감각이었다. 두터운 침구가 차갑게 식은 내 몸을 덮었다. 나는 바로 옆에 자리 잡은 리히튼의 인기척을 느끼며 눈을 감았다. 입이 절로 움직였다.

"캐노피 색이 황색에 가까운 노란색이었어. 책장에 가득한 물건은 책이 아니라 내가 어디선가 주워 온 형형색색의 돌멩이와 말라비틀어진 생화였지."

그날 이후 캐롤드의 꿈을 꾼 적도 없었는데, 먼지 아래에 묻혀 있던 과거의 기억들이 드문드문 고개를 들었다.

"킨은 내 방에 올 때마다 새로운 꽃을 한 송이씩 가져와서 상태가 가장 좋지 못한 꽃과 바꾸었어. 하루는 데이지, 하루는 로즈마리…."

내가 기억하는 행복한 시간에는 항상 아버지와 킨이 함께했다. 킨이 나의 배다른 형제가 된 이후 이어졌던 일 년이 내 생에 가장 아름다운 해였다. 황제 탄신일을 제외하고는 단 하루도 캐롤드를 벗어나지 못했던 내게, 킨은 유일한 친구이자 형제였다. 우리는 늦은 밤까지 캐롤드 저택 곳곳을 누비며 함께 공부하고, 함께 놀았다. 아버지는 그런 우리를 타박하지 않고 그저 다치지 않길 당부하며 돌봐 주실 뿐이었다.

"지금은 전부 재가 되어 땅 아래에 묻혔겠지만."

리히튼은 아무런 대꾸 없이 내 말에 귀를 기울였다. 킨이 언급되어도 그러려니 여겼다. 나는 그의 앞에서 킨 캐롤드를 내 가족인 양 언급하는 이 순간이 비현실적으로 느껴졌다. 그가 실제 나의 형제가 맞다는 사실 또한.

"리히튼."

그의 숨소리는 차분했다. 마치 내가 찾아올 것을 알고 있었던 것처럼.

"내가 황후가 되면 빌힐름을 더 고통스럽게 끝낼 수 있을까?"

잘 생각해 보면, 내가 빌힐름을 증오한다는 것 외에 그 대단한 지위를 거부할 이유도 딱히 없지 않은가.

"그것도 나쁘지 않을 것 같아. 첫날밤을 가지는데, 내 몸은 독물인 거지.

빌힐름은 황제가 된 지 하루 만에 다나한 2세와 똑같은 꼴이 되는 거야."

가능한 머릿속에 그려내고 싶지 않은 장면이었으나, 빌힐름의 비명을 상상하니 그다지 나쁘지만은 않았다.

묵묵히 입을 닫고 있던 리히튼이 느릿하게 대꾸했다.

"나는 내일 오후에 잉고르드로 돌아갈 거다. 그리고 즉위식에 맞춰 다시 황성을 찾아오겠지."

벌써 그렇게 됐나. 내게는 그다지 즐거운 소식이 아니었다. 말문이 막혔다. 그는 내게 무슨 대답을 바라기에 다른 말도 아닌 떠난다는 소릴 곧장 한 걸까? 이제까지 잘 지내왔음에도 불구하고 돌연 그가 없는 황성에서 한 달을 지내야 한다고 생각하니 앞이 깜깜했다.

'리히튼은….'

리히튼은 혹시 내가 그와 함께 잉고르드로 돌아가길 바라는 걸까? 황성의 모든 것을 포기하고 처음부터 다시 시작하길 바라는 걸까? 하지만 하늘이 무너져도 내가 그를 따라 돌아가는 일은 없을 것이다.

"왜 황후가 되지 말라는 소리를 안 해?"

그 사실을 알기에, 이런 물음을 건네는 내가 몹시 우습게 느껴졌다. 나의 결정에 리히튼의 의사가 얼마나 큰 영향을 준다고.

"네가 원한다면 나는 무엇이든 해, 아그레인."

무언가가 얼굴 위로 닿아 왔다. 리히튼의 시원한 손끝이 식은땀으로 축축한 내 이마를 상냥하게 쓸었다.

"하지만 그게 다 무슨 소용일까? 나는 네가 원한다면 언제든 개가 되지만, 너는 늘 힘없이 사그라지지. 파도에 휩쓸린 모래성처럼…."

파도에 휩쓸린 모래성. 귀에 익은 문장이었다.

'오늘도, 내일도… 마치 파도를 눈앞에 둔 모래성 같아.'

나는 감았던 눈을 떴다. 단번에 기억이 난 것이다. 지하실에서 찬물을 맞고 정신 차리기 직전, 꿈속에서 내 입으로 내가 직접 뱉은 말이었다. 이어진 리히튼의 목소리는 아무도 없는 공간에서 혼자 읊조리듯 허무하고 고요했다.

"너는 나를 원하지만, 딱 너를 위한 만큼만 나를 원하지. 네가 바라는 모든 것 중에서 나는 가장 뒷전이야. 이 비참함도 이제는 익숙하군."

'널 사랑해, 리히튼. 하지만 그보다 더 내 삶은 가치가 없어.'

이 말도.

"네가 없으면 내게는 아무런 의미도 없는 세계인데."

'네가 없으면 이 세계는 내게 아무런 의미가 없어.'

이 말도 모두. 꿈속에서 죽기 직전에 그와 내가 나눈 대화지 않은가. 하지만 그 꿈은 미래가 아니었다. 육신의 고통이 따라야만 미래를 볼 수 있으니, 이 꿈들은 잉고르드의 독을 섭취한 이후부터 보아 온 과거의 파편에 더 가깝다고 할 수 있었다.

'왜 독물을 마셔야만 과거를 볼까?'

독에서 완전히 회복되기까지 내 몸은 끝없이 재생한다. 독에서 완전히 회복되기까지, 내 몸은 끊임없이 고통을 겪는다.

'아아. 이제 이해했어. 육신을 해하면서 볼 수 있는 건… 미래뿐만 아니라 과거 역시 마찬가지였던 거야.'

나는 꿈을 통해 과거를 엿본다. 과거의 나는 이미 두 번 목숨을 잃었다. 어쩌면 두 번이 우습다 여겨질 만큼 더 많이 목숨을 잃었을 수도 있었다. 그럼에도 불구하고 지금 내 심장은 아주 멀쩡하게 뛰고 있었다. 죽었던 내가 어찌 이곳에 있을 수 있는 것일까?

"네 바람대로 모든 것을 바꾸어도 나쁘지 않겠지. 당장 해가 뜨면 황성의 모두를 죽여 버리고 너를 왕좌에 올려 줄까?"

새장의 개에 불과했던 리히튼은 어떻게 그렌페르크를 손아귀에 쥘 수 있던 걸까? 리히튼은 어째서 모든 일을 아는 양 행동하는 걸까? 리히튼은 왜 지친만큼 그리운 눈으로 나를 바라보는 걸까?

"대신 너는 약속해야만 해."

아무런 감정도 담겨 있지 않아 그저 무던하고 평온한 음성이었다. 그러나 고개를 돌려 확인한 리히튼의 눈은 그렇지 않았다. 심해보다 더 깊숙한 바닥으로 떨어진 그의 눈은 내게 멈추라고 말하고 있었다. 포기하라고. 이만 포기하고 그를 선택하라고.

"이번 기회 또한 포기하게 되더라도, 날 죽인 후에 포기하기로."

죽었던 내가 멀쩡히 살아 있는 이유. 리히튼이 그런 나를 탓하는 이유.

'그가 나를 살렸으니까.'

빌힐름의 머리를 베는 일쯤 아무것도 아니라고 말하는 이유.

'이미 여러 번 베었으니까.'

고작 수년 만에 그렌페르크 제국을 집어삼킬 수 있었던 이유.

'모든 진실을 알고 있으니까.'

리히튼에게 시간을 되돌리는 힘이 존재한다면, 이 모든 이유가 설명된다. 나는 확신했다. 리히튼의 힘은 회귀였다. 그는 나를 위해서 기꺼이 수십 번의 과거를 반복해 온 것이다.

아아. 감히 상상할 수도 없는 막연한 공포가 밀려들어왔다. 리히튼이 겪어온 길고도 끔찍한 시간들은, 고작 짧은 기억의 조각들로만 내 머리에 남아 있었다. 리히튼이 나보다 나를 더 잘 아는 것은 당연했다. 리히튼이 나를 증오하는 것 역시 너무나 당연했다. 빌힐름이 내게 악마라면, 리히튼에게 있어 악마는 나일 수밖에 없지 않은가.

"투신했다더니, 진통제의 효과가 떨어지고 있나 보군."

멍하니 얼굴을 쓸었다. 불에 델 듯 뜨거운 눈물이 뺨을 가로질러 떨어지고 있었다.

"…아파."

내가 앓는 소리를 내자 리히튼이 짧게 혀를 찼다.

"내가 네 손을 괜히 찌른 게 아니야. 너는 조금 더 현명한 방법으로 몸을 써야 할 거다. 육체는 완전해도 정신은 완전하지 못하니까."

"아파."

"물론 너라면 횃김에 떨어져 내렸을 확률이 더 높겠지만."

맞아. 그는 항상 옳은 소리만 한다. 몸을 일으킨 리히튼이 서랍에서 무언가를 꺼냈다. 확인할 필요도 없이 진통제임이 분명했다. 나는 그가 건넨 약을 거절했다. 대신 곁에 앉은 리히튼의 가슴에 얼굴을 묻었다. 느리게 뛰는 심장 소리가 귓등을 울렸다. 리히튼에게 고백하듯 말했다.

"미안해."

리히튼은 나를 당겨 안지 않았다. 다만 꼼짝 않고 그 자리 그대로 앉아 있을 뿐이었다.

"너는 모르겠지만, 그건 내가 아는 말 중 가장 끔찍한 소리야."

아니, 이제는 안다. 나는 죽음 앞에서 그에게 늘 미안하다고 말하곤 했다. 마치 변명이라도 하듯이. 머리 위가 무거워졌다. 리히튼이 내게로 몸을 기댄 것이다.

"너는 내게 미안한 짓을 해선 안 돼, 아그레인. 네가 나를 바라는 마음이 거짓이라 할지라도…."

다음날 아침에는 이상하리만치 정신이 맑았다. 몸은 거대한 바위에 짓눌린 것처럼 무겁고 아프고 불편했으나 오감은 또렷하고 선명했다. 나는 이 느낌을 안다. 오늘은 꽤 산뜻한 일을 경험할 수 있을 것 같았다. 머리가 맑을 때는 대개 그러했으니까.

빌힐름은 직접 날 찾아오지 않는 대신 타인을 시켜 살뜰하게 나를 보살폈다. 방도, 사람도, 음식도 모두 황제가 즐길 법한 최고의 것들이었다. 나는 거절하지 않고 하나하나 모두 받아들였다. 좋은 건 좋은 거니까. 그러나 갑작스러운 방문객들은 그다지 좋지 않았다. 그날 오전부터는 얼굴도 모르는 자들이 차례로 문병을 왔다. 하나같이 선물을 품에 안은 시종을 대동하고서.

"몸을 소중히 하셔야 합니다, 아그레인 캐롤드 양. 이 로오얄 루이보스는 황금을 먹고 자란 루이보스가 원재료인 잎으로, 여자의 몸에 그만입니다. 피부를 보호하고 깊은 잠에 들게 하는 것은 물론 건강한 아이를 출산할 수 있도록 돕는다지요!"

아직 정오도 안 된 시각이었다. 네 번째로 날 찾아온 방문자는 드레스가 터지지 않는 게 용할 만큼 비대한 몸집을 가진 귀부인으로, 역시 기억나지 않는 얼굴이었다. 나는 번거로움을 숨기지 않은 채 그녀에게 말했다.

"그 말은 즉 내가 지금 혼외 임신을 했다는 소리인가요?"

"예?"

"불쾌하군. 누가 그런 헛소문을 퍼트리고 있는 겁니까?"

귀부인이 당혹스러운 얼굴로 손을 내저었다. 내 엄지 손톱만한 진주가 그녀의 손등 위에서 번쩍였다.

"아니, 그게 아니라… 저는 순전히 로오얄 루이보스의 효능에 대해서…."

그녀의 시종에게서 황금색으로 번쩍이는 철통을 빼앗았다. 그리고 오늘 오전부터 내내 나를 호위하고 있는 기사에게 건넸다.

"이 기분 나쁜 철통을 마구간에 버려 줘요. 지금 당장."

귀부인은 커다란 충격을 받은 얼굴로 시름시름 앓으며 방을 나갔다. 뻔뻔하게 문병 올 낯짝은 있는 주제에 눈앞에서 선물이 버려지는 걸 목도할 용기는 없나 보다. 다섯 번째로 찾아온 방문자는 오늘 날 찾아온 문병인들 중 가장 젊은 귀부인이었다. 그녀의 시종은 금색 채집장을 들고 있었다. 어찌

된 게 하나같이 금칠한 물건들만 들고 다닌다.

"이 아이는 제가 돌보는 온실의 나비여요, 캐롤드 영애."

어린 귀부인은 수줍게 웃으며 내게 채집장을 건넸다. 역광에 잘 보이지는 않았으나 꽃잎 같은 게 들어가 있는 것 같기는 했다.

"행운을 불러오는 아이라 황성에도 데리고 왔는데 영애에게 꼭 선물해 드리고 싶어요."

나비 경주가 떠올라 순식간에 기분이 더러워졌다. 나는 몸을 일으켜 창문을 활짝 열고 채집장 안의 나비를 날려 보냈다. 경악한 귀부인이 두 뺨을 부여잡고 창밖으로 몸을 숙였다.

"꺄악! 마리!"

"걱정 마세요. 마리는 좋은 곳으로 갔을 겁니다. 아름다운 수컷을 만나 성공적으로 종족을 보전하겠지요."

"읏…."

"아니면 마리는 수컷이었나요?"

"으흑, 흑. 마리이!"

뭐. 수컷이 수컷을 못 만난다는 보장은 없지. 다섯 번째 방문자가 나간 후에는 방이 썩 조용해졌다. 드디어 휴식다운 휴식을 취할 기회가 주어진 것이다.

'리히튼은 오늘 오후 떠난다고 했지.'

그렇다면 이제 슬슬 아즈마리아와 모리타트를 만날 때가 되었다. 다행히 둘 중 한 명은 따로 부를 수고를 할 필요가 없었다. 점심 식사 시간이 지난 직후 모리타트가 날 찾아왔기 때문이다.

"댁을 찾아올까 말까 고민이 많았습니다, 캐롤드 영애."

그의 안색은 영 좋지 못했다. 눈에 띄게 조심스러운 감도 느껴졌다. 눈앞에서 뛰어내린 여자와 하루하고 반나절 만에 다시 만났으니 그럴 만했다.

"안 어울리게 존칭은."

"화제의 아그레인 캐롤드 양과 너무 가까우면 추문이 돌 게 분명하거든요."

모리타트는 오늘 문병 온 방문자 중 유일하게 시종을 대동하지 않았다. 그는 창문 쪽으로는 고개도 돌리지 않고 자연스레 의자에 자리 잡았다.

"성격 파탄이라는 소문이 황성 곳곳에 돌고 있더이다, 아그레인 양. 선물이란 선물은 죄다 망가뜨린다기에 이 모리타트 잭은 빈손으로 왔지요."

칭찬이라도 해 주길 바라는 건가? 모리타트는 건조한 얼굴로 어색하게 웃음소리를 냈다. 좋게 말해도 시체 꼴을 겨우 면하고 있는 나의 상체 곳곳을 그의 눈길이 살폈다. 미약한 씁쓸함이 느껴지는 얼굴이었다.

"좋게 생각하세요. 사랑으로 맺어지는 혼인은 적어도 귀족 사회에선 불가능한 일입니다."

저런 말도 할 줄 아는 남자였던가?

"그 사랑 때문에 부인을 죽이려는 남자의 입에서 나올 소린 아닐 텐데."

"살다 살다 황후 자리가 싫다는 여자는 처음 봐서 그럽니다."

나는 서랍 한구석에 쌓아 두었던 초콜릿의 은박지를 까며 그에게 물었다.

"잉고르드의 마차는 떠났을까?"

"아직 남아 있는 것으로 압니다."

"이곳에 있어도 되는 거야? 언제 다시 보게 될지 모르는데."

모리타트는 한 치의 어색함도 느껴지지 않는 능숙한 웃음을 지어 보였다.

"무슨 소릴 하시는 건지 영 모르겠군요."

"순수한 마음으로 놀라워서 그래. 친우의 약혼자였던 것으로 모자라, 적장의 아성으로 도망친 여자를 아직까지 잊지 못한다는 게."

무려 잭 가문의 수장이자 그렌페르크 제국의 공작인 남자였다. 원한다면 방 하나를 제 취향의 미인으로 가득 채울 수 있는 인물이, 고작 여자 한 명을 못 잊어 인간성까지 상실하려 하다니.

"그래서 사랑이라는 건가?"

적어도 내가 이해할 만한 영역은 아닌 듯했다. 모리타트는 입을 꾹 다문 채 그 어떤 맞장구도 칠 생각이 없어 보였다. 나는 그런 그에게 통보했다.

"각하. 오늘 오후 12시에 별관 『태양이 흐르는 강』 앞으로 나와."

여유로운 표정을 유지하던 모리타트가 미간을 좁혔다.

"밀회입니까? 말했듯 저는 아그레인 양과 추문을 만들 생각이 없습니다만?"

"내 목숨을 두 번이나 구한 모리타트 잭인데… 이쯤 되면 간절히 바라는 청원 하나쯤은 이루어 줘야 하지 않겠어?"

반응이 영 미덥지 않다. 나는 그가 무엇을 걱정하는지 금방 눈치챌 수 있었다.

"걱정 마, 죽는 건 포기했으니까. 앞으로 각하 앞에서 그런 꼴을 보일 일은 없을 거야. 장담할게."

그제야 모리타트의 표정이 평온을 되찾았다. 보기보다 담이 작단 말이지. 나이에 맞지 않게 소년다운 분위기를 풍기는 그에게 퍽 어울린다 생각됐다. 아, 그래서 아직도 한 여자를 잊지 못하는 건가?

"정확히 정오야. 늦어서도, 일러서도 안 돼."

"기대하겠습니다."

모리타트는 형식적인 안부 인사를 몇 번 건네고는 아쉬움 없이 방을 떠났다. 정오까지는 그리 많은 시간이 남지 않았다. 나는 시종을 불러 명했다.

"아즈마리아 윌에게 찾아가서 내 말을 전해라. 네 스스로가 누구인지 궁금하다면, 곧장 별관 삼 층의 서쪽 구역으로 오라고."

그렇게 십여 분가량을 하늘만 쳐다보다가 모피를 걸치고 방을 나갔다. 방

구석 의자에서 가만히 책을 읽던 기사가 황급히 쫓아 나왔다.

"아가씨, 제가 부축을…."

"따라오지 마."

"전하께서 아가씨의 호위를 명하셨습니다."

"오랜 친우를 만나러 갔다 올 뿐이야. 아즈마리아 윌 알지? 그 애와 잠시 만나기로 했거든."

그래도 떨어질 생각을 안 하기에 걸음을 멈춰서 눈을 마주했다.

"여기서 한 발자국이라도 더 따라온다면, 속옷만 입고 황성을 나도는 아그레인 캐롤드 아가씨를 모시게 해 주겠어."

이번에는 말이 통했다. 오전 내내 귀부인들을 홀대하던 모습을 봤기 때문인지 거짓말이 아니라는 것을 믿는 듯했다. 다행이네. 나라고 해서 뼛속까지 한기가 드는 날씨에 맨몸으로 돌아다니고 싶은 마음은 없었다. 가볍게 등을 돌린 나는 몇 걸음 옮기다 말고 다시 기사의 앞으로 돌아갔다. 그에게 물어볼 이야기가 있었다.

"있잖아, 경. 모리타트 잭 공작과 아즈마리아 윌은 어린 시절부터 아는 사이였나?"

기사는 신중한 고민 끝에 대답했다.

"잭 공작 각하 내외분과 윌 영애는 어린 시절을 함께 보내셨습니다. 황성을 방문하실 때도 늘 세 분이서 함께였죠. 밝은 웃음소리가 황성 안을 가득 채웠었는데…."

그런가. 셋이 꽤 각별한 사이였던 모양이지. 그래봤자 지금은 한 명이 한 명을 청부살인하는 관계가 되었지만. 나는 얼어붙은 겨울의 정원을 건너 별채 안으로 발을 디뎠다. 아즈마리아는 반드시 그곳에서 나를 기다리고 있을 것이다.

'아그레인 캐롤드'가 차기 황후로 간택되었다는 소식을 들었다면, 분명히.

별채는 여전히 조용하고, 기괴했으며 추웠다. 귀를 기울이면 어디선가 유령 우는 소리가 나는 듯했다. 그리고 『태양이 흐르는 강』 앞에는 곧게 등을 펴고 선 흑발의 여자, 아즈마리아가 날 기다리고 있었다. 나는 망설임 없이 그녀의 곁으로 다가갔다. 아즈마리아는 한눈에 담기에도 벅찬 거대한 그림에 정신이 팔려 있었다.

"그게 뭔지 알아?"

흠칫, 어깨를 굳힌 아즈마리아가 날이 선 표정으로 나를 바라봤다.

"기억해? 내가 예전에 네게 물었었잖아. 『태양이 흐르는 강』이 무엇인지 알고 있느냐고."

아즈마리아의 경계 어린 시선은 풀릴 줄 몰랐다. 나를 살피던 그녀는 한참 뒤에야 입을 열었다.

"당신과 사담이나 나누려고 이곳에 온 게 아니야."

사담이라. 그녀의 말을 인정했다. 그럴 수밖에 없었다. 누군가에게는 이 거대한 그림에 관해 논하는 일이 사담에 불과하겠지. 사교장에서 친분을 쌓기 위해 활용되는 많고 많은 미술 작품들 중 하나에.

"그렇게 말하니 서운하네. 『태양이 흐르는 강』이야말로 아그레인 캐롤드에게 가장 중요한 존재인 것을."

아즈마리아가 완전히 내게로 돌아섰다. 그녀는 이를 악물고 내게 물었다.

"너는 대체 누구지?"

아마 그 물음을 받아야 하는 건 내가 아닌 아즈마리아 스스로가 아닐까.

"누구기에 나를 사칭하고, 아그레인이라는 이름이 네 것인 양 뻔뻔하게 그 자리에 앉아 있는 거지?"

내가 잉고르드를 떠난 지 벌써 두 달이었다. 두 달 동안 아즈마리아는 제자리걸음만 반복한 것처럼 들렸다.

"그 자리라면 혹시 빌힐름의 옆자리를 말하는 걸까? 곧 황후가 될 내 위치? 이해할 수 없구나, 아즈마리아. 빌힐름이 무서워 도망친 건 너야."

두 눈을 부릅뜨며, 아즈마리아가 내게로 달려들었다. 연약한 손이 내 양 어깨를 쥐고 밀어냈다.

"이 악독한… 이제 와서 모르는 척할 생각 마! 너는 진짜 아그레인 캐롤드가 아니야. 나는 알고 있어. 아그레인 캐롤드는…."

"너라고?"

아즈마리아가 입술을 깨물었다. 차오르는 분을 힘겹게 참아 내는 눈이었다. 그 눈을 보자 나도 모르게 커다란 웃음이 터졌다.

"왜 말을 못해? 네 입으로 말해 봐. 네가 아그레인 캐롤드라고."

"닥쳐."

"아니면 네가 생각해도 내가 진짜 같니?"

"입 닥쳐!"

커다란 울분이 터졌다. 달걀 껍데기처럼 새하얗던 아즈마리아의 흰자위로 붉은 핏발이 섰다. 그녀는 이제 더 이상 내 앞에서 평정심을 유지할 마음이 없어 보였다.

"그날이 기억나네… 네가 내게 처음으로, 아그레인 캐롤드가 자신의 진짜 이름이라며 밝혔던 그날이."

그리 오래된 이야기도 아니었다. 그 시간으로부터 이제 겨우 한 계절이 흐르지 않았던가. 아즈마리아의 숨이 점차 거칠어졌다. 나는 부드럽게 웃으며 내 어깨를 부여잡은 그녀의 손을 천천히 떼어냈다.

"맞아, 나는 가짜야. 그게 편하다면 그리 여기도록 해. 나는 네가 리히튼의 곁을 비운 그 시간 동안 아그레인 캐롤드 행세를 하며, 그를 빼앗았지. 진짜인 너에게서… 이봐, 아그레인. 너 정말 한심하구나?"

아즈마리아가 휘두른 손에 뺨이 돌아갔다. 아팠지만 눈물이 날 정도는 아니었다. 당장 복부를 차이고 이 층에서 떨어졌던 날이 어제 새벽이었으니까. 그녀는 내 몸을 그림 위로 밀쳤다. 나는 고개를 숙이고 실실 웃으며 아즈마리아가 원하는 대로 순순히 휘둘려 주었다. 그녀의 내부 깊숙이 박혀 있던 아그레인이라는 정체성이 휘둘리는 게 너무나 즐거웠다. 아즈마리아가 외쳤다.

"그래… 너 때문이었어. 너 때문에 리히튼이 나를 미친년 취급하고, 너 때문에 내가 있을 자리를 빼앗기고… 도대체 네 목적이 뭐지? 무엇이 목적이기에 날 괴롭히지 못해서 안달인 거야!"

늘 느끼지만 아즈마리아는 자의식 과잉에 피해망상이 크다. 애초에 스스로가 아그레인 캐롤드라고 믿는 것부터 제정신이 아니었다. 주어진 삶을 포기하고 시궁창을 자청한 것부터가 문제라고.

"너, 킨이 아그레인 캐롤드의 이복형제인 건 아니?"

"뭐?"

아즈마리아가 긴장이 풀려 버린 멍청한 얼굴을 했다. 물론 그녀는 내 물음에 대답하지 못했다.

"빌힐름이 캐롤드 저택을 불태운 건 기억나?"

이것 역시.

"내가 가진 능력이 무엇인지는?"

이것 역시도.

"불사에 가까운 육체를 지녔는지는?"

이 애는 정말, 죄다 남 일인 양 머저리 같은 얼굴을 하고 있었다. 순간 머리끝까지 화가 뻗쳤다. 아는 것이라곤 고작 '황성에서 개처럼 굴려져 불우했던 아그레인 캐롤드의 어린 시절'이 전부였던 주제에, 누가 누구라고?

뎅.

정오를 알리는 종이 울렸다. 나는 아즈마리아를 가까운 문으로 밀어냈다.

그리고 모피 안쪽에 걸어 두었던 단검을 꺼냈다.

"아아악!"

끔찍한 비명이 울려 퍼졌다. 누가 들으면 팔 한쪽이 날아간 줄 알 것이다. 기껏해야 단검이 오른쪽 손등을 뚫고 그림에 박혔을 뿐인데.

"아쉬운 일이야, 아그레인… 안타깝게도 전혀 기억하지 못하는 모양이지."

"아, 흐으…!"

"당연해. 아주, 아주 당연해. 너는 가짜거든."

아즈마리아가 덜덜 떠는 왼손을 들어 단검의 손잡이를 붙잡았다. 나는 그 손을 붙들고 검을 더 깊숙이 박아 넣었다. 정오를 알리는 종이 다섯 번까지 울리고, 발작하듯 몸을 뒤틀던 아즈마리아가 울음과 같은 웃음을 지었다.

"내가… 넘어갈 것 같아? 너는 마녀야, 수잔. 내 세계를 망치러 온 마녀! 원하는 걸 얻기 위해서라면 네 진짜 이름도 버리고 악마의 발 아래로 기어 들어갈 마녀라고…."

"어느 정도는 옳아. 하지만 이거 어쩌니? 세상은 내가 진짜라고 생각하는 걸. 네가 사랑해 마지않는 리히튼 각하께서도."

아즈마리아는 숨을 헐떡이며 이를 드러냈다.

"빌힐름 조나단 레그윈이 어떤 악마인지 알고 난 후에도 그렇게 웃을 수 있을 것 같아? 그 남자는 살인마야!"

"그건 리히튼도 마찬가지지."

축 처진 흑발이 고개를 저었다.

"리히튼, 리히튼은… 그는 어쩔 수 없었어. 그는, 으읏, 그는 더러운 황성에서 벗어나기 위해…."

"세상에 어쩔 수 없다는 선택지는 없어, 아즈마리아."

뎅.

정오를 알리는 마지막 종이 울렸다. 둘이 전부였던 복도에 세 번째 인물이 나타난 건 그 순간이었다.

"아즈마리아?"

낯설지 않은 목소리다. 나는 이 목소리의 주인을 알고 있었다. 남자가 가까이 다가올수록 그림자가 걷히고 얼굴이 드러났다. 모리타트였다. 아즈마리아가 이를 악물고 소리쳤다.

"모리타트! 도와줘, 모리타트! 이 여자는 미쳤어!"

모리타트의 호박색 눈 속에 혼란이 회오리쳤다. 사랑하는 여자와 사랑하는 여자를 위협하는 미친 여자 사이에서 어떠한 행동을 취해야 할지 고민하는 듯했다. 아니, 미친 여자라기보다는 황후가 될 여자인가. 어느 쪽이든 상관없었다. 나는 조심스레 거리를 좁히는 모리타트에게 명령했다.

"아니. 거기서 멈춰, 각하."

모리타트는 걸음을 멈추었다. 아즈마리아의 눈물이 뺨을 타고 목선을 따라 떨어져 그녀의 드레스를 적셨다.

"제발, 모리타트!"

나는 딱딱하게 굳은 모리타트를 향해서 말했다.

"내가 어떤지는 잘 알지? 나는 꽤 이성적인 사람이야. 대화가 통하는 사람이라고. 그러니 우리는 이 사단을 평화롭게 끝낼 수 있을 거야."

"듣지 마. 이 여자는 아그레인 캐롤드가 아니야, 진짜 아그레인 캐롤드는 나라고!"

이성을 잃어 가는 아즈마리아를 진정시키기 위해 모리타트가 커다란 목청으로 소리쳤다.

"아즈마리아? 일단 진정해. 진정하지 않으면 상처가 더 벌어질 거야."

"이 미친 여자에게서… 읏."

문 바로 아래에 붉은 피가 고였다. 나는 아즈마리아를 무시하고 모리타트와의 대화를 이었다.

"아무래도 각하의 어린 아가씨는 제정신이 아닌 것 같아. 그렇지?"

그는 차분하게 내 말을 받아쳤다.

"무엇이 문제인지 알려 주실 수 있겠습니까?"

모리타트 잭의 약점은 아즈마리아 윌이다. 나는 힐마르티노로부터 받은 쪽지의 내용에 의문을 갖지 않았다. 오히려 고개를 주억일 수밖에 없었다. 리히튼이 아즈마리아를 내치지 않은 데는 역시 그만한 이유가 있었던 것이다. 리히튼은 아즈마리아를 이용해서 모리타트를 엎어뜨리려 했던 것이 아닐까? 과거를 반복하면서 그렌페르크 제국 수뇌부의 모든 정보를 얻게 된 그라면 충분히 그럴 만했다. 공교롭게도 그의 패는 내가 사용하게 되었지만.

"일단 정정해야 할 부분이 있어, 각하. 나는 암살자가 아니야."

모피 안쪽에 걸어 두었던 두 번째 단검을 꺼내 아즈마리아의 목을 겨누었다. 그녀의 고통은 십분 이해하나, 시끄럽게 난리를 치는 통에 머리가 다 울렸다.

"하지만 어느 부위가 목숨에 치명적인지는 아주 잘 알고 있지."

"모, 모리…."

퍽 효과적이었는지 아즈마리아의 목소리가 작아졌다.

"그때처럼 게임을 하자, 모리타트. 지금부터 내가 하는 질문에 제대로 대답한다면… 아즈마리아도 목숨에 지장 없이 살아 돌아갈 수 있을 거야. 어때, 쉽지?"

모리타트는 헛웃음을 지으며 마른세수를 했다. 그는 온 힘을 다해 제 머리를 쥐어뜯고는 다시 등을 폈다.

"하, 빌어먹을. 창문에서 뛰어내렸을 때부터 알아봤어야 했는데…."

여기서 더 시간을 지체할 마음이 없었기에 곧장 본일을 물었다.

"『태양이 흐르는 강』 서약을 묵과한 가문이 어디지?"

모리타트가 두 손을 높이 들고 나를 타이르려 했다.

"아그레인 양. 이전에도 말했지만, 그런 걸 알아봤자…."

창문에서 뛰어내렸을 때부터 알아봤어야 했다더니, 또 멍청한 짓을 하네. 단검을 들어 아즈마리아의 목 아래에 깊숙이 찔러 넣었다. 크게 다치지는 않되, 위협이 될 정도로. 그새 힘이 빠진 아즈마리아는 문에 쓰러지듯 기대어 울기만 했다.

"으흑, 으흐윽!"

"젠장. 알겠다고! 잭, 크로허츠, 윌, 헨서웨이 이 넷이야."

그놈이 그놈이구나. 서로 참 예쁘게 연관되어 있다 싶었다. 하기는, 함께 서약을 묵과할 만큼 깊은 관계인데.

"다나한 2세가 비비안느가 아닌 빌힐름을 선택한 이유는?"

"…힘을 가졌으니까."

"아악!"

단검에 힘을 주자 새하얀 목선 위로 한 가닥의 핏줄기가 떨어졌다. 내가 성치 않은 몸을 이끌고 여기까지 왔는데, 알맹이가 빈 정보만 얻어갈 순 없지. 모리타트가 이를 악물며 말했다.

"잉고르드와 캐롤드를 제약할 수 있는 힘을 가졌으니까!"

"있잖아, 각하. 대답할 때는 열 살 아이에게 설명한다는 생각으로 친절하게 대답해 주면 안 될까?"

긴 한숨과 함께 그가 입을 열었다.

"너도, 제기랄. 아그레인 양도 알겠지만… 레그윈과 잉고르드, 캐롤드에는 혈통 대대로 전해지는 특별한 힘이 존재하지. …하아. 레그윈 혈통의 힘은 '제어'야. 레그윈의 힘을 지닌 자가 원한다면 잉고르드와 캐롤드는 능력을 사용할 수 없어. 이 정도면 됐나?"

이거였구나. 과거의 내가 힘을 가지고 있었음에도, 황성에서 벗어나지 못했던 이유가 바로 이거였어.

'그렇다면 나는 어떻게 지금도, 과거에도 미래를 볼 수 있는 거지?'

생각해, 아그레인. 제어의 힘을 지녔으면서도 빌힐름이 나와 리히튼의 능력을 막을 수 없는 이유. 그 사실을 아직까지도 이들이 알아채지 못하는 이유.

"비비안느."

꿈속에서 비비안느에게 했던 말이 떠올랐다.

'너의 그 힘 역시, 오직 나만 알고 있어야 하는 거야. 알겠지?'

그 힘이 만약 빌힐름의 것과 동일한 힘이라면? 두 힘이 상충되어 빌힐름의 힘을 무효화시켰다면? 과거의 내가 비비안느를 놓지 못했던 것도, 리히튼이 비비안느를 선택한 것도. 이 모두를 단번에 이해시킬 수 있는 가정이었다. 희한하지. 원하는 답을 얻어냈음에도 기쁘지 않았다.

무언가 체념한 듯, 공허했던 빌힐름의 목소리가 머릿속을 울렸다.

'우린 그렇게 타고났어. 수백 년을 반복해 왔지. 개와 주인일 수밖에 없는 운명. 평생을 서로의 곁에서 썩어 가야 하는 운명. 태어날 적부터 거스를 수 없는…'

그 빌어먹을 운명은 대체 누가 만든 걸까. 얼굴 한 번이라도 봤으면 좋겠네. 나는 단검을 쥔 팔을 천천히 늘어뜨렸다.

"충분해, 아주 만족스러워… 이제 오른쪽에 있는 방으로 들어가. 그곳에서 육십을 세고 나오면 나는 이곳에 없을 거야."

모리타트는 내 말에 따라야 하는지 고민하는 얼굴이었다. 그러나 내게는 더 이상 아즈마리아를 위협하며 재촉할 마음이 나지 않았다. 나는 재차 입을 열었다.

"어서. 나는 약속을 지켜. 각하는 내게 평생을 감읍하게 될 거라고. 우리,

앞으로도 계속 얼굴을 볼 사이잖아?"

이윽고 그가 발을 떼었다. 방문이 닫히는 마지막 순간까지 그의 호박색 눈동자는 오롯이 아즈마리아를 향해 박혀 있었다. 참 지고지순한 마음이었다.

"방금, 방금 그게 무슨 말이야? 서약이라니?"

그래도 용케 무슨 대화가 오가고 있었는지는 알아들었나 보다. 아즈마리아는 하얗다 못해 창백해진 낯으로 내게 끝없이 질문했다.

"잉고르드의 힘? 레그윈 가문의 힘이 제어라고? 그게 대체…."

"이제 정신 차려, 아즈마리아."

나는 그런 그녀가 아주 조금 가엾었다. 아즈마리아는 어떤 경로로 나의 기억을, 정확히는 리히튼이 시간을 돌리기 아주 오래전의 내 기억을 지니게 되었을까?

아즈마리아뿐만이 아니다. 이 여자는 그저 일부에 불과했다. 그녀 이전에 혜성처럼 나타나고 사라진, 내가 소설 『태양이 흐르는 강』에 들어온 외부인이라 여겼던 존재들도 마찬가지였다. 내 생각이 맞다면 그들 모두가 아즈마리아처럼 내 과거의 기억을 자신의 것인 양 여겼을 터였다.

'설마 과거가 여러 번 되돌려진 부작용인가.'

며칠 전만 해도 이 여자를 눈앞에서 지워 버리고 싶다 여겼었는데. 끝도 없이 무지한 머리로 바닥을 기는 모습을 보니 웃음도 나오지 않았다. 나는 아즈마리아의 코앞에 다가가 한마디 한마디를 또박또박 읊었다.

"너는 아그레인 캐롤드가 아니야. 어렴풋이 알고 있었을 거야. 이곳에서 나를 보고 확신했잖아."

아즈마리아가 미친 듯이 고개를 저었다.

"아, 아니야. 아니야. 아니…."

잉고르드 때와는 달랐다. 나는 아즈마리아에게 동정을 베푸는 것이 아니었다. 그저 필요에 의해 살려두는 것에 불과했다.

"부정도 그만 둬, 불쌍한 것…. 리히튼은 너를 조금도 신경 쓰지 않아. 지금이라도 네 이름을 되찾고, 널 보호해 줄 수 있는 이에게로 돌아가. 이렇게 한심한 너여도 보살펴 줄 사람에게 매달리란 말이야."

이를테면 아직도 널 잊지 못해 안달이 난 모리타트 잭이라든지.

"그게 너를 위한 최선의 선택이야. 나는 우리를 여기까지 추락하게 만든 너희를 두고 보지 않을 생각이거든."

메말라 있던 아즈마리아의 뺨이 다시 눈물로 젖기 시작했다.

"아니라고? 내가? 내가, 내가 아그레인이… 그럴 리 없는데…."

그런 그녀를 가만히 내려다보다가 걸음을 옮겼다. 모리타트가 들어간 방을 건너가기 무섭게 문이 열리는 소리가 났다. 거친 발걸음이 빠르게 멀어지고, 아즈마리아의 우는 소리가 점차 잦아들었다. 저 멀리서 모리타트의 부름이 들려온 것은, 이제 막 계단을 내려가려던 시점이었다.

"아그레인 캐롤드."

반쯤 몸을 돌렸다. 축 처진 아즈마리아를 안은 채, 모리타트가 나를 정면으로 응시하고 있었다. 그가 말했다.

"복수는 너만 괴롭게 할 뿐이야. 차라리 빌헬름의 곁에서 그렌페르크의 모든 부귀영화를 누려라. 그게 진정한 복수일 테니까."

그리고 후회했다. 모리타트의 조언은 멈칫한 시간도 아까울 만큼 쓸데없는 참견이었던 것이다.

"너나 잘해. 여자 한 명 못 꼬셔서 제 부인을 죽이려는 머저리 각하."

작은 웃음이 들렸던 것 같다. 나는 모리타트의 헛소리가 계속되기 전에 무거운 몸을 이끌고 계단을 내려갔다.

Episode 15.
다리 없는 말

별채 밖에는 호위 기사가 대기하고 있었다. 좇아오면 분명 속옷만 입고 나돌아 다닐 거라고 경고했을 텐데.

'뭐, 볼일이 잘 끝났으니 모르는 척해 줄까.'

한차례 내 모습을 훑은 기사가 얼굴을 굳히고 말했다.

"의원을 부르겠습니다."

기사의 시선이 고정된 팔을 들어 올렸다. 아즈마리아에게서 묻은 피로 영 보기가 흉했다. 나는 걸음을 옮기며 대답했다.

"괜찮아, 내 피 아니니까."

방으로 돌아간 즉시 물수건으로 피를 닦아냈다. 완치되지 않은 몸으로 무리한 탓인지 전신이 두들겨 맞은 듯 아려왔다.

'크로허츠, 윌, 잭, 헨서웨이.'

누구를 본보기로 할까? 크로허츠 후작은 가문 내 문제로 올해 황제 탄신일에 참석하지 못했다. 후작이 죽고 장남이 가문을 이었으나 집안 문제가 끊이지 않는 듯했다. 모리타트 잭은 앞으로도 충분히 상부상조할 수 있는 관계이니 넘어가고. 남은 건 마가렛 헨서웨이의 친부인 헨서웨이 백작과 월백작인가. 둘 중에서 하나를 선택하는 일은 쉬웠다.

"경."

내 부름에 멀찍이 서 있던 기사가 대답했다.

"예."

"리히튼 잉고르드 공작을 예의 주시해 줘. 그가 황성을 떠난다는 소식이 들린다면 나를 바로 깨우도록 해."

의아한 얼굴을 하는 것도 잠시, 기사는 곧 고개를 주억였다.

"알겠습니다."

몸 좋고 말 없는 시종이 생긴 기분이네. 나는 나머지 핏물도 닦아 내고 침대 안으로 기어들어 갔다. 이 상태라면 한 번도 깨어나지 않고 아주 긴 잠을 잘 수 있을 것 같았다.

내가 눈을 뜬 건 다음날 이른 오전이었다. 믿기지 않았지만 나는 거의 한나절을 잠들어 있었다. 눈을 감았을 때만큼 밝은 하늘이 그 증거였다. 침대에서 일어나 한층 가벼워진 몸을 움직이고 있을 때는, 하룻밤 사이 바뀐 호위기사가 기이한 표정으로 나를 응시하고 있었다. 마치 움직이고 있는 시체를 마주하는 듯한 표정이었다.

"기척도 없이 주무시기에 중간에 몇 번을 확인했습니다."

죽은 줄 알고 계속 건드려 봤다는 의미였다. 나는 대충 고개를 주억였다.

"잘했어."

과거도 보지 않고, 이토록 오랜 시간을 완벽하게 잠든 게 대체 얼마 만인지 모르겠다. 이렇게 기분 좋은 날에는 중요한 일을 실행에 옮겨야 한다. 망설임 없이 욕실로 들어가려다가 급히 고개를 틀어 기사에게 물었다.

"리히튼 공작은? 황성을 떠났나?"

설마 어제의 그 기사가 내가 부탁했던 사안을 깜빡하지는 않았겠지.

“아니요. 리히튼 각하께서는 아직 황성에 계십니다.”

기대한 만큼 들을 수 없을 거라 예상했던 대답이었다. 리히튼이 잉고르드로 돌아가지 않았다. 그는 아직 이곳에 있다.

‘됐어. 그거면 충분해.’

단순히 그의 존재를 확인한 것에 불과한데, 놀라울 정도로 마음이 놓였다. 나의 바람이 통했는지, 단순하게 마음이 바뀌었는지는 알 수 없었지만 내게는 그저 그 사실만으로도 충분했다.

그날 늦은 오후. 나는 빌힐름의 방을 방문했다. 그의 즉위가 결정된 뒤로는 첫 만남이었다. 그러나 시종은 나의 방문을 제지했다.

“전하께서는 지금 손님분들과 회의 중이십니다.”

“그래서?”

내 반문에 시종이 당황한 듯 고개를 숙였다.

“전하께 말씀을 남겨드리겠습니다. 나중에 다시 찾아와 주시면….”

“필요 없어.”

나는 문을 열고 방 안으로 들어섰다. 그런 당연한 예의는 빌힐름에게 그리 중요하지 않다. 빌힐름은 무릎을 꿇고 고개를 숙인 자보다, 진심을 다해 충성을 바친 충직한 신하보다, 등 뒤에 칼을 숨기고 배를 뒤집은 척 빈틈을 노리는 간자를 더 사랑했다. 시건방진 건 문제가 되지 않았다. 그는 자신의 즐거움을 위해서라면 기꺼이 시간을 투자하고 관심을 내보였다. 집착하고 곁에 두려 했다. 내게 그러하듯이.

“빌힐름!”

대강 훑어도 열에 다다르는 숫자였다. 그중에는 익숙한 낯도 보였다. 모리타트 공작, 월 백작, 그리고 황성을 지나치며 보아 온 얼굴들. 공통점은 모두가 빌힐름의 사람이란 점이었다. 딱딱하게 굳은 인물들 사이에서 유일하게 나의 방문을 맞이해 주는 이가 있었다.

"표정이 좋아 보이는군, 누이. 몸은 괜찮은 건가?"

"아니, 전혀. 하지만 꼭 하고 싶은 말이 있어서 찾아왔어."

빌힐름이 부드럽게 입꼬리를 올렸다. 그가 싫어서 투신한 여자에게 보일 법한 반응은 아니었다. 나는 그 웃음보다 배는 더 밝은 웃음을 지으며 빌힐름에게 다가갔다.

"책을 읽다가 기가 막힌 생각이 떠올라서 찾아 왔어."

"궁금하니 말해 봐."

그는 나를 나무라지 않았다. 되레 팔을 뻗어 나를 당기고는 테이블 위로 앉혔다. 가까이서 확인한 귀족들의 표정은 하나같이 떨떠름했다. 누군가는 대놓고 나를 노려보며 불편한 티를 냈다. 그러나 그들 중 그 누구도 나를 나무라지는 못했다. 노련한 늙은 귀족조차 빌힐름 앞에서는 찍소리 내지 않았다.

"황성의 분위기도 어둡고 하니, 빌힐름을 여기까지 있게 한 귀족들을 위해 작은 유희를 즐길 자리를 마련하고 싶어서. 어떻게 생각해?"

나는 오랜 기억을 헤집어, 그때 그 빌힐름 앞에서만 내보였던 수줍은 미소를 그려냈다. 속이 텅 비어 토할 것이 없다는 게 다행이라면 다행이었다. 나를 바라보는 빌힐름의 표정은 조금도 읽을 수 없었다.

"충분히 흥미로운 이야기야."

"전하."

그의 긍정에 찬물을 끼얹은 듯 조용했던 귀족들이 하나둘 나서기 시작했다.

"폐하께서 타계하신 지 아직 일주일도 흐르지 않았습니다."

"당분간은 황실의 명예를 위해 예의를 갖춤이 옳습니다."

발전이 없네. 수년을 함께했으면서 아직도 빌힐름의 비위를 맞출 줄 모르는 건가.

"그럼 일주일이 지나고 하면 되지. 안 그래요?"

소모적인 말싸움은 포기하고 대충 동의했으면 하는 마음이었다. 하지만 황실 예법에 죽고 황실 예법에 사는 늙은 귀족들은 물러설 마음이 없어 보였다.

"아그레인 양. 이는 그리 쉽게 결정할 수 있는 문제가 아닙니다. 타계하신 선황 폐하뿐만 아니라 빌힐름 전하의 명예에도 흠집이 생길 수 있습니다."

빌힐름은 자신의 명예에 관심 없대도. 이것 봐, 당사자는 계속해 보라는 얼굴로 웃고만 있잖아? 나는 그를 대신해서 따분해 죽겠다는 얼굴로 대답했다.

"누가 감히 겁도 없이 빌힐름의 흉을 본단 말이에요? 비비안느 황녀? 아니면 리히튼 공작을 말하는 건가?"

"그런 뜻이 아니라는 것을 알고 계시지 않습니까?"

나는 손을 내저었다.

"재미없는 소리는 그만하고, 내 이야기나 마저 들어요. 내가 제안할 게임은 말 경주예요."

물론 설명은 귀족들이 아닌 온전히 빌힐름만 바라보며 이었다. 다른 이는 모르겠지만, 그가 내 제안을 기분 좋게 받아들일 건 자명했기 때문이다. 나는 방긋 웃으며 아무렇지 않게 거짓말을 했다.

"나비 경주랑 똑같다고 생각하면 되는 거야. 말의 네 다리를 잘라서, 어느 말이 가장 먼저 완주를 하느냐로 승자를 정하는 게임이지. 다른 점은 선수가 말 위에 올라야 한다는 것."

물론 실제 말의 다리를 잘라낼 생각은 추호도 없었다. 그런 끔찍한 경주를 즐기느니 한 번 더 이 층에서 떨어져 정신을 잃는 게 나았다. 그럼에도 굳이 언급하는 이유는… 이 잔인한 놀음이 빌힐름의 취향에 적격이었기 때문이다. 사위는 다시 찬물을 끼얹은 듯 고요해졌다. 숨소리조차 들리지 않았다.

“어때, 빌힐름? 우리, 이 경주로 사냥 대회를 대체하는 거야. 선황께서 그리하셨듯 승자에게 소원이라는 우승 상품을 하사하는 거지.”

잠시 고개를 돌려 테이블을 둘러싸고 사이좋게 모여 있는 귀족들을 확인했다. 하나같이 제국의 반동분자를 대하는 시선이었다. 누군가는 나를 쳐다보기도 끔찍하다는 듯 고개를 돌렸다. 다리가 없는 말을 상상한 듯했다. 나는 그들의 얼굴에 대고 외치고 싶었다. 나비와 말이 다를 건 또 뭔데?

“아주… 훌륭한 생각이야, 누이.”

빌힐름이 팔을 뻗어 내 머리를 쓰다듬었다. 키우는 개에게나 할 법한 칭찬이었다.

“근래 들었던 말 중 가장 덜 지루하고, 가장 덜 무료해. 그래서 누이가 바라는 선수는?”

나는 기다렸다는 듯 대답했다.

“당연히 박수 받아 마땅한 우리의 영웅들이지! 잭 공작과 윌 백작, 그리고 헨서웨이 백작이면 충분하겠어. 크로허츠 후작이 자리에 없어서 아쉽네.”

이름을 읊기 무섭게 당사자들 사이에서 반발이 일어났다.

“안 됩니다. 격식에 맞지 않습니다.”

“이 늙은이들을 우롱하실 생각입니까?”

특히 윌 백작은 내게 유감이 많은 얼굴이었다. 잉고르드에서 하녀 노릇이나 하던 여자가 상관인 양 구니 그럴 만도 했다. 나는 그들 중에서 유일하게 입을 닫고 있는 귀족에게 물었다.

“다들 부정적인 반응인데… 모리타트 각하도 그렇게 생각하세요?”

모두의 시선이 모리타트에게로 향했다. 아즈마리아가 어찌 되었는지는 그의 표정만으로도 충분히 유추가 가능했다. 모리타트의 안색은 그를 안 이래로 가장 좋아 보였다. 마치 풍족한 식사를 마친 사냥개처럼. 모리타트가 대답했다. 유일하게 웃음을 잃지 않은 얼굴이었다.

"격식에 어긋난 게 대수겠습니까? 아그레인 양이 원한다면 다리 없는 말 위에 오르는 것 정도야. 아주 손쉽지요."

"각하."

누군가 그를 불렀지만, 모리타트는 듣는 척도 않고 말을 이었다.

"이 자리에 있는 얼굴들, 앞으로 빌힐름 전하의 재위 기간 동안 계속 볼 얼굴들 아닙니까? 또한 아그레인 캐롤드 양은 그렌페르크 제국의 황후가 되실 분이시죠. 다리 없는 말에 올라 서로의 신뢰를 확인할 수 있다면 전 더없이 즐거울 겁니다."

고작 그런 걸로 신뢰를 확인할 수 있는 거야? 참지 못하고 웃음이 새어 나왔다. 입을 가리고 웃자 모리타트가 어깨를 으쓱였다.

"오늘따라 말이 많아, 모리타트."

모리타트는 빌힐름의 한 마디를 가볍게 받아쳤다.

"이 모든 게 빌힐름 전하를 위해서 아니겠습니까. 전하의 즐거움을 위해서 말이지요."

장담하건대, 빌힐름이 성공적으로 황위에 오른다면 모리타트의 명줄이 가장 길고 단단할 것이다. 나는 테이블 위에서 내려와 몸을 일으켰다.

"그럼 동의한 거죠? 일주일 뒤에 말 경주."

"물론입니다."

들려오는 건 모리타트의 대답이 유일했다. 침묵이 내려앉았고, 빌힐름은 비어 있는 술잔을 채웠다. 나는 방을 나가기 전에 문을 붙든 채로 그들에게 당부했다.

"모두 그날 얼굴을 볼 수 있으면 좋겠어요. 한 명도 빠지지 않고."

황성에 소문이 돌았다. 빌힐름 황자의 총애를 등에 업은 아그레인 캐롤드가 방만하고 천박하게 굴며 황실의 명예를 실추시키고 있다는 소문이었다.

그들의 주장은 대개 이러했다.

"아그레인 캐롤드가 황후로 예정된 건 이제껏 그래 왔듯 빌힐름 황자의 변덕에 불과하다. 그러니 황자의 총애는 오래가지 못하고 아그레인 캐롤드 역시 곧 고꾸라질 것이다."

혹은.

"반동 가문의 핏줄을 황후로 추대한다는 건 마땅한 이유가 있어서다. 따라서 아그레인 캐롤드의 패악은 황자가 그녀를 내칠 때까지 계속될 것이다."

나는 눈동자만 굴려 모리타트를 흘겨봤다. 그는 초대하지 않았음에도 부득불 찾아와 궁금하지도 않은 귀족들의 뒷담화 주제에 대해 읊고 있었다. 그런 모리타트에게 말했다.

"나보고 어쩌라고?"

그는 답답하다는 듯 고개를 저었다.

"아그레인 양은 그게 문제입니다. 황성에 대해 아무것도 몰라요."

"아는 게 이상한 거지."

"황제의 총애를 받는 게 다가 아닙니다. 황성은 넓고 귀와 눈은 넘쳐나지요. 귀족들이 이렇듯 당신에게 악의만 갖게 된다면, 아그레인 양은 혼자 고립될 겁니다."

그런 건 내 알 바 아니었다. 나는 황성이 탐나지 않았다. 하고 싶은 일은 있어도 갖고 싶은 건 없었으며 눈앞에서 치워 버리고 싶은 인물은 있어도 가까워지고 싶은 인물은 없었다. 나는 황성에 오래 머무를 마음이 없었다. 하지만 이 사실을 굳이 입에 담지는 않았다.

"각하는 참 친절해. 온통 적뿐인 황성에서 내게 선의를 베푸는 유일한 사람이야."

모리타트가 떨떠름한 표정으로 대답했다.

"입에 침이나 바르고 그런 소리를 하시지요."

"내 말에 거짓이 있기라도 한가?"

물로 목을 축인 그는 내게 되물었다.

"아즈마리아에 대해선 안 물으십니까?"

"그 멍청한 계집애의 이야기는 궁금하지 않아. 아, 부탁이 하나 있기는 해. 웬만하면 황성에서 내 눈에 안 띄게 해 줘."

"아즈마리아가 리히튼 각하께 파혼을 요청했으나, 각하께서 요구를 들어주지 않으셨다고 합니다."

나는 가만히 왼쪽 손등을 쓸었다. 뼈 사이를 관통했던 상처의 흔적은 이미 완벽하게 사라진 후였다. 이제는 멀쩡한 피부를 내려다보며 대답했다.

"그 이유였군. 모리타트 잭 공작이 굳이 날 위하는 척하며 어제오늘 지겹도록 찾아오는 이유가."

"뭐, 그 이유 때문만은 아닙니다. 지금 제가 가장 관심을 둔 사안이기는 하지만."

"잉고르드 공작 부인의 자리가 무엇이 부족하다고 그래? 각하와 그 여자가 붙어먹어도 모두 그러려니 할 거야. 각하의 부인도 신경 쓰지 않겠지."

"그 정도로 만족할 일이었으면 아그레인 양에게 그런 부탁을 하지도 않았겠지요."

그런 부탁이라면 청부 살해를 말하는 것일 터였다.

"무엇보다 이미 한 번 죽도록 빠졌던 남자에게 다시 빠지지 않으리란 보장은 없잖습니까?"

"각하의 애절한 짝사랑은 듣고 싶지도 알고 싶지도 않으니 그만 나가 줘."

"그 역겨운 말 경주는 또 뭐고요."

누가 보면 내 부관인 줄 알겠군. 이쯤 되니 하나하나 따져 드는 모리타트에게 신경질을 내지 않을 수 없었다.

“모리타트 잭 공작. 시간이 남아도나? 왜 자꾸 나를 귀찮게 구는 거야? 아즈마리아가 그쪽을 상대해 주지 않아서 그런 거라면 다른 여자를 찾아 봐. 귀찮게 참견하려 들지 말라고.”

모리타트는 잠시 말이 없었다. 제발 그 상태 그대로 방을 나가 주길 바랐으나, 그는 그럴 생각이 없어 보였다. 오히려 뻔뻔한 낯으로 아무렇지 않게 대답했다.

“지금 저랑 농이라도 치자는 겁니까? 내가 왜 하루가 멀다 하고 당신을 찾아오겠어요? 그것도 우리 둘이 바람났다는 개소문도 돌기 시작하는 마당에.”

“나도 듣기 싫은 개소문이니 이제 각자의 길을 가자는 의미야.”

“어떻게 각자의 길을 갑니까, 우리는 이제 한 배를 탔는데.”

나는 냉정한 목소리로 모리타트의 주장을 부인했다.

“각하. 무언가 대단히 착각하고 있는 모양인데, 우리는 같은 배를 탄 적이 없어.”

“그럼 표현을 바꾸지요. 나는 지금 아그레인 양에게 매달리고 있는 겁니다. 옆에 매미처럼 붙어 있으면 떨어지는 콩고물이 아주 쏠쏠할 것 같거든.”

공작씩이나 되어서 나로부터 얻을 것이 무엇이 있다고 저러는 걸까?

“당신의 일거수일투족은 이미 이곳에선 정보로 통하고 있습니다. 특히나 비비안느 황녀 쪽은 눈에 불을 켜고 당신을 살피고 있을 테지요. 앞으로도 당신이 별관에서 그러했던 것처럼 맘대로 굴 수 있을 것 같습니까? 전혀요. 계단을 올라가다 엎어져도 그 사실 그대로 누군가에게 전해질 겁니다. 하지만 제가 아그레인 양 옆에 선다면… 최소한 눈치는 보지 않겠습니까?”

“빌힐름에게 머리가 썰려도 나는 몰라.”

"괜찮습니다. 빌힐름은 내가 자기 것을 탐하는 사람이 아니란 걸 아니까요. 그리고 혹시 모르죠. 아그레인 양이 먼저 떨어뜨릴지?"

목적어가 불분명한 문장이었다. 그의 머리를? 아니면, 빌힐름의 머리를?

"아… 웬만하면 오늘부터 제가 뒤따르는 게 좋겠지만, 아즈마리아의 곁을 지켜야 해서 말입니다."

"그 구멍 난 손을 들고 참석하려나 보네."

"제국의 신민으로서 당연한 일 아니겠습니까? 선황 폐하를 뵐 마지막 기회이니까요."

그의 말이 옳았다. 오늘은 선황, 다나한 2세의 입관식이 있는 날이었다.

한파였다. 눈을 내리지 않았으나 날은 흐렸다. 실내임에도 뼈를 훑는 한기에 몸이 으슬으슬할 정도였다. 추위 속에 황성의 모든 귀족이 모인 중앙 아카시아홀은 고요하고 적막했다.

황실 법도에 따르면 선황의 입관식은 즉위식 10일 전에 열린다. 새 시대를 여는 황제는 황위가 비워진 10일 동안 몸과 마음을 바르게 하고 즉위식에 올라야 했다.

하지만 다나한 2세의 입관식은 예정일보다 2주 빠르게 치러졌다. 명분은 명료했다. 선황이 체질상 추위에 취약이므로 날이 더 추워지기 전에 관을 묻어야 한다는 주장이었다. 물론 빌힐름의 주장이었다. 콜록. 누군가 작게 기침을 했다. 사위가 워낙 고요한 탓에 작은 기침 소리도 크게 들렸다. 입관식의 마지막 절차로, 황제의 적자인 빌힐름과 비비안느가 제단에 올라 마주 섰다. 비비안느는 이제껏 단 한 번도 본 적 없는 시큰둥한 표정을 짓고 있었다.

"선황 폐하를 뵙는 마지막 자리인 만큼 오라버니께서 먼저 작별 인사를 건네시지요."

“폐하께서는 말년에 비비, 너를 더 아끼셨으니 네가 먼저 함이 옳을 거다.”

“어찌 황위 후계자인 오라버니보다 제가 먼저 입을 열 수 있겠습니까?”

“비꼬는 것처럼 들리는 게 내 착각만은 아닐 것 같군.”

“그럴 리가요. 황위 후계자인 오라버니를 비꼬아 제가 무얼 얻는다고. 황실 법도에 따르면 적자 중에서도 위계가 있는 법입니다. 법도 따윈 개나 주고 입관식을 보름이나 앞서 치룬 오라버니께는 별것 아닌 것처럼 들릴 수도 있겠지만요.”

빌힐름을 열렬하게 비꼬는 비비안느의 목소리가 얼음송곳보다 날카로웠다. 그 누구도 함부로 입을 열 수 없었다. 말 많은 모리타트도 오늘만큼은 입을 다문 듯했다. 눈이 마주치자 은근슬쩍 고개를 저으며 시선을 돌린다.

‘콩가루 집안이 따로 없어.’

별개로 비비안느의 저런 모습은 내게 몹시 낯설었다. 내 앞에서는 수줍어하거나 입을 가리고 웃거나 서운해하는 표정이 다였는데. 어느 쪽이 본성에 더 가까울까?

“나를 나무라는 것이냐, 비비. 오늘 네 태도를 선황 폐하께서 보시면 경을 치실 텐데.”

“안타깝게도 이제는 그럴 일이 없겠네요.”

빌힐름이 웃었다. 상냥하다든지, 다정하다든지, 비꼰다든지 그런 사람다운 감정이 느껴지지는 않았다. 그는 말 그대로 웃기만 했다.

“비비. 이 정도면 받아 줄 만큼 받아 준 것 같으니 어서 선황 폐하 앞으로 가거라.”

그건 명령이었다. 비비안느는 무감각한 눈빛으로 빌힐름을 응시하다가 몸을 돌려 관 앞에 섰다. 그리고 등을 숙여 선황의 귓가에 마지막 인사를 남겼다. 당연한 소리지만, 그녀의 작별 인사는 들리지 않았다.

“아그레인.”

빌힐름의 차례가 왔을 때, 그가 나의 이름을 불렀다. 나는 겨우 속으로 욕지거리를 삼켰다. 빌힐름이 나의 이름을 부를 때만큼 불안한 때가 없었다. 나는 그의 눈짓에 따라 빌힐름의 옆자리에 섰다. 작별 인사를 마친 비비안느가 곁을 스쳐 지나갔다. 빌힐름은 나를 이끌고 관 앞에 섰다. 그리고 다나한 2세가 아닌 나에게 속삭였다.

“비비안느 조나단 레그윈은 보름 후 오필리아의 별장으로 보내질 예정이야. 그러니 그전에 작별 인사를 나누는 게 좋겠지.”

빌힐름이 황위를 잇게 된 이상, 비비안느가 황성에서 쫓겨나는 건 예정된 일이었다. 오필리아 별장은 황위 경쟁에서 도태된 황족들이 여생을 보내는 수용소나 다름없었다. 하지만 나는 빌힐름이 이토록 적절하지 않은 때에 그 말을 하는 이유를 이해할 수 없었다. 그가 내 어깨를 잡아 관 위로 내리눌렀다. 대리석처럼 하얀 다나한 2세의 얼굴이 가까워지고, 나는 숨을 참았다. 빌힐름이 웃었다. 비비안느 앞에서 보였던 것과 달리, 진정으로 즐거워하는 웃음이었다.

“감사 인사를 올리자, 아그레인. 선황 폐하가 계시지 않았다면 비비도 이 자리에 없었을 테고, 비비가 없었다면 너 역시 내 옆자리에 나란히 설 수 없었을 테니까.”

몸이 딱딱하게 굳었다.

비비가 없었으면 나 또한 이 자리에 없었다는 그의 말. 그 소리가….

“너도 궁금하지 않아, 아그레인? 비비가 떠난 후에도 네가 여전히 미래를 볼 수 있을지.”

빌힐름은 내가 미래를 볼 수 없다고 믿고 있었던 게 아니었다. 그는 이미 진실을 알고 있었다. 비비안느의 존재가 그가 지닌 제어의 힘을 억누르고 있었다는 사실을. 그의 이마가 내 이마에 닿았다. 내가 숨을 멈춘 동안 빌힐름은 밀어를 속삭이듯 달콤한 목소리로 내 머릿속을 헤집었다.

"아니면 다시 나의 새장에 갇힌, 발톱을 잃은 작고 사랑스러운 매가 될지."

나는 잠시 숨을 골랐다. 예전이었다면 지금 당장 이 자리에서 도망쳤을 테지만 지금은 아니었다. 느릿하게 눈을 감았다 떴다. 가까이에서 보는 빌힐름의 얼굴은 다나한 2세와 많은 점에서 달랐다.

빌힐름의 죽은 친부는 관 속에서도 미간을 구기고 있었으나 빌힐름은 아니었다. 다나한 2세의 입꼬리는 축 처져 있는 게 어울렸으나 빌힐름은 아니었다. 다나한 2세의 눈썹은 얇고 흐릿했으나 빌힐름은 아니었다. 나는 빌힐름에게 물었다.

"너는 선황께 정도 없었니?"

"정이 없을 수는 없지."

"안 슬퍼?"

그가 잠시 고민했다. 고민한다는 것 자체가 우스웠다. 나는 그런 빌힐름에게 친절하게 말했다.

"비비안느가 떠나기 전에 널 선황 폐하 곁으로 보내 줄게. 잊고 있던 친부의 목소리를 들으면 사랑했는지 안 했는지 기억나겠지."

빌힐름의 커다란 웃음소리가 중앙 아카시아홀에 울려 퍼졌다. 나는 어깨에 걸쳐진 그의 팔을 털어내고 제단을 내려왔다.

모두의 시선이 반으로 갈렸다. 나를 따라오는 시선, 그리고 빌힐름을 살피는 시선. 그들은 하나같이 빌힐름의 반응에 의문을 가지고 있었고 또한 그를 두려워하고 있었다.

입관식이 끝난 직후 나는 쏜살같이 방으로 돌아왔다. 그리고 거침없이 서랍을 열어 안쪽에 보관해 두었던 단검을 쥐었다. 번쩍거리는 은색 날을 보자 멀쩡한 왼쪽 손등이 시큰거렸다.

이제 시간이 얼마 없다. 비비안느가 떠나는 보름 안에 내가 바라는 일을 마쳐야 했다. 망설일수록 실패는 앞당겨질 것이다. 나는 단검을 높이 들었다. 그때 닫혀 있던 방문이 열리고, 모리타트가 들어왔다. 나를 발견한 모리타트는 경악했다.

“젠장, 이번에는 자해라도 할 생각입니까? 하더라도 나와 상의하고 하세요. 우리는 한 배를 탔대도!”

내게로 뛰어온 모리타트가 단검을 앗아 가려 했으나, 나는 죽어도 놓지 않았다. 그러다 문 앞에 선 아즈마리아와 눈이 마주쳤다. 그녀는 두 손을 모으고 겁이 난 눈으로 나를 훔쳐봤다. 저게 왜 여기에 있는 거지? 나는 아즈마리아에게 물었다.

“여기에는 뭐 하러 왔어?”

대답은 모리타트에게서 들려왔다.

“아즈마리아가 당신에게 할 말이 있답니다.”

“빨리 하고 나가. 나 지금 바쁜 거 안 보여?”

“하고 있는 꼴을 보니 여기서 한나절은 죽치고 있어야겠군요.”

모리타트가 아즈마리아에게 손짓했다. 그녀는 굼벵이보다 느린 걸음으로 내 앞에 섰으나, 눈을 마주하지는 못했다. 이번에도 모리타트가 아즈마리아를 대신해서 볼일을 입에 담았다.

“아그레인 양에게 사죄하고 싶어 합니다.”

“누가? 아즈마리아, 네가?”

“제가 그녀에게 『태양이 흐르는 강』 서약을 밝혔습니다.”

“네게 안 물었어, 모리타트. 자꾸 대변인인 양 굴지 마.”

침을 꿀꺽 삼키며, 아즈마리아가 급히 고개를 들었다.

“사, 사죄드리고 싶어요.”

도통 무슨 소릴 하는 건지 알 수 없었기에 멍청한 얼굴로 되물을 수밖에 없었다.

"뭘 사죄해?"

"당신과 리히튼 잉고르드에게 저지른 윌 가문의 죄악들을."

"무슨 죄악인지는 알고 그러니?"

"내, 내가 당신의 기억을 가지고 있단 사실을 잊지 마세요. 나머지는 모두 모리타트에게 전해 들었어요."

나는 어이가 없는 심정으로 모리타트에게 따졌다.

"한 배? 한 배에 탔다는 사람의 입이 종이배보다 가벼워?"

"모든 가정에서 아즈마리아는 예외입니다만."

"이 여자가 날 죽이라고 하면 옳다구나 하고 실행하겠어."

"확대 해석하지 마세요. 아즈마리아가 당신에게 속죄하려고 오지 않았습니까? 그럴 일은 죽어도 없단 소리지요."

아즈마리아가 대뜸 내 앞에 무릎을 꿇었다. 내가 찔렀던 하얗고 가느다란 손이 붕대로 단단하게 감겨 있었다. 그녀가 말했다.

"위, 윌 가문이 캐롤드와 잉고르드에 치른 죄를 제가 갚을게요. 윌 가문의 더럽혀진 명예를 제가 갚게 해 주세요. 당신을 도울 수 있어요."

"네가 뭘 돕는다는 걸까?"

"당신의 복수."

아즈마리아의 푸른 눈이 마치 홍염처럼 붉었다. 실핏줄이 흰자 곳곳에 터져 있었다.

"당신을 도와서 악마 같은 레그윈의 핏줄을 그렌페르크에서 몰아내고 싶어요."

그녀의 얼굴을 보자 내가 소설로 착각하고 있었던 『태양이 흐르는 강』 속의 내용이 떠올랐다.

"제발 제가 속죄할 수 있게 해 주세요."

눈앞의 아즈마리아는 내가 소설 속의 인물로 인지하고 있던 아즈마리아와 동일했다. 가문의 명예를 중요시하며, 유해 보이나 속은 강단이 있고 의지가 쉬이 흔들리지 않는 여자.

모종의 경로로 얻게 된 나의 기억에 속아 윌 가문을 내팽개치고 잉고르드를 선택하기는 했었으나, 그러한 아즈마리아의 정신머리가 고작 며칠 안에 정상 범주로 돌아왔다는 사실이 퍽 놀라웠다.

"너와 상관없는 일이야."

"제가 윌 태생인 것부터가 이 사안에서 상관없지 않아요."

"나는 윌 가주를 죽일 거다. 너는 네 친부보다 형체도 없는 가문의 명예가 중요하다는 거니?"

"명예는 속죄하면 뒤따라오는 것에 불과해요. 오랜 고민의 결과예요."

모리타트에게로 고개를 돌렸다. 그는 불나방에 불과한 아즈마리아를 몹시 자랑스럽게 여기는 듯했다.

"아즈마리아에게는 요즘 귀족들에게선 보기 힘든 신념이 있죠. 기사들도 갖다 버린 그 신념 말입니다. 참 사랑스럽지 않습니까?"

네 눈에나 그렇겠지. 나는 일부러 비꼬며 물었다.

"잭 가문의 가주께서는 속죄할 마음이 없으신가?"

"그게 반드시 필요한 겁니까? 그렇다면 제가 당신을 돕는 이유를 속죄라고 생각하시지요."

이상하지. 심지가 굳은 건 아즈마리아인데, 대화할 때 더 편한 건 고작 안 지 며칠 되지 않은 모리타트였으니. 다시 아즈마리아를 바라봤다. 내게 있어 그녀의 존재가 어디에 쓸모 있을지 모르겠다. 모리타트를 만난 후부터 일이 꼬였다. 나는 누군가와 함께 일을 치룰 마음이 추호도 없었다. 내 복수는 나의 것이었고 누구도 알지 못하게 조용히 끝내는 것이 유일한 바람이라면 바람이었다.

하지만 나는 눈앞의 아즈마리아를 돌려보낼 수 없음을 직감했다. 동시에 그녀의 정신머리가 돌아왔다는 생각을 철회하기로 했다. 안타까운 아즈마리아. 너는 아직도 네 머릿속에 남아 있는 아그레인으로부터 벗어나지 못했구나.

"자신만만하게 내 앞에서 무릎 꿇어 놓고… 조금도 도움 되지 않는다면 많이 실망할 거야."

"그러지 않기 위해서 무릎 꿇은 거예요."

나는 아즈마리아를 일으켜 세우며 말했다.

"좋아. 그럼 네가 할 수 있는 첫 번째 일을 말해 주지."

"네."

그리고 테이블 위에 잠시 올려 두었던 단검을 쥐었다.

"지금부터 나는 피를 꽤 흘릴 거야. 지혈을 부탁해."

시린 손등은 도저히 다시 찌를 수 없었다. 나는 검날을 조금 더 올려 팔뚝에 고정했다.

"의원은 부르지 마."

날카로운 고통이 찾아왔다. 맙소사, 하는 탄식과 함께 아즈마리아가 내게 날듯이 달려왔다. 모리타트가 얼굴을 감싸 쥐는 게 보였다. 기다란 이명과 함께 세상이 뒤집혔다. 이제는 조금 익숙해진, 심해에 잠긴 듯 먹먹하고 흐릿한 감각이 나를 감쌌다.

가장 먼저 눈앞에 나타난 건 끊임없이 떨어지는 눈과, 소복이 쌓인 눈 위에 선 윌 백작이었다. 그는 돌연 발작하며 두 손으로 자신의 목을 그러쥐었다.

[크윽.]

그의 등 위로 밤하늘보다 새까만 호수가 보였다. 발작하듯 몸을 덜덜 떨며, 윌 백작이 뒤로 물러섰다. 그러던 중 돌연 팔을 뻗어 내 뒷목을 쥐었다.

[아!]

뼈가 으스러질 것 같은 고통이 찾아왔다. 윌 백작이 뒤로 나자빠지면서 내 몸 역시 그와 함께 눈 위를 굴렀다. 그리고 심장을 꿰뚫을 만큼 비현실적인 추위가 전신을 덮쳤다.

나는 호수에 빠졌다는 사실을 직감했다. 그러나 내 목을 쥔 윌 백작의 손은 절대 사라지지 않았다. 나는 갈퀴 같은 손아귀에 이끌려 호수의 바닥으로 끝없이, 끝없이 추락했다.

다음날 오전에는 언제 그랬냐는 듯 날이 화창했다. 나는 죽어도 일어나지 못할 것 같았던 몸을 일으켜 닫혀 있던 커튼을 거두었다. 아즈마리아의 지혈은 꽤 괜찮았다. 붕대는 너무 느슨하지도, 조여 있지도 않았다. 다만 독에 썩어 문드러진 탓에 굳은 피와 붕대가 한데 뭉쳐 있었다. 나는 몰려드는 강렬한 어지럼에 급히 창문을 열고 소파등 위로 머리를 박았다.

'오늘은….'

빌힐름이 처음으로 황제의 업무를 대신하는 날이다. 왕좌만 비었을 뿐, 빌힐름은 사실상 황제나 다름없었다.

똑똑.

"들어와."

문을 열고 들어온 시종이 내게 말했다.

"무어 자작 부인께서 알현을 청하였습니다."

"몸이 안 좋으니 다음에 찾아오라고 해."

"예."

아, 빌어먹을. 오늘부터 또 면식만 아는 귀부인들이 주구장창 찾아오겠군. 이럴 때는 자리를 비워야 함이 옳다. 나갈 몸 상태는 아니었지만, 여기서 계속 방에 머문다면 몸 상태뿐만 아니라 정신 상태도 피폐해질 게 분명했다. 욕실로 향하기 직전에 한 번 더 노크 소리가 들렸다.

'아예 아무도 들이지 말라고 말해 둬야겠어.'

곧장 걸어가 문을 열고 시종에게 말했다.

"나는 오늘 매우 바쁠 계획이니, 아무도 들이지 말…."

그러나 말을 채 끝마치지 못하고 눈앞에 나타난 남자의 이름을 내뱉어야 했다.

"리히튼?"

그는 대답하지 않고 내 몸을 쭈욱 훑어 내렸다. 그리고는 대뜸 내 허리를 감싸고 방 안으로 들어왔다. 문이 닫히고 한동안 적막이 맴돌았다. 당혹감을 떨치지 못하고 그에게 물었다.

"아침부터 무슨 일로…."

"옷 벗어."

머리가 어지러웠다. 뭐라고?

"옷 벗어, 아그레인. 상처를 제대로 치료해야겠으니까."

그리 말한 리히튼이 외투를 벗어 대충 의자 위에 올려 두었다. 아무렇지 않게 욕실로 들어간 그는 시종이 새벽 동안 데워 놓은 온수로 손을 닦았다. 물론 나는 그가 손수건으로 손을 닦으며 나오는 와중에도 옷을 벗지는 않았다.

"팔의 상처를 말하는 거라면, 이미 대충 치료 받았어."

"뭔가 착각하는 것 같군. 네 몸은 불사가 아니야. 그런 꼴을 내버려두다가는 한쪽 팔이 썩을 수도 있고, 팔이 썩으면 다시 소생하기까지 계속 고통을 맛봐야겠지."

그는 듣기만 해도 고통스러운 소리를 아무렇지 않게 했다. 그리고 내게 턱짓하며 재촉했다.

"그러니 어서 내 말대로 해."

나는 리히튼의 말에 따를 수밖에 없었다. 리히튼의 옆에 앉아 그에게 등을 보였다. 머리칼을 한데 모아 가슴 앞쪽으로 내리면서 그에게 말했다.

"팔이 이래서 옷을 벗을 수가 없어."

얼마 지나지 않아 등 뒤의 끈 가봉이 느슨해지기 시작했다. 나는 소파에 축 늘어져서 가만히 그의 손길을 받았다. 그렇게 두 겹 정도 옷이 벗겨지자 차가운 공기가 맨 등에 닿아왔다.

"여기의 멍은 아직 다 빠지지 않았군."

정원으로 떨어졌을 때 생긴 멍을 말하는 걸까. 리히튼이 천천히 내 쪽 소매를 내렸다. 부끄러움이라든가 수치심이 느껴지지는 않았다. 그보다는 고통이 훨씬 컸다.

"팔이 떨어져 나갈 것 같아."

"그러겠지. 네 힘은 결국 네 육체도 갉아먹을 거다."

"죽지 않는 몸이니 괜찮아."

"괜찮지 않아."

리히튼의 목소리는 단호했다. 아아. 나는 앓는 소리를 내며 소파 등에 머리를 기댔다. 상처에 쓸려 내려가는 천이 마치 칼날처럼 느껴졌다.

"잠시. 그대로 몸을 돌려, 아그레인."

움직이기 전에 리히튼이 내 어깨를 잡아 자신 쪽으로 돌렸다. 그리고 나의 뒤통수를 부드럽게 눌러 자신의 가슴 위로 기대게 했다. 식은땀으로 젖은 이마가 그의 베스트를 눌렀다.

"이제 가만히 있어."

이윽고 리히튼이 내 한쪽 팔을 소매에서 완전히 빼냈다. 그리고 피에 녹아내린 천과 붕대를 하나둘 떼기 시작했다.

'이 꼴을 모리타트와 아즈마리아도 봤겠지.'

돌이켜 보면 바보 같은 행동이었다. 마음이 급해 중요한 부분은 간과하고 곧장 일을 치르지 않았는가. 은으로 만든 단검은 녹지 않지만 천과 붕대는 다르다. 내가 가진 최고의 패 중 하나를 바보처럼 노출시킨 꼴이 되었다.

"아파, 살살해…."

"나중에는 그런 소리도 못할 텐데."

"왜 자꾸 부정적인 소리만 해? 내가 더 아프길 바라기라도 하는 거야?"

떨어지는 천 사이에서 피가 흘렀다. 그가 쉰 목소리로 나를 나무랐다.

"지금은 고작 손 하나, 팔 하나로 힘을 사용할 수 있겠지. 그러면 나중에는?"

고개를 들어 올렸다. 위태로운 음성과 달리 리히튼의 표정은 담담했다. 그가 온수에 적신 천으로 상처 주변을 천천히 닦아냈다. 탄내가 났다.

"지금처럼 손 하나를 바쳐서 미래를 볼 수 있을 것 같나?"

"무슨 말이야, 그게."

"네 힘의 기폭제는 신체적 충격에서 오는 착란이다. 하지만, 아그레인. 고통은 익숙해지기 마련이야."

나는 그의 몸에 머리를 기댄 채 열심히 고개를 저었다. 동의할 수 없었다.

"죽어도 익숙해지지 못해. 100년이 흘러도 그대로 아플 거야."

"너는 익숙해져. 늘 그래 왔어."

"리히튼, 너는 꼭 그렇게 다 아는 듯이 행동해야…."

속이 후련하냐고 말하려 했다. 하지만 그는 실제로 나보다 나를 더 잘 알지 않은가? 나는 말을 잇는 대신 다른 것을 물었다.

"익숙해지면 어떻게 되는데?"

"손 하나로는 만족하지 못하겠지."

그제야 그가 무슨 말을 하려는 건지 이해가 가기 시작했다.

'더 큰 신체적 충격을 받아야 미래를 볼 수 있게 될 거란 건가.'

그러면 대체 얼마 만큼 큰 고통이어야 하기에?

"사흘로 회복되는 고통으로는 부족할 거다. 일주일, 열흘, 보름…."

리히튼이 피에 반쯤 타 넝마가 되어 버린 수건을 쓰레기통 안에 처박았다.

"그러다가 나중에는 깨어나지도 못하겠지. 살아 온 시간보다 더 긴 시간을 죽은 듯 누워 있는 거야."

언젠가, 그가 살아왔던 또 다른 시간의 내가 그러했던 것일까? 끔찍했다. 얼마나 끔찍한 세계였기에 수십, 수백 번 미래를 보고서도 또 보려 했던 것인지. 상상조차 힘들었다. 리히튼은 나를 침대 위에 옆으로 뉘였다. 그리고 굳지 않은 피가 계속 떨어질 때마다 끊임없이 천으로 닦아냈다. 쓰레기통 안에 점차 많은 넝마가 쌓여 갔다. 그의 행동은 피가 완전히 굳어 멈출 때까지 계속되었다.

어느새 깜짝 선잠에 들었던 것 같다. 리히튼이 몸을 일으켰을 때, 나 역시 반사적으로 눈을 뜨고 몸을 일으켰다.

"지금 같은 수고를 한 번 더 경험하고 싶지 않다면 다음에는 심사숙고해서 힘을 사용하도록 해."

나는 몽롱한 기분으로 몸을 일으켰다. 그가 타박한 탓에 반쯤 벗은 옷을 다시 입을 수 없었다. 피가 굳은 지 얼마 안 되어 소매에 팔을 넣다가 상처가 덧날 게 분명했기 때문이다.

리히튼은 손을 닦아낸 즉시 곧장 던져둔 외투를 챙겼다. 그리고 아무렇지 않게 문으로 걸어 나갔다. 그 순간 정신이 번쩍 들어 리히튼에게로 달려가 그의 팔을 잡았다.

"겨우 내 상처를 치료해 주려고 온 거야?"

그는 힐끔 내 팔의 상태를 확인했다. 그리고 성큼성큼 걸음을 옮겨 담요를 들고 왔다.

"너는 내가 아는 이들 중에서 꽤… 아니, 상당히 행동력이 빠른 편이지."

두꺼운 겨울용 담요가 맨 왼쪽 어깨를 감쌌다.

"예기치 못하거나, 불리한 상황이 벌어진 날에는 곧장 일을 치르곤 해. 마치 미래를 보는 행위를 통해 안정을 찾으려는 것처럼."

내가 그랬던가? 그야, 시간이 얼마 남지 않았으니까. 나를 물끄러미 내려다보던 리히튼이 물었다.

"지금 내가 무슨 말을 하는지 알아듣기는 하는 건가?"

내게는 그의 질문이 '내가 과거로 돌아갈 수 있다는 걸 아느냐'로 들렸다. 알고 있다는 걸 눈치챘을 텐데도 굳이 묻는 연유가 뭘까. 나는 모르는 척 고개를 돌리고 담요를 그러쥐었다. 긍정했을 때 돌아올 대답이 무서웠다. 리히튼은 나를 오래 기다리지 않았다. 오히려 대답은 기대도 안 했다는 듯, 다시 문 쪽으로 걸어갔다. 나는 다급하게 외쳤다.

"리히튼. 하나만 더 묻게 해 줘."

"말해."

"잉고르드로 돌아가지 않고 황성에 남은 이유는 뭐야?"

문의 손잡이를 잡은 채, 리히튼이 내게로 고개를 돌렸다. 알 수 없는 복잡한 감정이 그의 눈 속에서 회오리쳤다.

"그건 네가…."

무언가 말하려던 그는 끝끝내 말을 마치지 못하고 문을 열었다. 무슨 말을 하려 했을까. 왜인지는 몰라도 리히튼을 붙잡아 캐물을 용기가 나지 않았다.

늦은 오후부터 눈이 내렸다. 바람에 흩날리는 커다란 눈꽃들을 보며 직감했다. 이 눈이 쌓이는 날 나는 윌 백작을 죽이게 될 것이다. 거침없이 내리는 기색을 봐선, 예정된 미래는 내일인 듯했다. 미래에서 나는 윌 백작을 성공적으로 해치우지 못한다. 그는 막내딸인 아즈마리아와 달리 고통에 눈이 먼 와중에도 내 목을 잡아채 함께 호수로 떨어졌다.

'그전에 도망치면 돼.'

하지만 황성의 주위는 근위대가 수호하고 있다.

'더 나은 수….'

고민 끝에 짧은 서신을 작성하고 시종에게 건넸다.

"받을 사람은 뒤에 적혀 있으니, 바로 전달하도록 해."

"예."

"그리고 베르크네 씨를 데려와라. 누구인지는 알겠지?"

"알겠습니다."

얼마 지나지 않아 베르크네가 나를 방문했다. 그 혼자 잉고르드로 돌아갔으면 어쩌나 싶었는데, 다행이었다.

"오랜만입니다, 아그레인 양. 제게 볼일이라도?"

그의 입에서 나오는 높임말이 그리 어색할 수가 없었다. 나는 다친 팔 위로 조심스럽게 외투를 걸치며 대답했다.

"하던 대로 해요. 불편하게."

"그럴 수는 없습니다. 빌힐름 전하께서 황실 법도를 무시하고 질서를 어지럽히시는 가운데, 귀족들이라도 예를 따라야 기강이 지켜질 겁니다."

"그 말, 꼭 빌힐름 앞에서도 해 주세요."

베르크네는 대답 없이 어깨만 으쓱였다. 나는 그를 이끌고 황성을 나갔다. 별다른 말없이 내 뒤를 따르던 베르크네는 중앙의 분수 정원을 지나고 나서야 내 저의를 물었다.

"어디로 가는 겁니까?"

"별채요."

"아그레인 양의 외출에 제가 동행해야 하는 이유를 여쭈어도 되겠습니까?"

"당신이 아니면 물어볼 사람이 없거든요."

"물어보신다는 사항이 별채의 건립 연도 같은 건 아니겠지요."

"선황 폐하의 광증."

베르크네가 조용해졌다. 나는 기사들을 별채 앞에 대기시키고 건물 안으로 들어섰다. 건물 내부의 공기는 아즈마리아를 불렀던 때보다 훨씬 삭막했다.

'그러고 보니 이곳과도 연이 참 깊어.'

아니, 더 정확히 말해서 황성 자체와 지겨울 정도로 연이 깊었다. 이제는 무너져 사라진 힐 성과 예일 성과도 인연이 있는 몸이니. 우리는 『태양이 흐르는 강』 앞에 섰다. 한참이 지나고 나서야 베르크네가 입을 열었다.

"그래서 제가 무얼 하면 되는 겁니까?"

나는 몸을 틀어 베르크네와 마주했다.

"발레리아의 시신을 찾아야겠어요."

"처음 듣는 이름이로군요."

"며칠 전까지 황성에서 내 시중을 들던 하녀였어요. 꽤 예쁘고, 똑똑했죠. 다나한 2세가 끌고 가기 전까지는."

베르크네가 답지 않게 숨을 크게 들이쉬었다. 그는 무언가 깊이 고민하는 듯했다. 곧 내게서 눈을 떼 허공을 가만히 응시하다가 등을 돌렸다.

"따라 오십시오."

그는 별채의 마지막 층으로 올라갔다. 6층의 서쪽 복도 맨 끝으로. 정기적으로 관리하는지 먼지 한 톨도 보이지 않고 깨끗했으나, 사람 사는 기척은 느껴지지 않았다. 베르크네는 복도 끝, 가장 안쪽의 닫혀 있는 문을 밀었다. 정리가 잘된 호화스러운 침실이 나타났다. 내 방 만큼이나 사치스러운 그림, 가구, 벽화가 가득했다.

"다나한 2세는 한 달에 한 번 이 방에서 취침했습니다. 보통은 시종장인 카이로 백작을 대동했지만, 종종 월 백작이나 크로허츠 후작, 헨서웨이 백작, 잭 전 공작을 대동하기도 했지요."

나는 조용히 그의 말에 귀를 기울였다. 베르크네는 주름 하나 잡히지 않고 말끔하게 펴진 침구를 천천히 쓸었다.

“이곳에서의 일은 모두 함구되어야 했기에 하녀도, 시종도 들어올 수 없었습니다.”

“베르크네 씨는 그런 사실을 어떻게 알고 있는 거죠?”

“제가 이 방의 책임자였으니까요.”

전혀 예상하지 못한 말이었다. 몸을 돌린 그가 책장 앞으로 다가가 가장 아래쪽에 꽂힌 서적을 뺐다. 톱니바퀴 굴러가는 소리가 나기 시작했다. 이윽고 책장이 옆으로 밀리면서 낡은 나무문이 나타났다.

“아그레인 양의 하녀는 이 아래에 있을 겁니다. 이제는 당신의 정신력이 제 생각보다 더 강하길 바랄 수밖에 없겠군요.”

문 아래에는 기다란 나선 계단이 존재했다. 어둠 속에서 끝없이 지하로 향해 내려가는 계단이었다. 베르크네는 능숙하게 방을 뒤져 등불을 찾아냈고, 우리는 길고 긴 나선 계단을 따라 내려갔다.

내려가면 내려갈수록 불쾌한 냄새가 코를 찔렀다. 체감상 올라온 층보다 내려가는 층이 배는 더 깊은 듯했다. 이토록 어두우면서 깊이를 가늠할 수 없는 경험은 처음이라 긴장됐다. 감각이 예민해지자 팔의 통증도 심해지는 기분이었다.

“다 왔습니다. 길이 많이 낡은 건 워낙 오래전에 생긴 공간이라 그렇습니다.”

“얼마나 됐는데요?”

“별채가 생기기 훨씬 전부터인 것으로 알고 있습니다.”

그 말은 즉 200년이 훨씬 넘었다는 뜻이었다. 베르크네와 나는 한참 만에 평지를 밟을 수 있었다. 지하의 문은 지상에서 열었던 문보다 훨씬 낡고 추레했다. 삐걱거리며 열리는 소음이 나선 계단의 석벽을 때리며 음산하게 울렸다.

"일단 여기서 기다리세요."

당연한 소리지만, 문 안은 아무것도 보이지 않았다. 내가 그 앞에 가만히 서 있을 동안 베르크네가 안으로 들어가 촛불에 일일이 불을 밝혔다. 내부는 생각보다 꽤 컸다. 켜진 촛불의 숫자가 늘수록 방 안의 모습도 선명해졌다. 나란히 선 수십 개의 장식장 속에는….

"머리인가요?"

베르크네가 마지막 초에 불을 붙인 후 내게로 시선을 돌렸다. 그는 의외라는 얼굴로 고개를 주억였다.

"담담하시군요."

"전적이 있거든요."

처음으로 본 머리가 워낙 충격적이라 그런지 몰라도 별생각이 들지 않았다. 그저 다나한 2세의 취미가 생각보다 더 혐오스럽고 변태적이었다는 깨달음만 있을 뿐.

"200년도 더 된 재산들입니다. 이 중 일부는 귀한 혈통 출신이지요."

"재산이라니 끔찍한 표현법이네요."

"특히 선황 폐하는 이곳을 끔찍이 여기셨죠. 끔찍하게 사랑했다는 뜻입니다. 마치 천국을 대하듯."

갈수록 소름 돋는 다나한 2세의 정신 상태와는 별개로, 베르크네가 말하는 그 귀한 혈통이 어느 혈통인지 알 수 있을 것 같았다.

"이곳에 있는 머리는 나와 리히트의 선조들인 건가요?"

"맞습니다. 이미 아실만큼 아시는 것 같군요."

모를 수가 없지. 알기 위해 황성까지 온 거니까.

"나머지는 이 성의 하녀들이겠네요."

나는 대답을 듣지 않고 베르크네로부터 등불을 건네받아 장식장을 훑었다. 커다란 유리병 속 묽어 보이는 투명한 액체 안에 희멀건 머리들이 둥둥 떠 있었다. 병의 수는 쉬이 셀 수 없을 만큼 많았다. 역겹다기보다는 머리만 남은 하얀 밀랍 인형을 구경하는 기분이었다. 나도 이미 미쳐 버린 걸까.

“역설적이지만…. 이들은 그렌페르크 제국의 의료 발전에 많은 도움을 주었습니다. 머리 없는 시체 대개가 황실 의원들에게 기증됐기 때문이지요.”

“당사자의 허락도 없는 기증을 기증이라 할 수 있나?”

베르크네가 대답했다.

“적어도 그들은 그리 여겼습니다. 잭 가문과 윌 가문… 이하 가까운 가문의 수장들은요.”

이하 가까운 가문이라면, 이제는 언급할 가치도 없는 네 개의 가문 중 두 가문을 말하는 것일 터였다. 그렇게 짧지 않은 시간 동안 유리병만 들여다보고 있을 때였다. 마침내 내가 찾던 얼굴이 나를 맞이했다. 문에서 가장 가까운 장식장의 맨 위에 놓인 유리병. 그 안에 익숙한 금발의 여자가 눈을 감고 있었다.

“발레리아. 너 여기 있었구나.”

언제부터 여기에 있었을까? 이 춥고 습하다 못해 구역질나는 곳에서 하루하루를 버텨야 했다니. 더 생각할 필요도 없이 유리병을 빼 품 안에 안았다. 빙하를 안은 것처럼 차가웠다.

“이 애의 몸은 어디에 있을까요?”

“말씀하신 하녀입니까? 기대하지 않는 게 좋습니다. 의원들에게 넘어갔다면 말 다 한 겁니다.”

머리라도 발견한 걸 다행이라 여겨야 하는 건가. 오랜 시간 햇빛을 못 봤으니 이제 함께 양지로 돌아갈 때였다.

“이건….”

베르크네가 발레리아의 유리병이 놓여 있던 공간 바로 아래에 놓인 병을 가리켰다.

"아그레인 양. 혹시 레이나를 기억하고 계십니까? 잉고르드에서 일하던 하녀였지요. 빌힐름의 첩자임이 밝혀져 쫓겨났던."

잊을 수가 있을까? 황성에 온 이후에도 계속 찾던 얼굴인데. 베르크네가 가리킨 유리병을 살폈다. 정말 레이나가 맞았다. 어디에 있을까 궁금했는데 이런 결말을 맞이했을 줄은 몰랐다. 잉고르드를 떠나기 전에는 나름대로 생존에 대한 자신감이 느껴졌었는데.

"레이나는 쫓겨나기 전에 내게 그런 말을 했었어요. 빌힐름이 날 구해 줄 거라고."

베르크네는 아무런 말이 없었다. 나는 구부렸던 등을 펴고 문으로 향했다. 레이나에게는 미안한 일이었지만 내게는 빌힐름 측의 첩자였던 그녀보다 발레리아가 더 소중했다. 내게는 발레리아의 마지막을 챙겨야 할 의무가 있다. 발레리아를 선택한 건 다름 아닌 나이니, 마땅히 그래야만 옳았다. 베르크네가 내 등 뒤에서 외쳤다.

"아그레인 양. 설마 그 유리병을 들고 나가려는 생각이십니까?"

"왜요. 안 되나요?"

등을 돌려 그를 바라봤다. 베르크네의 표정은 상당히 미묘했다. 마치 모르는 이를 만난 듯 어색하기도 했으며, 어린 시절의 친우를 수십 년 만에 재회한 것처럼 감격스러워 보이기도 했다. 천천히 다가온 베르크네는 몹시 새삼스럽다는 눈빛이었다.

"이제야 조금 같은 사람으로 보이는군요. 내가 알던 아그레인 캐롤드와 아그레인 양이."

그러고 보니 베르크네는 과거의 나를 알고 있는 극소수의 인물이기도 했다. 다시 걸음을 이으며 그에게 물었다.

"흥미로운 이야기네요. 더 해 줄 수 있어요?"

"이곳에서 아그레인 양은 '수잔'으로 불렸습니다. 당신의 진짜 이름을 입에 담을 수 있는 이는 힐 성의 하녀들을 포함해 선황 폐하와 빌힐름 전하, 그리고 비비안느 전하가 전부였지요. 그때 아그레인 양은 수잔 양과 똑같은 갈색으로 머리를 염색했었습니다. 기억 안 나십니까?"

기다렸다는 듯 나오는 내용은 내가 그간 잊고 있던 과거의 퍼즐 조각을 되찾게 했다.

'펜던트 속의 내가 갈색 머리였던 데는 그만한 이유가 있었던 거구나.'

대외에는 캐롤드 가문이 멸문한 연유가 반역으로만 알려져 있으니, 내 존재를 숨기려 했던 것이다. 수잔. 내게는 참 많은 의미를 지닌 이름을 상기하자 절로 입이 열렸다.

"그거 알아요? 수잔은… 내 쌍둥이였어요."

"아니요. 수잔과 아그레인 양은 피 한 방울 섞이지 않은 남입니다. 그 일로 캐롤드 가문이 멸문했으니까요."

베르크네는 내게 있어 퍽 고통스러운 이야기를 아무렇지 않게 내뱉었다. 내 눈치를 보지 않고 사실만 밝힌 탓인지 나 또한 특별한 감흥이 느껴지지는 않았다. 베르크네의 저런 점도 참 능력이다 싶었다.

"이곳에 수잔의 머리도 있나요?"

"아니요."

다행이었다. 나는 그 애를 만날 자신이 없으니까. 아마 죽을 때까지 없지 않을까? 가까이 다가온 베르크네가 내 얼굴을 꼼꼼하게 뜯어 살폈다. 그리고는 곧 어깨를 잡아 문 쪽으로 밀었다.

"안색이 파리하니 이만 올라가는 게 좋을 듯합니다."

그렇게 막 낡은 문을 넘었을 때였다.

"아…!"

깜짝 놀란 쥐가 바닥을 구른 것처럼, 작고 새하얀 여자가 문 옆에서 나타나 저 홀로 엉덩방아를 찧었다. 익히 예상했던 일이라 유리병을 떨어뜨리는 불상사는 일어나지 않았다. 나를 뒤로 물린 베르크네가 여자에게로 다가갔다. 그리고 경악했다.

"아즈마리아 윌 영애? 이곳에는 어떻게… 뒤를 밟은 겁니까?"

"나무라지 마세요. 내가 불렀으니까."

그래, 내가 불렀지. 베르크네와 별채로 오기 전에 시종을 시켜 아즈마리아에게 보냈던 서신은 바로 이 목적을 가지고 있었다. 이곳에서 얼마나 끔찍한 일들이 벌어져 왔었는지 그녀에게 알리고 싶었다. 정확히는 윌 가문이 얼마나 혐오스러운 행위를 감행해 왔는지에 대해서. 나를 대신해 아즈마리아가 윌 백작을 무너뜨릴 수 있도록.

"봐, 아즈마리아. 네 친부가 죽인 내 하녀야. 이제 보니 너와 꽤 닮았네."

엎어진 아즈마리아 앞에 무릎을 꿇고 앉아 유리병을 내밀었다. 아즈마리아는 덜덜 떠는 시선으로 나와 발레리아를 번갈아 쳐다보다가 등을 돌려 토악질을 했다.

"웃, 으웩!"

"이러나저러나 네가 빌힐름에게서 도망친 건 현명한 선택이었어. 그건 칭찬하는 게 옳아. 자… 너도 내부를 확인했으니 이만 올라갈까? 머리가 어지럽고 숨이 가빠서 쓰러질 것 같네."

몸을 일으켜 계단 위를 오르면서 베르크네에게 부탁했다. 그는 내게 아즈마리아가 왜 이 자리에 있는지에 대해서 물을 용의가 없어 보였다. 아마 깊이 관여하고 싶지 않은 마음이겠지.

"베르크네 씨, 아즈마리아를 부축해 주세요."

"아니요. 혼자 갈 수 있어요."

그녀 나름의 자존심인 걸까. 나는 같은 말을 두 번 하지 않고 앞장서서 계단을 올랐다. 그리고 마침내 지상의 방으로 돌아왔을 때, 저 깊숙한 지하의 공기가 얼마나 텁텁하고 고역스러웠는지 다시 깨달을 수 있었다.

나는 깊게 숨을 들이쉬고 베개의 커버를 벗겨내 유리병을 감쌌다. 이곳에서 발레리아가 몸과 머리로 분리당하기 전에 어떤 일을 당했을지는 조금도 궁금하지 않았다. 이 역겨운 방을 빨리 떠야겠단 생각만 머릿속을 지배했다.

"그런데 베르크네 씨. 내게 이곳의 비밀을 알려 줘도 되는 건가요?"

방을 나서 계단을 내려가며 베르크네에게 물었다. 그는 우리 등 뒤, 멀찍한 곳에서 주춤주춤 따라오는 아즈마리아에게서 시선을 떼며 대답했다.

"이곳을 혐오하기는 빌힐름 전하도 마찬가지였습니다. 전하께서 황위에 오르시면 여기도 곧 폐쇄될 테니 상관없으리라고 봅니다. 무엇보다 아그레인 양은 황후가 되실 몸 아닙니까."

어떻게 폐쇄될지 궁금했다. 하지만 그보다 더 납득할 수 없었던 건 빌힐름에 대한 베르크네의 평이었다.

"빌힐름이 이곳을 혐오했다고요? 믿기지 않는 소릴 하시네요. 내게 발레리아의 팔이라도 받겠냐며 조롱하던 게 고작 며칠 전의 일인데."

"그분은, 빌힐름 전하는…."

무언가 설명하려던 베르크네는 이내 혀를 차곤 고개를 저었다.

"제가 그분에 대해서 함부로 입에 담아 무엇하겠습니까? 저는 이제 리히튼 각하의 사람입니다. 이곳에서의 일은 웬만하면 다신 떠올리고 싶지 않습니다. 가능하다면 빌힐름 전하의 일도요."

"당신은 왜 빌힐름이 아닌 리히튼을 선택한 거예요?"

"저는 카이로 가문의 차남이었습니다. 형님부터 가문 대대로 그러했듯 다나한 2세의 사람이 된 후, 얼마 지나지 않아 저 역시 황성으로 불려왔습니다. 그리고 별관을, 특히 그 방을 관리하는 황성의 그림자가 된 것이지요."

카이로 백작과 베르크네가 혈연 관계였다니? 가만히 얼굴을 들여다보니 확실히 닮은 게 느껴졌다. 나이 터울이 커서 그렇지, 베르크네가 15년을 늙으면 카이로 백작과 똑같을 것 같았다.

"그런데 어느 순간부터 이곳에서 들리는 여자들의 비명이 더는 듣기 싫어지더군요. 이쯤이면 만족스러운 대답이 될까요?"

더 따질 것 없는 대답이었다. 베르크네와 헤어진 후, 나는 아즈마리아를 데리고 방으로 돌아왔다. 진짜 볼일은 지금부터 시작이었다. 애초에 별채로 향했던 것도 아즈마리아 때문이었으니까.

발레리아의 머리가 든 유리병을 테이블 위에 내려두고, 천을 거두었다. 지상에서 보니 지하에서 보는 것과는 느낌이 확실하게 달랐다. 끔찍했다는 의미였다.

"발레리아를 이제 어떻게 해야 할까, 아즈마리아?"

파리하게 질린 얼굴로 문 근처에서 맴돌고 있던 아즈마리아가 대답했다.

"무, 묻어 줘야 하지 않을까요? 제가 그 하녀라면… 지금이라도 쉬고 싶을 거예요."

"쉬고 싶어 한다고? 네가 발레리아에 대해 뭘 안다고 그런 식으로 말해?"

아즈마리아의 입이 닫혔다. 나는 그녀를 테이블 앞으로 불러내며 말했다.

"너도 봤지? 아마 상기하기도 싫겠지만, 그 안에 쌓여 있던 머리들. 윌 백작과 전 윌 백작 그리고 전전 윌 백작… 네 가문 대대로 하던 짓거리야."

정확히는 윌 가문을 포함해, 서약에 참여한 네 가문이 함께 벌인 짓이었지만. 그녀의 눈동자는 의도적으로 유리병을 피하고 있었다.

"네가 속죄 받더라도, 윌 백작은 속죄 받을 수 있을까?"

"아뇨, 아니요."

"너는 발레리아라면 지금이라도 땅 아래 묻히고 싶을 거라고 했지. 내가 너라면… 학살자를 가문에서 몰아내고 명예를 회복하겠어. 너희들이 죽고 못 사는 그 명예 말이야."

"하지만 저는 아무런 힘이…."

금방이라도 울 것 같은 목소리였다. 아즈마리아는 두 눈을 꼬옥 감고 숨을 들이켰다. 그리고 떨리는 목소리로 말했다.

"뭘, 뭘 할 수 있을까요?"

"어디까지 할 수 있는데? 내 상처를 지혈하는 일?"

아즈마리아는 꿀 먹은 벙어리처럼 입술만 깨물었다. 초조함과 불안함이 느껴졌다. 그러라고 데려간 별채였으나, 역시 아즈마리아의 사상은 이해하기 힘들다. 핏줄의 속죄를 왜 저가 하겠다고 나서서는.

"내가 왜 이 꼴이 된 줄 알아? 네 아비에게서 살아남으려고 이 꼴이 된 거야."

"아, 알아요."

알겠다면서 어디까지 할 수 있느냐는 물음에 우물쭈물하는 그녀가 우스웠다. 나는 손을 내저으며 아즈마리아를 쫓아냈다.

"모리타트나 데려와. 너는 마음먹은 것과 달리 별로 쓸모가 없는 것 같구나, 아즈마리아."

아즈마리아는 무언가 더 할 말이 있는 눈치였으나 곧 등을 돌려 방을 나갔다. 모리타트가 나를 방문한 것은 그로부터 몇 시간 지나지 않아서였다. 그는 문을 닫자마자 할 말이 몹시 많다는 얼굴로 걸어 들어왔다.

"당신은 몸 안에 대체 뭘 키우고 있는 겁니까? 뭘 키우기에 피가 산성을 띠는 거예요? 예?"

잉고르드의 독에 대한 정보는 쉬이 알려 줄 마음이 없었기에, 못 들은 척 불러낸 목적을 전달했다.

"내일 밤 윌 백작을 죽일 거다."

이제 막 의자에 앉으려던 모리타트가 몸을 굳히고 나를 응시했다. 긴 정적이 흘렀고, 그는 한참 만에야 의자에 앉으며 입을 열었다.

"…정기 만찬이 예정되어 있기는 합니다. 한 달에 한 번, 네 가문의 가주만 모이는 자리지요."

"아즈마리아를 이용할 거야. 다만 네가 옆에서 거들어야 해."

"그 애는 못할 겁니다. 확신해요."

"그래서 각하가 거들어야 한다는 소리지."

모리타트의 반응은 확실했다. 얼굴만 봐도 '이걸 어떻게 안 된다고 설득하지' 고민하는 표정이었으니까. 충분히 납득할 만한 반응이었다.

"미래를 봤어. 내 말대로만 하면 문제없이 윌 백작을 처리할 수 있을 거다."

"뭐라고요?"

빌힐름도 모두 아는 마당에 기를 써서 숨길 필요는 없을 터였다. 모리타트는 전에 본 적 없는, 눈에 띄게 당혹스러운 티를 내며 마른세수를 했다.

"지금 절 시험하는 겁니까? 빌힐름 전하께서 멀쩡히 살아 계시는데, 당신이 어떻게 힘을 사용할 수 있단 겁니까? 그분이 계시는 한 불가능한 일입니다."

모리타트의 머리 굴리는 소리가 여기까지 들렸다. 그는 의심스러운 눈길을 보내다가도 마땅히 그럴 수 있다는 듯 고개를 끄덕였다. 자기 스스로도 본인의 판단을 믿을 수 없는 것처럼 보였다. 이미 선례가 있었기에 더 혼란스러운 듯했다.

"윌 백작은 빌힐름 전하의 사람이 아닌 선황의 사람입니다. 하지만 빌힐름 파벌이었던 것 역시 사실이기도 하죠. 빌힐름 전하께서 아그레인 양에겐 한없이 자비롭다 하더라도, 그분께선 아직 황위에 오르지 않은 시점이지 않습니까? 윌 백작을 건드는 건 위험합니다."

"그럼 어쩔 수 없지."

나의 대답에 모리타트가 안도의 한숨을 내쉬었다.

"각하, 너는 윌 백작이 돌아온 아즈마리아를 빌힐름의 정부로 밀어 넣는 꼴을 지켜보기만 해."

그리고 직후 다시 표정을 굳혔다. 나는 유리병에 쌓인 먼지를 하나하나 털어내며 은근슬쩍 모리타트를 비꼬았다.

"윌 백작이 돌아온 딸을 모르는 체할 거라 생각하는 건 아니겠지?"

게다가 빌힐름의 대관식이 얼마 남지 않은 상황이지 않은가. 아즈마리아가 가문을 뛰쳐나왔던 데는 그만한 이유가 있을 거라 생각했다. 모리타트의 결정은 길지 않았다. 그는 부가 사항에 대한 고민을 털어놓기로 마음먹었는지 훨씬 편안해진 낯으로 속내를 비추었다.

"아즈마리아가 백작이 되는 것도… 아니, 되는 편이 제게는 더 편하긴 하겠네요."

그의 판단은 아즈마리아 한 명으로 좌지우지되었다. 혀를 내두르긴 했으나 다행이라고 여겼다.

"이건 또 뭡니까?"

속 시원한 표정으로 다리를 꼰 모리타트가 대뜸 유리병을 손으로 가리켰다. 이제야 눈에 들어온 모양이다.

"너희가 죽인 내 하녀."

"밝은 데서 보는 건 또 처음이군. 왜 가지고 올라오신 겁니까?"

"적당한 곳에 묻어 주려고."

아즈마리아보다는 훨씬 안정적이고 차분한 반응이었다.

'설마 왜 가지고 올라왔느냐는 타박을 듣게 될 줄이야.'

그래, 이상한 일은 아니지. 서약에 참여한 네 가문의 가주들에겐 아주 익숙한 물건일 터였다. 누군가는 이 유리병에 든 머리를 손수 잘라냈을지도 모를 일이었다. 그동안 발레리아를 찾던 나를 훔쳐보며 비웃었을 수도 있었다. 그 사실을 제대로 확인당한 탓일까? 다가올 내일이 더더욱 기다려졌다.

"뭐, 선황의 취향에 퍽 들어맞는 얼굴이긴 하군요. 그럼… 내일 만찬에서 제가 뭘 하면 되겠습니까?"

모리타트의 호박색 눈이 흥미로운 빛을 냈다. 아즈마리아. 네가 이런 식으로 내게 도움이 될 때도 있구나. 나는 천으로 발레리아의 유리병을 덮으며 천천히 계획을 이야기했다.

그날 꾼 꿈속에서, 나는 내리꽂히는 호우 한가운데 서 있었다. 이곳에서 얼마나 오래 숨어 있었는지 모르겠다. 급히 피신하느라 아무 것도 챙겨 나오지 못했다. 진흙에 푹푹 꺼지는 드레스 자락이 정신을 빼먹을 정도로 무거웠다. 회색 시야 너머로 기사단에 둘러싸인 거대한 황성이 눈에 들어왔다. 어디선가 비명 소리가 들리는 듯했다. 숙청으로 떨어진 머리가 데구루루 굴러 눈앞에 당도할 것 같았다.

리히튼의 반역은 실패했다. 황자 빌힐름은 자신이 건재함을 만천하에 보이기 위해 황성을 찬탈당한 지 일주일 만에 크로허츠, 잭 가문의 기사단을 이끌고 이곳에 돌아왔다. 자신이 황위 후계자가 되었음을 알리는 선황의 유서와 함께.

이제 저 새까만 황성이 자신의 주인에게로 되돌아가는 것은 시간 문제였다. 어쩌면 내일, 빠르면 오늘 저녁에 리히튼이 이끌던 반역의 무리들은 완전히 소탕될 것이다. 제기랄. 어디서부터 잘못된 걸까? 황성 찬탈은 너무 성급한 결정이었나? 좀 더 나은 계책이 있었을까?

[아그레인.]

거대한 아카시아 나무 아래에 웅크리고 있던 몸을 벌떡 일으켰다. 이곳에서 들려오면 안 될 목소리였다. 나는 소리가 들린 방향으로 뛰어갔다. 목소리의 주인, 리히튼은 다가오는 내 머리 위를 자신의 망토로 감쌌다.

[감기에 걸리겠군.]

죽음을 눈앞에 둔 자 치고는 너무나 평온한 음성이었다. 나는 혼란스러운 기분으로 그에게 물었다.

[리히튼? 어떻게 이곳에 올 수 있었던 거야? 기사단이 황성을 봉쇄하고 있는데….]

[그래서 소란을 일으킬 수밖에 없었지. 곧 지척까지 따라올 거다.]

더더욱 이해할 수 없는 대답이었다. 그렇다면 리히튼은 무엇을 위해 황성을 나와 나를 찾아낸 것일까?

[도망가자, 아그레인.]

나, 이 장면 어디선가 본 적이 있어. 그건 이상하리만큼 선명한 기시감이었다. 꿈속의 일이었던 걸까. 그때도 분명 비가 내리고 있었다. 그래, 확실했다. 한데 내가 리히튼에게 어떤 대답을 했었더라. 그러자고?

[안 돼.]

그럴 리 없지. 빌힐름을 비롯한 레그윈 가문의 멸망을 이루지 못한다면 내 삶에는 가치가 없었다. 가치 없는 삶을 사느니 죽는 것이 낫다.

[가려면 너 혼자 가. 나는 이곳에 남겠어.]

리히튼은 이미 나의 대답을 아는 얼굴이었다. 그에게선 아무런 감흥도 느껴지지 않았다. 도망치자고 말하던 직전의 음성이 마치 허상처럼 느껴질 정도였다. 리히튼이 고개를 숙였다. 기다란 속눈썹 위로 빗방울이 맺힌다.

[네가 말했었지, 아그레인. 앞으로 네 번이라고. 네 번만 아프면, 이곳을 벗어나 우리의 진취적인 미래를 이룰 수 있을 것 같다고.]

내가 그런 말을 했었던가? 그러나 전부 처음 듣는 소리였다. 그의 말들이 모두 허구처럼 들렸다. 하지만 나는 리히튼을 타박할 수 없었다. 입이 열리지 않았다. 그가 울고 있었기 때문이다.

[네가 본 네 번의 미래에는 지금 이 순간도 포함되어 있었을까?]

[무슨 말을 하는 거야, 리히….]

강한 힘이 내 팔을 끌어당겼다.

[나는 내가 이대로 미쳐 버리지는 않을까 무서워, 아그레인.]

이윽고 차갑게 식은 몸이 나를 껴안았다. 거짓말. 네가 운다고? 고개를 들어 내 어깨에 파묻은 리히튼의 얼굴을 확인했다. 그의 일그러진 뺨은 그저 빗물에 젖어 있을 뿐이었다. 그래, 네가 울 리 없지…. 그럴 리 없어.

[지쳐서 내가 널 포기해 버리면 어떡하지? 내가 더는 과거로 돌아가지 못하면? 너를 살려낼 방도를 끝까지 찾아내지 못한다면?]

어디선가 풀 밟는 소리가 들렸다. 소란을 일으키고 이곳까지 왔다고 했으니, 리히튼을 쫓아온 기사단이 지척까지 도달한 게 분명했다.

[그러니까 이건 널 위한 거야.]

머리가 어지러웠다. 극심한 고통이 가슴을 짓이긴다. 나는 본능적으로 리히튼을 밀어냈다. 그는 반쯤 죽어 가는 목소리로 말했다.

[난 이 시간을 수백 번 반복해서라도 반드시 너를 살려야겠어.]

정신을 차렸을 땐 날카로운 검이 내 심장을 관통한 뒤였다. 시간이 멈춘 듯했다. 점멸하는 시야에서 마지막으로 보였던 것은 절망에 빠진 리히튼의 얼굴이었다. 너, 울고 있는 게 맞았구나. 그 깨달음을 마지막으로 나는 죽었다.

발작하듯 몸을 떨며 의자에서 일어났다. 꽉 막혀 있던 머릿속에 맑은 공기가 통했다. 나는 한참 만에 수면 위로 올라온 것처럼 거칠게 숨을 들이쉬었다.

"아."

가슴이 미어졌다. 아직까지 환상처럼 남아 있는 왼쪽 가슴의 고통보다, 잔상처럼 눈에 보이는 리히튼의 얼굴이 나를 괴롭게 했다. 마음이 너무 아파서 눈가를 쓸었다. 눈물은 흐르지 않았다. 이런 아픔으로도 눈물이 나지 않는다면 대체 얼마나 아파야 울 수 있는 걸까?

리히튼은 나를 살리기 위해 나를 죽이기까지 했다. 리히튼이 했던 말이나 과거에 꾸었던 꿈을 생각해 보았을 때, 아무래도 그가 과거로 돌아가는 힘을 사용하기 위해서는 나의 죽음이 필요한 듯했다. 그딴 게 촉매라니. 나는 금방이라도 터질 것처럼 뛰는 가슴을 진정시키기 위해 창가로 다가갔다.

"하아… 어떻게…."

어떻게 그럴 수 있을까? 어떻게 그는 나를 포기하지 않을 수 있던 걸까? 과거를 떠올릴 때마다 리히튼은 내 곁에 있었다. 내가 잃어버린 모든 시간 속에서 리히튼은 나를 사랑하고, 원망했으나 그럼에도 놓지 못했다. 그래서 우리는 항상 함께였다. 언제나, 항상. 흐린 하늘에 희뿌연 달이 보인다. 미친 듯이 떨어지는 눈이 황성을 집어삼키고 있었다. 괘종시계의 시침은 저녁 아홉 시를 가리키고 있었다. 거의 하루를 잔 것이다. 시종을 불러 명령했다.

"아즈마리아를 불러 와."

"월 영애는 현재 만찬에 참석 중인 것으로 알고 있습니다. 아가씨의 말씀을 전할까요?"

나는 고민하는 척 대답을 미루다가 시종을 밖으로 내보냈다. 책을 읽다가 깜빡 잠들고 말았는데, 다행히 적절한 시기에 눈을 뜬 듯했다. 모피를 걸치고 방을 나갔다. 그리고 정원의 인공 호수가 가장 잘 보이는 창가로 가 가만히 시간이 흐르길 기다렸다. 그렇게 머릿속으로 꿈속에서 리히튼이 울던 장면을 수십, 수백 번 되새기던 때였다.

인기척이 없던 호숫가에 노란 등불이 나타났다. 남자 둘과 여자 하나였다. 여자를 가운데 두고 두 명의 남자가 무언가 열띤 토론을 하고 있었다. 하나같이 주정뱅이처럼 걸음이 휘청거렸다. 창문을 열자 그들의 시끄러운 소리가 지척까지 들려왔다.

'아즈마리아에게는 알리지 마. 그녀가 모르는 상태에서 일을 진행해야 해.'

어젯밤, 나는 모리타트에게 그런 말을 했었다. 그는 내 결정이 마땅하다는 듯 고개를 끄덕였었다.

'그래야 할 것 같군요. 갑자기 부족했던 효심이 차올라 일을 그르칠 수도 있으니까 말입니다.'

'의심받지 않게 잘 처신해야 할 거야, 각하.'

'걱정하지 마시죠. 이래봬도 연기 하나는 타고났으니까.'

호숫가에서 잘 건던 세 명의 동행은 돌연 걸음을 멈추었다. 그들은 각자의 손에 번쩍번쩍 빛나는 황금 잔을 들고 있었다.

누군가 선창하듯 잔을 머리 위로 들어올렸다. 모리타트였다.

'이 유리병에 든 독을 사용해. 황성에서 사용하는 황금으로 된 잔을 사용해야 할 거야. 그렇지 않고는 안쪽이 녹아서 증거가 될 수 있으니까.'

'…이걸 어찌 사용하라는 겁니까?'

'어떻게든 윌 백작의 잔에 섞어. 걱정하지 마, 나는 각하가 윌 백작을 죽이는 미래를 봤어. 각하가 스스로를 믿으면 반드시 성공할 거야.'

물론, 나는 그런 미래를 본 적이 없다. 내가 본 미래라고는 윌 백작에게 독이 든 술잔을 건네고, 함께 호수 바닥으로 끌려 내려가 죽음을 맞이한 게 전부였다. 고작 설화처럼 내려오는 서약의 내용만으로 캐롤드 가문의 힘을 접했을 그였다. 내가 어떤 거짓말을 할지 분별하기 어려울 테니, 그럴싸하게 잘 포장하기만 하면 모리타트를 원하는 방식으로 움직일 수 있었다.

'이 독으로 다나한 2세를 죽이신 겁니까?'

'죽일 수 있는 미래를 봤거든.'

'허… 믿을 수가 없군. 레그윈 황실이 당신들을 가둔 데는 다 그만한 이유가 있었군요.'

황금 잔을 든 채로 무어라 외친 모리타트가 먼저 술을 들이켰다. 이어서 그의 동행이었던 윌 백작과 아즈마리아 역시 술을 들이켰다. 모리타트의 시선은 윌 백작에게 고정되어 있었다.

'술이 든 잔은 반드시 아즈마리아가 건네야 해.'

'이유가 있습니까?'

있지. 설마 제 딸을 내게 그러했듯 호수 바닥 아래로 끌고 가려 하겠어?

'왜겠어? 미래에서 아즈마리아가 윌 백작에게 잔을 건넸으니까 그렇지.'

눈은 여전히 펑펑 떨어지고 있었다. 멈춰 있는 건 오로지 윌 백작뿐이었다. 그가 쥐고 있던 잔이 아래로 떨어져 눈밭에 푹, 박혔다. 윌 백작의 두 다리가 비틀비틀 뒤로 넘어갔다.

'친부가 무슨 말을 하든 고분고분 굴라고 해.'

윌 백작이 호수에 빠졌다. 수면 위로 옅게 얼어 있던 빙판이 커다랗게 갈라졌다. 그를 붙잡기 위해서 비틀거리던 모리타트의 발이 떨어진 황금 잔을 걷어찼다. 빙판 위를 구르던 잔이 윌 백작과 함께 호수 아래로 잠겼다.

'그리고 최대한 자주 웃어야 해. 각하가 아닌 아즈마리아가.'

'그 정도야 쉽지요. 미래에서 아즈마리아가 그러더랍니까?'

'아니.'

'그럼 왜요?'

아즈마리아의 비명이 들렸다. 그녀의 비명에 곳곳에서 달려온 기사들이 호숫가로 모였다. 고요하던 황성이 들썩거리는 게 느껴졌다.

'매정하기는. 마지막으로 가는 길에 딸 웃는 낯이라도 많이 봐야 할 거 아니야!'

그 말에 모리타트가 어떤 표정을 지었더라? 즐겁다는 듯 웃었었나, 아니면 질린다는 얼굴로 고개를 저었었나? 조용히 창문을 닫고 방으로 돌아왔다. 벽난로 앞에 앉아 잠시나마 얼어 있던 몸을 녹이며 머릿속을 정리했다.

'이제 말의 남은 다리는 두 개.'

말은 빌힐름. 말의 네 다리는 네 가문. 크로허츠 후작과 윌 백작은 죽었으니, 이제 헨서웨이 가문과 잭 가문이 남았다. 윌 백작의 죽음에 빌힐름은 어떤 반응을 보일까? 워낙 미친놈이라 예측하기 힘들었다. 계획이 성공했음에도 고양되는 감각이 느껴지지 않았다. 오히려 날 붙잡고 울던 리히튼의 얼굴만 자꾸 생각났다.

'만나고 싶다.'

만나서 묻고 싶었다. 왜 그렇게까지 하느냐고. 왜 자기 자신을 구렁텅이에 박아 넣으면서까지 나를 살리려 하느냐고. 내게 그럴만한 가치가 있느냐고. 하지만 리히튼의 방을 향한 발길은 죽어도 떨어지지 않았다. 차마 그의 얼굴을 마주할 용기가 없었기 때문이다. 아무렇지 않게 그를 찾아갔던 며칠 전의 내가 너무나 대단하게 느껴졌다. 리히튼은 나를 살리기 위해 나를 죽이면서 무슨 생각을 했을까. 감히 상상도 할 수 없었다.

윌 백작이 죽은 다음날의 오전. 황성의 분위기가 뒤숭숭해졌다. 올 을부터 세 보자면 벌써 세 번째 죽음이었던 탓이다. 누군가는 새로운 황제에게 저주가 내렸다고 했다. 누군가는 비비안느 황녀가 반역을 준비하는 것이라 했다. 하지만 그 누구도 나와 모리타트를 의심하지 않았다. 내가 어떤 사람인지 아는 자들을 제외하고는.

"조나단 부인께서 방문하셨습니다."

이른 오전부터 날이 좋았다. 그동안 눈을 쏟아냈던 먹구름은 온데간데없이 사라지고, 높고 푸른 하늘만 남아 있었다. 모두가 윌 백작의 죽음을 애도했으나, 내겐 그를 애도할 이유가 일말도 없었다. 그래서 백작의 죽음을 기념할 겸 사냥을 나가려 했다. 조나단 부인이 방문하기 직전에는 준비를 모두 마친 상태였다.

"들여보내."

시종이 조나단 부인을 들였다. 그녀의 걸음은 무척이나 빨랐다. 빠른 것으로 끝이 아니었다. 조나단 부인은 뛰듯이 다가와서 거세게 팔을 휘둘렀다. 예고도 없이 벌어진 일이었다. 나는 얼얼해진 뺨을 붙잡고 그녀를 쳐다봤다. 부인의 낯에는 처음 보는 노기가 가득했다.

"당장 황성에서 나가시오!"

어느 부분에서 이리도 발작하는 걸까. 역시 윌 백작이겠지. 나는 차분하게 대답했다.

"황후가 황성에 안 살면 어디에서 사나요? 비비안느가 가게 될 오필리아 별장? 아니면 혹시 불타 없어진 캐롤드 저택으로 돌아가라는 건가?"

조나단 부인의 표정은 금방이라도 내 목을 조를 것처럼 살벌했다.

"너는 신이 아니야."

그 정도는 나도 알고 있었다. 아마 다나한 2세가 키우던 사냥개도 알고 있을 것이다.

"이곳은 너 같은 미친 계집애가 함부로 휘저을 수 있는 놀이터가 아니다. 황성은 그렌페르크 제국의 아성이며, 심장이자 명예다. 또 역사이기도 하지."

"부인. 혹시 제 황실 교사로 임명되셨나요?"

"닥쳐라! 네년은 지금 이곳을 쑥대밭으로 만들고 있어. 우리가 네 방만을 어디까지 허용해야 하는 거냐! 선황을 죽인 것으로 모자라 윌 백작을 호수 바닥에서 썩게 만들어?"

"뭔가요, 그 비논리적인 주장은. 제가 윌 백작을 죽였다는 증거라도 나왔나?"

"있다 하더라도 그것이 세상 앞에 나올 것 같은가? 빌힐름으로 모자라 비비안느 황녀 전하와 리히튼 공작의 총애까지 등에 업었으니, 네겐 아무런 문제도 일어나지 않겠지."

조나단 부인이 나를 손가락질했다.

"가문이 반역죄로 멸문한 게 그리 억울하더냐? 복수에 미친 계집애를 황자에게서 구해내려 했다니. 내가 사람을 잘못 봐도 한참 잘못 본 것 같군!"

조나단 부인의 폭언이 내 폭력 욕구를 불러일으키지는 않았다. 다만 그녀가 어떤 시선으로 날 보는지는 알 수 있을 것 같았다. 이게 캐롤드 가문의 비극을 모르는 자가 보는 나였던 것이다.

"그래서. 그게 나의 사랑스러운 개의 전언인가요, 부인?"

조나단 부인이 입을 닫았다. 그녀는 두 눈을 부릅떴으나 내 물음에 어떠한 대답도 하지 못했다. 비비안느는 그녀의 우발적인 행동과 전혀 관계가 없다는 의미였다.

"전언이냐고 묻잖아."

여전히 조용하다. 가만히 그녀를 응시하던 나는 자리에서 일어섰다.

"부인께서 입을 닫으시니 내가 직접 확인해 봐야겠군."

말을 마친 즉시 비비안느의 방으로 향했다. 얼마 만에 황성의 서쪽 구역을 방문하는 건지 모르겠다. 창가 곳곳에 걸려 있던 레그윈 황실 가문의 휘장이 서쪽 구역에는 드문드문했다. 비비안느의 방에 가까워지자 이제는 아예 눈에 비치지도 않았다. 조나단 부인은 뒤늦게 날 쫓아 왔는지 저 멀리서 다급하게 따라오고 있었다. 나는 그녀가 도착하기 전에 비비안느의 방문을 열었다. 가장 먼저 보인 이는 방의 주인인 비비안느가 아닌, 힐마르티노였다. 둘의 공기는 퍽 평화로운 듯했다. 내가 도착하기 전까지는.

"아그레인?"

비비안느가 단번에 환해진 얼굴로 자리에서 일어났다.

"정말 아그레인이야? 여기까지는 무슨 일로 찾아왔어? 무슨 일 있니? 표정이 좋지 않아."

그녀는 뛰듯이 걸어와 내 손을 잡아끌었다. 나를 바라보는 힐마르티노의 시선이 한없이 싸늘하다. 이전에는 그나마 '재미있는 것'을 보는 얼굴이었다면 이제는 그런 기색조차 없었다. 나는 비비를 따라 그녀 곁에 앉으며 말했다.

"조나단 부인이 말하기를, 내가 네 인생을 망칠 거래."

햇빛에 그림자가 옅어지듯, 비비안느의 얼굴에서 웃음이 천천히 거두어졌다.

"너도 그렇게 생각해, 비비?"

"주둥이 놀리지 말고 꺼지렴."

대답은 비비안느가 아닌 힐마르티노에게서 나왔다. 내가 고개를 돌리기도 전에 날카로운 검이 목 아래를 위협하고 있었다. 힐마르티노는 진심으로 화를 내고 있었다. 나를 사무치도록 미워하는 마음이 두 눈을 통해서 그대로 드러났다.

"그 일이 있고난 지 하루도 안 되어 감히 이곳을 찾아와? 누가 봐도 너와 비비가 음험한 속내로 윌 백작을 죽인 꼴이 되겠구나! 미련한 계집. 아니면 머리 하나는 잘 굴린다고 해 줄까?"

"치워."

내 대답이 힐마르티노의 귀에는 들리지 않는 듯했다. 그녀는 나를 죽일 기세로 노려보며 이를 갈았다.

"언니의 말이 옳구나. 아주 옳아. 황실은 물론 그렌페르크 공신 가문까지 무너뜨리려 하다니! 다나한 2세가 급작스레 별세하는 마당에 빌힐름 황자가 황위를 잇고 말았어! 대체 이 나라를 어디까지 망칠 작정인 게냐!"

조나단 자매가 하는 말은 단번에 이해하기가 영 어려웠다. 그래, 빌힐름이 황위에 오른 일은 충분히 배 아플 수 있다. 하지만 윌 백작이 관짝 안으로 들어간 일에 이토록 흥분하는 이유를 알 수 없었다. 그들도 결국 비비안느의 적이지 않은가?

"흥분하지 마, 힐마르티노 후작. 내가 윌 가문을 건든 일은 리히튼이 크로허츠 가문을 무너뜨린 일과 별반 다를 거 없어."

"다를 게 없다고?"

힐마르티노가 핏발이 선 눈으로 외쳤다.

"다른 게 없을 리가! 우리는 썩어 빠진 황실을 개혁하는 개혁자고, 너는 황실과 더불어 우리까지 무너뜨리려는 쥐새끼에 불과한데! 어찌 같은 선상에 둔다는 소리지? 우리는 제국을 받치는 기둥을 고치려 하지만, 너는 그저 갉아먹고 있지 않느냐!"

아아.

'저들이 하면 개혁이고, 내가 하면 나라를 망치는 일이란 건가.'

왜? 그 속뜻에 대해 물을 필요도 없었다. 힐마르티노가 제 감정을 이기지 못하고 알아서 밝혔으니까.

"캐롤드의 멸문에 어떠한 전말이 존재하는지는 몰라도… 아니, 어떠한 전말이 존재한다고 한들! 그것이 그렌페르크 제국의 역사를 지닌 공신 가문을 무너뜨리고, 황성을 욕보일 이유는 되지 못한다. 아그레인 캐롤드, 네 분노를 엄한 귀족들에게 풀어내지 마."

내가 무슨 꼴을 당하더라도 그 증오와 복수가 그렌페르크 제국의 안위보다 하찮다는 의미였다.

"너, 별채 지하에 뭐가 존재하는지 알아?"

힐마르티노의 안색이 굳었다. 그래, 아니까 개혁이라는 단어를 입에 담았겠지. 힐마르티노가 말했다.

"그곳에 네 부모의 목이 걸렸다고 해도 잊거라. 잊고 이 성을 떠나. 더는 비비와 우리를 방해하지 말렴. 재물은 네가 원하는 만큼 챙겨 줄 테니."

그녀는 모리타트와 똑같은 말을 하고 있었다. 네 증오를 잊어. 너를 위해서, 혹은 그렌페르크 제국의 안위를 위해서. 서약의 내막을 아는 모리타트도 그런 개소리를 지껄였는데, 조나단 자매라고 해서 다를 것 같지는 않았다.

이들이 비비안느를 황위에 올리려는 이유는 그렌페르크 제국을 위해서

다. 『태양이 흐르는 강』 서약으로 인해 수백 년을 노예처럼 살아온 우리 때문이 아니었다. 하물며 긴 시간 햇빛도 보지 못한 채 지하에 전시되어 있어야 했던 그 머리들을 위해서도 아니었다. 그랬기에, 그 머리들이 어떤 증오를 품고 있든 참으라고만 말할 수 있는 것이다. 어떻게 그럴 수 있지?

"너희는 이미 다 미쳤구나."

내 중얼거림을 들은 힐마르티노가 목구멍을 내보이며 커다랗게 웃었다.

"네가 내게 감히 그런 소리를 해? 미쳤다고? 내가? 네가 아닌 내가!"

그녀는 검을 내던지고 내 팔을 잡아끌었다. 그리고 벽 한쪽에 걸린 거울 앞에 나를 세웠다.

"자아, 아그레인? 거울 속에 비친 네 눈을 봐. 내가 미친 건 나도 인정하는 바야. 하지만 네게 그런 소릴 들으려니 속이 다 뒤틀리는구나."

힐마르티노는 거울을 통해서 내 두 눈을 뚫어져라 응시했다.

"나는 너처럼 끔찍한 눈을 한 사람을 본 적이 없어. 빌힐름을 제외하고 말이지…."

빌힐름과 닮았단 소리가 이상하게 역겹지 않았다. 아니, 역겨웠으나 듣기 싫지는 않았다. 그 정도는 되어야 내가 빌힐름을 상대할 수 있을 테니까.

"너는 제정신이 아니야. 스스로를 인지하렴. 너는 살육을 즐기고 있어, 레그윈이 그러했듯이."

미안하지만 내겐 그다지 영향력을 끼치지 못하는 말들이었다. 나는 그의 손아귀에서 턱을 빼고 비비안느를 향해 물었다.

"내가 이 악담을 언제까지 버텨야 한다고 생각해, 비비?"

비비안느는 기다렸다는 듯 입을 열었다.

"힐마르티노."

그녀의 음성은 평소처럼 자상하고 평화로웠다. 봄날 지저귀는 산새의 울음처럼 고왔다.

"너는 나의 소중한 친구이고… 나는 그런 네게 큰소리를 치고 싶지 않아. 내 마음을 이해하지?"

힐마르티노가 멍한 얼굴로 내게서 물러났다. 그리고 조심스레 비비안느에게로 걸어가 그녀의 두 손을 붙잡았다.

"비비? 이 계집애의 말을 들어선 안 돼. 정신 차려, 이건 네게 하등 도움이 안 돼. 우리의 계획을 망친 주범이…."

"나가 줘."

그러나 비비안느의 대답은 변하지 않았다. 그녀는 은은한 미소를 띠운 채 밝은 목소리로 힐마르티노를 채근했다.

"제발, 나가 줘. 이왕이면 지금 당장. 같은 말을 세 번 반복하기는 싫어서."

그것이 마지막이었다. 황망한 눈으로 비비안느를 내려다보던 힐마르티노는 거세게 문을 닫고 방을 나갔다.

쾅!

잠깐의 정적이 흘렀다. 비비안느는 미안하다는 듯 낯부끄러운 표정을 했다.

"미안, 아그레인. 조나단 자매에게는 내가 항상 첫 번째거든. 핏줄로 따지면 조카니 그럴 수밖에. 그렇다 보니 할 말, 못할 말을 못 거르는 때가 많아."

금세 예쁘장한 미소를 만들어낸 비비안느는 다시 내 손을 이끌어 옆자리에 앉혔다.

"이렇게 오랜만에 함께하니까 너무 좋다. 어떤 차를 준비하라고 할까? 으음…. 날이 추우니 따뜻한 밀크티가 좋겠지?"

"비비."

"응!"

"너는 어떻게 할 생각이었어?"

비비안느가 의아한 표정으로 되물었다.

"무얼?"

"선황과 빌힐름에 대해서 묻는 거야."

그녀는 잠시 무언가 생각하듯 눈을 느리게 깜빡였다. 그리고 한 박자 늦게 대답했다.

"그건… 내가 아닌 리히튼 잉고르드의 의도를 묻는 것과 마찬가지겠네. 그렇지?"

"너는 리히튼이 바라는 대로만 움직이는 모양이구나."

"그의 계획은 완전하니까. 아주… 완전무결하지. 너도 알겠지만, 아그레인. 결국 모든 건 그의 손바닥 위에 있는 거잖니."

비비안느의 입으로 그런 이야기를 들으려니 기분이 묘했다. 그녀 스스로가 리히튼의 체스 말이기를 자처했다는 소릴 이런 식으로 듣게 될 줄 몰랐던 탓이다. 비비안느는 차분하게 말을 이었다.

"어디서부터 시작해야 할까…. 그래, 괜히 어렵게 둘러서 말할 필요는 없겠지. 내가 리히튼과 손을 잡았을 때, 그는 이미 모든 계획을 세운 뒤였어."

"계획?"

"『태양이 흐르는 강』 서약에 참여한 네 가문을 무너뜨리고 너를 황성으로 다시 불러내는 계획."

그녀는 과거를 회상하듯 눈을 가늘게 떴다.

"기억이 돌아왔을지 모르겠지만… 너를 황성에서 빼돌린 사람은 베르크네야. 리히튼 공작의 심복인 그 남자 말이야. 나는 공작이 멋진 왕자님처럼 너를 구해내고 곁에 둘 줄 알았는데, 아니어서 상당히 놀랐었지."

리히튼이 나를 황성에서 빼냈구나. 어느 정도 예상한 일이었으나, 그 일에 베르크네가 관여했을 줄은 몰랐다.

얼굴에 나타난 내 반응이 꽤 솔직했는지, 비비안느가 신이 나서 나를 부추겼다.

"또 뭐가 궁금해? 리히튼 공작이 어떤 식으로 움직였느냐에 대해서? 미안해, 그건 나도 자세히 몰라. 확실한 건 그의 손길이 황성 깊숙한 곳까지 뻗쳐 있다는 점이야."

"그럼 너는?"

"응?"

"너는 무엇 때문에 여기까지 온 거야, 비비?"

내 손을 잡고 있던 비비안느의 악력이 서서히 잦아들었다. 나를 마주하는 그녀의 얼굴에 처음으로 혐오라는 감정이 그려졌다. 숨길 생각이 조금도 없어 보이는, 완벽하게 부정적인 감정이.

"레그윈의 멸문."

나는 그런 비비안느의 눈이 낯설면서도 낯설지 않았다. 어쩌면 빌힐름과 다나한 2세를 입에 담는 내 표정이 이와 같을 수 있다고 생각됐기 때문이다. 비비안느의 목소리에는 높낮이가 느껴지지 않았다.

"내가 원하는 건 레그윈의 멸문이야. 돌아가신 아버지께서 사랑해 마지않았던 이 핏줄이… 나를 마지막으로 끊기길 바라."

'폐하는 병에 걸렸어. 레그윈을 사랑해서, 평생 레그윈만 보고 사는 병 말이야.'

모리타트가 나비 경주에서 했던 말이 떠올랐다. 레그윈 가문을 사랑하는 다나한 2세. 다나한 2세가 사랑하는 가문을 몰락시키려는 비비안느. 비비안느가 황성에서 어떤 취급을 받아 왔는지는 나도 잘 아는 바다. 그래서일까? 그녀의 바람이 별나다고 느껴지지는 않았다. 마땅히 그럴 만하다고 여길 뿐. 비비안느는 무언가 골똘히 고민하듯 느릿하게 눈을 감았다 떴다. 그리고 다소 힘들게 입을 열었다.

"너는 나를 망치지 않았어, 아그레인."

그녀는 조심스럽게 나와 눈을 맞추었다.

"네가 없었다면 나는 빌힐름의 무지하고 무능한 쌍둥이 황녀로 살다가,

그의 희생양이 되고 말았겠지. 아버지와 빌힐름에게 반발 한 번 못해 보고 인형처럼 살다가 죽어 버렸을 거야."

사랑스럽게 올려다보는 시선에서 과거의 비비안느를 느꼈다. 그녀의 눈동자에서는 날 향한 무한한 신뢰와 애정이 비쳤다. 신기했다. 비비안느는 어떻게 저런 얼굴로 날 볼 수 있을까? 어떻게 저리 순수한 호의만으로 날 대할 수 있을까?

"그래서 나는 네 마음을 이해해, 아그레인. 나 또한 죽더라도 차라리 내가 원하는 것을 이루기 위해 발버둥 치다가 죽어 버리겠어."

혹시 비비안느는 내 생각보다 더, 내게 많이 의지했던 걸까. 내가 그녀를 이용한 것과 관계없이. 비비안느에게 물었다.

"그렇다면 원하는 바를 얻은 후에는 어떻게 할 생각이야?"

"원하는 바를 얻은 후에는… 가장 먼저, 호수 위에 배를 띄울 거야."

비비안느의 얼굴이 몹시 진중해졌다.

"레몬 마들렌과 산미가 강한 커피, 그리고 벌꿀과 함께 말이야. 커피 두 잔을 모두 비워내기까지는 배에서 내리지 않을래. 해가 지고 달이 뜨더라도, 두 잔을 모두 비워내기까지는."

그녀의 얼굴은 마치 꿈을 꾸는 듯했다. 아이 같은 웃음이 하얀 낯에 그림처럼 퍼졌다. 다나한 2세의 입관식에서 빌힐름을 냉랭하게 노려보던 여자라고는 상상도 못할 정도였다.

"그리고 너를 초대해서 세상에서 가장 호화로운 식사를 즐기는 거야. 그 다음은 별장으로 갈 거야. 그거 아니, 아그레인? 오필리아 별장에서는 바다가 보여. 우리 그곳에서 질릴 때까지 놀자."

"…나는 바다에 가 본 적이 없어."

"나도 없어! 정확히는 황성을 벗어나 본 적이 없지."

밝게 웃던 그녀의 낯에서 미소가 서서히 사그라졌다. 비비안느는 목이 꽉

멘 듯, 끝이 미세하게 떨리는 목소리로 말했다.

"그러니까, 꼭… 나는 아그레인, 그날의 네가… 꼭 내 초대를 받아줬으면 해."

그 말의 의미가 무엇인지는 단번에 파악할 수 있었다. 비비안느는 내가 살기를 바라는 것이다. 복수라는 목적과 하등 상관없이.

그녀의 곁에서 꽤 오랜 시간을 보낸 기분이었는데, 성을 나왔을 때는 아직까지 해가 밝았다. 나는 멍한 기분으로 정원 앞까지 나가 말라비틀어진 겨울나무를 올려다봤다. 누군가는 나의 삶이 계속 이어지길 바라고 있다. 리히튼이 그러하고, 비비안느가 그러했다. 내게 너무나 불편한 감정을 일으키는 바람이었다. 얼마 지나지 않아 바로 옆에서 인기척이 느껴졌다. 모리타트였다. 아즈마리아를 위로하다 밤을 새기라도 한 건지 눈 밑이 검었다.

"아즈마리아는 의외로 괜찮습니다. 너무 괜찮아 보여서 놀랄 정도였지요."

"그런 것치곤 각하의 상태가 영 좋지 않아 보이는데."

"그래서 의외라고 덧붙이지 않았습니까."

그가 말하는 '의외'는 적어도 '자해를 시도하지는 않았다', 정도가 되는 건가 싶었다.

"월 전 백작의 시체가 떠오르는 즉시 관과 함께 영지로 떠날 예정이라 하더이다. 그곳에서 작위도 이어 받겠죠. 이제는 아즈마리아 백작이라고 불러야겠군요."

"안 어울리네."

그 멍청한 게 한 가문의 가주가 된다니. 망하지 않는다면 다행일 터였다.

"다리 없는 말 경주는 어떻게 되는 겁니까? 굉장히 기대하고 있었는데, 참석자 한 명이 떠나 버리고 말았네요."

그리 묻는 모리타트의 음성은 피곤에 찌들어 있었다. 나는 조용히 대꾸했다.

"한 명으로 끝날지는 두고 봐야지."

"어째 별로 기뻐 보이지 않으시군요?"

"내가 생각해도 그래. 왜일까, 각하? 왜 만족스럽지가 않지?"

"그런 걸 저한테 물으셔서 어쩌겠다고."

당연히 윌 백작을 죽인 일에 대해 후회하는 건 아니었다. 다만 내가 바랐던 만큼의 쾌감과 만족감이 느껴지지 않았다.

'역시 그런 건가.'

역시, 빌힐름을 끝내지 않는 이상 나는 계속 목마르기만 한 건가.

"아그레인 캐롤드 양. 혹시나 하는 마음에 묻습니다만… 저도 말에서 끌어내리실 겁니까?"

농담이라 여기기에는 퍽 진지한 얼굴이었다.

"각하가 그런 질문을 할 줄은 몰랐는데. 꽤 불안해졌나 봐?"

"당신이 미래를 본다는 사실을 확인했으니까요."

"죽이는 것만이 복수는 아니지. 걱정하지 마, 각하. 내가 각하의 피를 볼 일은 없을 테니까."

"피는 아니더라도 다른 건 볼 수 있단 뜻입니까?"

"각하는 내 관심 밖이란 뜻이야."

나는 이번 일을 통해 어렴풋이 깨달은 바가 있었다. 네 가문에 복수하는 건 가슴이 시키는 일이 아닌, 머리가 시키는 일이라는 걸. 내가 간절히 바라는 복수가 아닌, 의무감에 행하는 복수라는 것을. 내가 간절히 바라는 건 오직 빌힐름을 죽이는 일이었다. 그 일을 통해서만 내 스스로가 만족할 만큼의 쾌감을 얻을 것 같았다.

"최근 들어 부쩍 불안해 보이는 분위기더군요."

뜬금없는 주제였다. 나는 퍼뜩 정신을 차리고 모리타트가 턱짓하는 방향을 향해 시선을 돌렸다. 눈이 녹아 가는 겨울 정원 사이로, 적발의 여자가 스쳐 지나가는 게 보였다.

"마가렛 헨서웨이?"

얼굴은 분명 그 마가렛 헨서웨이인데, 어쩐지 특유의 드센 분위기가 느껴지지 않았다.

"예. 빌힐름 전하의 피앙세… 인 줄 알았으나 아니었던 그 아가씨요. 신기하죠. 성격 같아선 지금쯤 아그레인 양을 괴롭히기 위해 갖은 수를 다 썼을 텐데 말입니다. 이상하리만큼 조용해요. 눈에 띄게 얌전해진 감도 있고. 마치 다른 사람이 된 것처럼."

평소와 다르다. 마치 다른 사람이 된 것 같다. 기묘한 어감이다 싶었더니, 어디선가 많이 들어본 소리였다. 또한 나 스스로도 누군가를 판단할 때 자주 사용했던 평가였다. 누구를 판단할 때였더라?

"각하."

"예?"

"리히튼 잉고르드와 조금이라도 얽혔던 여자들, 누가 있었는지 기억해?"

모리타트는 짧은 고민도 없이 바로 대답했다.

"메리튼 헨서웨이, 무어 리올, 에리얼 크로허츠, 그리고 아즈마리아 윌 정도 되겠네요."

유일하게 낯선 가문은 리올 가문 밖에 없었다. 내 예상이 들어맞기 위해서는, 리올 가문이 서약에 참여한 네 가문과 깊은 연관이 있어야 했다.

"무어 리올의 외친은 어떻게 되지?"

모리타트는 대수롭지 않다는 투로 대답했다.

"그 아가씨는 제 외사촌입니다. 리올 가문으로 시집가신 이모님의 딸이죠."

이것으로 확실해졌다. 리히튼이 '이용하려 했던, 또는 이용한' 여자들 모두가 서약에 참여한 네 가문의 핏줄이었던 것이다. 왜냐는 물음은 불필요할

터였다. 리히튼은 의도적으로 여자들에게 접근한 게 분명했다.

"그중에서 갑작스레 다른 사람처럼 변한 사람은 없을까?"

"에리얼 크로허츠를 제외하곤 모두 한 번씩 일이 터지기는 했습니다. 아즈마리아처럼 예상에 없던 논란을 만들었죠."

그랬겠지. 에리얼을 제외하곤 그 여자들의 대부분이 내 기억을 가지고 있었을 테니까.

"그들 중엔 요절한 아가씨도 있고… 그러고 보니 올해는 여러모로 안 좋은 소식이 많았던 것 같군요."

모리타트는 말하다 말고 입을 꾹 닫았다. 그리고는 살아 있는 바퀴벌레라도 삼킨 양 묘한 얼굴이 되어 나를 응시했다.

"지금 제 머릿속이 매우 복잡한데 말입니다, 아그레인 양."

"그래? 그렇담 그 결론은 내가 내주지. 이봐요, 아그레인 양!"

나의 부름에 마가렛 헨서웨이가 고개를 돌렸다. 마치 자신의 이름이 불린 것처럼.

"하."

그 모습을 본 모리타트가 헛웃음을 감추지 못했다. 그는 어처구니없다는 표정으로 내게 설명을 구했다. 설명이랄 게 필요할까? 눈에 보이는 것 그대로였다. 아즈마리아도, 마가렛도, 그리고 앞서 열거되었던 여자들의 대개가 나의 기억을 가지고 있었을 것이다. 그리고 저들이 바로 내가 소설 『태양이 흐르는 강』 속의 빙의자라고 여겼던 인물이겠지.

나는 '스스로를 아그레인이라고 믿는 자'를 어떻게 대해야 하는지 잘 안다. 이미 아즈마리아라는 좋은 전적이 있었던 덕분이다.

"아."

마가렛은 우리와 시선이 마주친 후 몹시 당황하는 모습을 보였다. 문득, 그녀를 아주 유용하게 써먹을 수 있겠다는 생각이 들었었다. 아즈마리아를 이용해 윌 백작을 죽였을 때처럼.

멍하니 눈을 깜빡이는 마가렛의 앞으로 걸어가, 고개를 숙인 채 속삭였다.

"당황하지 말고 들어 줘요. 당신의 정체를 알고 있습니다."

미친 듯이 흔들리던 눈동자가 다급하게 땅을 향했다.

"내 정체를 알고 있다고요? 대낮부터 이상한 소리를 하시네요. 불쾌하니 이만 저는 돌아가 보겠습니다."

마가렛은 우리를 극도로 경계했다. 특히 대외적으로 아그레인이라 알려진 내게는 더더욱 경계하는 모습을 보였다. 하지만 나는 알고 있다. 이들을 설득하기란 차갑게 식은 홍차를 들이키는 일 만큼 쉽다는 것을.

"도망치지 마요. 마가렛 양은 진실을 알고 있잖아요? 아그레인은 내가 아니라 당신이라는 걸."

당혹감에 더해 미세하게 떨리는 대답이 들려왔다. 실제로도 그러했다.

"그게 무슨…."

"우리는 당신을 찾아다녔어요, 아그레인."

마가렛이 혼란스러운 눈으로 고개를 저었다.

"이상한 소리 하지 말아요. 내가 아그레인이라고? 지금 날 놀리는 건가요?"

"겁먹지 마요. 그렇게 아닌 척 속일 필요는 없어요. 우리는 모든 진실을 알고 있으니까…. 아직도 모르겠어요? 나는 당신을 돕기 위해 기꺼이 아그레인인 척하고 있었던 거예요."

이럴 때 만병통치약으로 쓰이는 이름이 있다.

"모든 건 당신을 걱정한 리히튼 잉고르드 각하의 명령이었어요."

예상대로 마가렛은 경계를 누그러뜨렸다. 그녀는 지대한 충격이라도 먹은 듯 눈동자만 데구루루 굴리다가, 목소리를 한껏 낮추고 내게 물었었다.

"다, 당신들은 누구죠?"

여기서부터 아쉬운 쪽은 내가 아니라 마가렛이다.

"이런 곳에서 이야기하기에는 너무나 무거운 주제가 될 것 같군요. …내일 나를 찾아오세요. 리히튼 각하의 전언이 있으니."

나는 적당히 발을 뺐다. 그녀 스스로 내게 도움을 청할 수 있도록.

"어서 돌아가세요. 내일의 약속은 잊지 말고."

언제 소리쳤냐는 듯, 고개를 주억인 마가렛이 성안으로 사라졌다. 가만히 우리의 대화를 듣고 있던 모리타트가 감격적인 어조로 호들갑을 떨었었다.

"능숙하시네요. 한두 번 겪어본 일이 아닌 것처럼."

"처음이 아니기는 하지. 아즈마리아가 있잖아?"

그리고 나 역시 똑같은 경험을 겪지 않았는가. 잉고르드에 있었던 시절의 나를 마가렛에게 대입하면, 그녀를 어찌 다루어야 할지 쉬이 짐작할 수 있었다. 모리타트가 물었다.

"어떤 기분입니까? 자신이 진정한 아그레인이라고 믿는 여자들과 대화하는 기분은."

"답답하고 한심하지. 가끔은 죽여 버리고 싶을 정도로."

하지만 이제 그 정도의 답답함 쯤이야 쉬이 참을 수 있었다. 유용하게 이용할 수 있다는 것을 아니까.

모리타트가 의문을 담아 질문했다.

"그들은 어떻게 당신의 기억을 가지고 있는 걸까요? 리히튼 공작이 발견해내는 것도 신기하군요."

상식적으로 타인이 나의 기억을 가진다는 건 불가능하다. 적어도 레그윈, 캐롤드, 잉고르드 가문에는 그러한 능력이 전해 내려오지 않았다. 있을 수 없는 일이 일어날 수 있는 원인. 리히튼이 그들의 존재를 이미 인지하고 있는 이유. 네 가문의 후계에서만 발생하는 이유. 다른 이의 기억이 아닌 오직 나의 기억만 공유되는 이유.

"각하. 각하는 잭 가문의 가주이니, 서약의 역사에 대해 잘 알고 있겠지?"

"뭐, 그런 편이기는 합니다."

"황실이 캐롤드와 잉고르드의 힘을 빼앗으려 했을 때 말이야. 혹시 레그윈 말고 다른 네 가문과도 피를 섞이게 했었나?"

모리타트는 망설임 없이 대답했다.

"예. 당시 실험이 계속 실패로 돌아가 실험군의 범위를 넓혔었는데, 그중 하나가 레그윈 황실이 아닌 타 가문들과 피를 섞는 것이었습니다. 여기서 선별된 가문이 바로 서약에 참여한 네 가문이지요. 물론 그 실험 역시 실패했지만요."

한 세대에는 한 명의 능력자가 태어나고, 그 능력자는 황성에 보내진다. 그러니 능력을 타고나지 않은 후계자는 캐롤드와 잉고르드의 가주가 될 것이다. 그렇다면 황성의 제물이 되지도, 가주가 되지도 못한 제 3의 혈통은?

"그 시도 외에 캐롤드와 잉고르드의 혈통이 외부로 유출된 적, 있어?"

이번 대답은 조금 늦었다.

"아니요."

모리타트는 낮게 깔린 음성으로 조심스럽게 말을 이었다.

"모르셨나 보군요. 『태양이 흐르는 강』 서약 이후 캐롤드와 잉고르드 가문의 핏줄은 출가를 금지 당했습니다. 그들에게는 세 가지 선택밖에 없어요. 황성으로 보내지거나, 가주가 되거나, 방에 갇혀 늙어 죽거나."

"정말 개와 다름없었네."

"권력이란 것이 본래 찬탈하기는 쉬워도 지키기는 어렵지 않습니까? 그게 바로 레그윈이 황실을 지키는 방법이었을 겁니다. 옳고 그름의 선을 넘어서 말입니다."

모리타트가 처음 보는 씁쓸한 웃음을 지었다. 그답지 않은 표정이었다.

그와 헤어져 성 안으로 발을 디디면서, 다시 한번 돌이켜 본 모리타트의 이야기로 그간 어렴풋이 생각하고 있던 가정에 확신을 지니게 되었다.

내 기억이 특정 인물들에게 공유된 건, 반복된 회귀로 인해 발생한 특이점이었다. 잉고르드와 캐롤드 가문의 혈통이 섞인 자들에게서 생기는 이상현상. 다른 말로는 회귀가 반복됨에 따라 생긴 부작용. 만약 이 가정이 사실이라면… 다음 회귀에는 나의 더 많은 기억이 공유될 수도 있지 않을까? 그 다음 회귀에는 더, 더 많은 기억이. 그다음의 다음 회귀에는 나의 모든 기억이….

'그래서 아즈마리아는 내 유년의 기억만 지니고 있던 거야.'

마치 감자의 썩은 부분이 번지듯, 회귀가 반복될수록 더 많은 기억이 유출되는 것이다. 갑자기 머릿속이 텅 비어 버리는 기분이 들었다. 이 이상의 회귀는 위험하다. 어쩌면 이번이 마지막 기회일 수도 있었다.

'복수가 끝나면 리히튼을 죽여야 해. 그렇지 않으면 죽은 나를 살리기 위해 또다시 시간을 되돌릴 테니까.'

하지만 나는 도저히 그를….

"안녕, 아그레인."

몸에 한기가 들었다. 나는 무의식적으로 느릿하게 잇고 있던 걸음을 멈추었다. 창문에서 붉게 진 노을의 빛이 떨어지는 게 보였다. 그 앞에 선 남자는, 여느 때처럼 상냥한 미소를 걸친 빌힐름이었다. 윌 백작을 죽였던 일이 떠올랐다. 설마 그 사건 때문에 나를 찾아온 건가. 내 얼굴을 꼼꼼히 살핀 빌힐름이 작게 혀를 찼다.

"너무 긴장하지 마. 오늘은 그저 네 얼굴을 보러 온 것에 불과하니까. 비비를 만나고 온 일에 대해서는 묻지 않을 테니 긴장 풀어."

모르는 게 없구나. 하긴, 황성 자체가 그의 눈이나 마찬가지니까. 나는 아무렇지 않은 척 그를 따라 미소 지었다.

"마치 내가 큰 실수라도 한 것처럼 말하네, 빌힐름. 나는 그저 그 애의 안부가 궁금해 물어보러 갔을 뿐이야."

빌힐름이 내게 손짓했고, 나는 그의 명을 착실히 따랐다. 그는 가까이 다가온 내 팔을 끌어 고개를 숙이고 시선을 맞추었다. 노을보다 더 붉은 눈동자가 내 뇌를 훑는 착각이 들었다.

"착해. 거짓을 말하는 눈은 아니로군."

"정말 얼굴만 보러 온 게 맞아?"

"새삼스러운 소릴 하는구나. 나는 언제나 네 얼굴을 보러 오곤 했지. 네가 재미있는 놀이를 시작한 날이면 언제든."

그가 말하는 '재미있는 놀이'는 윌 백작의 죽음을 뜻하는 게 분명했다. 나는 빌힐름에 대해서 누구보다 잘 안다고 자부할 수 있었다. 그는 내게 멋대로 굴지 말라고 타박하는 게 아니었다. 오히려 더 해 보라고 채근하고 있었다. 모르는 척 웃으며 대답했다.

"그날이 오늘인가 봐? 나만 몰랐나 보네."

빌힐름은 느긋하게 창틀 위로 몸을 걸쳤다. 그의 시선이 정원 옆의 인공호수를 향했다. 몇 시간 후면 윌 전 백작의 시체가 떠오를 곳이었다.

"지금처럼만 해. 네가 원하는 건 무엇이든 해도 좋아. 내 다리를 모두 잘라내려거든 잘라내. 이제 딱 두 개가 남았구나."

무언가 이상했다. 빌힐름이 나를 기껍게 여기는 데는 여러 이유가 있었으나, 그중 하나는 늘 선을 지킨다는 점이었다. 나는 그의 비위가 상하지 않도록 항상 적정선에서 개처럼 기었다. 또한 그는 내가 선을 넘지 않도록 경고하곤 했다. 지금처럼 그 선조차 지워내는 건 처음 있는 일이었다. 빌힐름 답지 않았다.

"그런 끔찍한 소리 말아 줘. 내가 네 다리를 왜 자르겠어?"

빌힐름이 고개를 저으며 웃었다.

"거짓말을 하는 눈이로군. 예전에도 말했지? 너는 내 앞에서 결코 진심을 숨기지 못한대도?"

그의 말이 옳다. 나는 빌힐름 앞에선 거미줄에 걸린 벌레 수준만도 못하다. 그와 보냈던 긴 지옥의 시간은 아직까지도 내 발에 족쇄처럼 묶여 있었다. 나는 그와의 심리 싸움에서 이길 자신이 없었다. 이럴 때는 그냥 보지 않는 게 답이다. 나는 빌힐름을 지나쳐 방으로 향했다.

"아그레인, 멈춰."

무시하고 계속 걸었다. 미안한데, 빌힐름. 나는 이제 네 개가 아니란다.

"돌아와."

그러나 내 머리가 빌힐름의 명을 거절한 것과 말리, 몸은 어느새 빌힐름에게 돌아가고 있었다. 내 두 다리가 자연스럽게 그 앞에 멈춰 선다. 빌힐름의 선한 웃음이 보였다. 부드러운 손이 내 머리를 쓸었다. 개새끼. 몰려오는 치욕이 숨통을 틀어막았다.

'아니지, 개새끼는 나지.'

입술 안쪽을 짓이겨 폭풍처럼 휘몰아치려던 내면의 감정을 잠재웠다. 강한 피 맛이 나자 흥분이 가라앉았다.

"말을 잘 들었으니 상을 주지. 내게 무엇이든 물어보도록 해. 비비의 안부가 궁금했다고 했지? 그렇다면 내 안부도 알아 가는 게 공평하겠어."

내가 궁금한 너의 안부는 죽었느냐 아니냐 정도에 불과해. 그래도 나는 빌힐름이 바라는 대로 비비안느에게 했던 질문을 본떠 물었다.

"좋아, 빌힐름. 혹시 나라는 존재가 네 삶을 망쳤니?"

"아니. 난 네가 있기에 살아."

"네가 바라는 게 뭐야?"

"날 죽이기 위해 살아가는 널 지켜보는 것."

"내게 뭘 바라는 거야?"

"날 죽이기 위해 살아갈 것."

하나같이 거짓말처럼 들리지 않는다. 잊고 있던 공포가 가슴께를 울렸다. 그가 날 놓지 않는다면 나는 그의 울타리에서 평생 벗어날 수 없을 거란 생각이 들었다.

'이런 감정을, 수십 번 회귀하는 내내 느꼈겠지.'

하지만 나는 결국 복수에 성공했고, 리히튼이 곁에 있는 이상 빌힐름에게 다시 끌려 다닐 일은 없을 것이다.

'리히튼….'

아아. 다행이었다. 리히튼을 생각하자 전신을 덮쳐오던 그림자가 조금 옅어지는 듯했다.

"또 묻고 싶은 건?"

빌힐름의 질문에는 여유가 느껴졌다. 나는 열리지 않는 목구멍에 갖은 힘을 줘 가장 묻고 싶었던 질문을 했다.

"내가 미래를 볼 수 있다는 건 언제 알았어?"

그 질문에 대한 빌힐름의 반응은, 정말 의외였다. 황성에 온 이래 보아 온 웃음 중 가장 환한 웃음을 보인 것이다. 그는 소리 내 웃음을 터트리며 말했다.

"그래! 그게 궁금할 거라 여겼지…. 너는 아무렇지도 않게 너무나 대단한 일을 해냈어, 아그레인. 선황을 죽인 일도, 월 전 백작을 죽인 일도. 아무리 생각해도 그 일들을 가능하게 할 방도는 하나밖에 없더군."

기다란 손가락이 어깨 위로 흘러내린 내 머리칼을 조심스럽게 등 뒤로 넘겼다.

"입관식 날…. 널 떠봤을 때, 네 반응이 퍽 솔직했지. 귀여워서 웃음이 다 날 정도로."

제기랄. 흐트러지려는 숨을 깊게 삼켰다. 내 스스로가 이토록 멍청하게 느껴지는 건 처음이었다. 빌힐름에게 겁먹은 나머지, 그가 나를 떠봤을 거란 의심 자체를 하지 못했던 것이다. 빌힐름은 고개를 숙인 채 한참동안 내 얼굴을 내려다봤다. 나의 반응을 한순간도 놓치고 싶지 않다는 듯.

"그날부터 자연스레 생각이 바뀌더구나."

그리고는 곧 위로하듯 말했다.

"너라면 내 다리를 마음껏 잘라도 좋아. 내게 그런 건 필요 없으니까. 몸통, 아니 머리만 남게 되더라도 좋아. 왕좌? 더 이상 그런 건 더욱 의미 없지. 이제부터 이 자리는 너와 이 놀이를 즐기기 위한 하나의 방도에 불과하거든."

빌힐름이 나를 조롱하고 있다고 느꼈다. 그가 내뱉는 소리 모두가 진심처럼 느껴졌기에 더더욱 그러했다.

"내가 없는 아그레인 캐롤드에게는 존재하는 의미가 없다는 걸 알아. 나는… 그런 널 보는 것으로 만족해. 그게 내 유일한 즐거움이니까."

어떤 대화를 해도 제자리에 머무는 기분이다. 그와 나의 관계는 진전이 없다. 과거 힐 성에 갇혀 있던 때 그대로 멈춰 있었다.

'너 없이는 내 존재에 의의가 없다고?'

끔찍한 개소리였다. 하지만 더욱 끔찍한 것은, 그의 개소리에 반박하지 못하는 내 입이었다. 이대로 반응 없이 등을 돌린다면 내게 또 그 개 같은 명령을 하겠지. 그때의 그 역겨운 기분을 다시 경험하고 싶지 않았다.

"그거 멋진 고백이네. 괜찮다면 이만 자리를 떠도 될까? 조금 쉬고 싶어서."

그러니까 너도 제발 꺼져. 이 정도로 날 골렸으면 됐잖아? 다행히 빌힐름은 더 나를 괴롭힐 마음이 없어 보였다. 그는 창에 기대고 있던 몸을 천천히 일으켰다.

"네 부탁이라면 나는 그 무엇이든 허락해, 사랑스러운 아그레인…. 부디 좋은 저녁 보내기를."

빌헬름의 입술이 내 뺨에 닿았다. 맞닿은 살갗이 뜨거웠다. 그는 만족스러운 웃음과 함께 내게서 몸을 돌렸다. 나는 방에 도착한 즉시 물에 젖은 손수건으로 한 시간 내내 뺨을 닦았다.

그날 밤에는 꿈을 꿨다. 나는 꽃과 나비가 화려하게 장식된 대리석 거울 앞에 앉아 있었다. 구불구불한 적발이 곱게 풀어져 가슴께 아래에서 흔들렸다. 오색으로 반짝이는 꽃 머리핀이 겹겹이 머리에 꽂혀 있었다. 연회에 참석해야 할 것처럼 화려한 레이스 드레스가 바닥에 끌렸다. 나는 입을 열었다.

[아그레인.]

거울을 통해서 보이는 어두운 녹안이, 정확하게 '나'를 향해 있었다.

[이제는 아그레인 맞지? 수잔이라는 이름은 진작 버렸을 거야.]

과거의 내가 '나'를 바라보며 웃었다. 새하얀 손등이 입술을 가렸다. 나는 이해할 수 없다는 듯 고개를 젓곤 한탄했다.

[리히튼은 왜 네게 수잔이라는 이름을 주었을까, 아그레인? 우연이라 여기기에는 너무 깊은 의미를 지닌 이름인 것을….]

깊은 의미를 지니기는 했지. 리히튼의 행동에는 대개 많은 뜻이 함축되어 있었기에, 추측하려 할 때마다 머리가 아팠다.

[그거 아니? 나는 곧 죽으러 갈 거야. 아카시아 숲속의 너른 호수 아래에서 눈을 감기로 했어.]

기분이 이상했다. 그럼 이건 죽기 전에 내게 남기는 마지막 인사라도 되는 걸까.

[아무리 괴물 같은 회복력을 지닌 나라고 해도 심장이 뚫리면 즉사하겠지. 내 첫 죽음이야. 이 얼마나 기념적인 날인지….]

'나'는 거울에 비친 내게 원망과 안쓰러움을 느꼈다. 거울 속의 나는 무언가를 두려워하고 있었다. 동시에 숨겨지지 않는 기대감도 엿보였다.

[오늘을 시작으로 나는 열네 번을 죽을 예정이야.]

그래, 네가 리히튼을 그렇게 만들었지. 리히튼이 나를 포기하지 못하게 만들었어. 나 때문에 과거의 굴레에서 벗어나지 못하도록 올가미를 씌웠다.

[그리고… 네가 바로 열네 번을 죽은 후의 나지. 나는 내가 열다섯 번 죽는 미래는 보지 못했어. 너는 내가 봤던 미래의 마지막이야.]

그 소리는 나로 하여금 많은 생각을 하도록 했다. 리히튼이 내 죽음을 다시 되돌리려 하지 않았다는 뜻일까? 아니면 내 손으로 그를 죽였다는 뜻일까?

[열네 번의 죽음. 아아, 긴 시간이었네…. 처음에는 말이야. 넌 단 한 번의 복수도 성공하지 못했어. 리히튼만 개고생을 하다가 죽고 시간을 되돌리길 반복했지.]

리히튼이 그렌페르크 제국을 손바닥 위에 두게 되기까지 많은 시행착오가 있었다는 의미였다. 나의 표정은 오랜 꿈을 회상하듯 아련했다. 아직 도래하지도 않은 미래인데, 거울 속의 나에게는 마치 먼 과거처럼 느껴지는 듯한 얼굴이었다.

[그렇게 시간은 계속 되돌려졌고, 네 복수가 성공하는 횟수도 점차 늘었지. 그럼에도 시간은 또다시 돌려져야만 했어.]

그 이유에 대해선 충분히 알 수 있을 것 같았다.

[복수에 성공한 너는 늘 자살을 선택했거든. 단 한 번의 예외도 없이.]

나는 눈을 감았다. 기다란 속눈썹이 마치 공작의 깃처럼 보였다. 나는 '나'를 향해 자문했다.

[네게 부족한 게 뭘까?]

[나에게는 무엇이 부족할까?]

[아니면 무엇이 그리도 넘치기에 늘 마지막에는 삶을 포기하고 마는 걸까?]

착각이 아니라면, 나의 목소리에는 응집된 슬픔과 미련, 그리고 후회가 드글거리고 있었다.

[처음에는 분명 마땅한 선택이라 여겼지… 하지만 내 자신이 열네 번을 죽는 꼴을 본 후에는 생각이 조금 달라지더구나. 다름 아닌 리히튼 때문에.]

나에게 입이 있었다면 웃음을 숨기지 못했을 것이다. 그러나 지금의 나는 형체가 없는 것과 마찬가지였기에 속으로 웃음을 터트렸다.

'너는 나를 원하지만, 딱 너를 위한 만큼만 나를 원하지.'

그리 말하던 리히튼의 목소리가 아직까지 머릿속에 선명했기 때문이다. 이것 봐, 리히튼. 네가 틀렸어. 나는 처음부터 너를 생각하고 있었어. 너는 내가 원하는 만큼보다 더, 더 깊숙이 나에게 관여하고 있었다고.

[너는 모르겠지… 아마 모를 거야. 그 애는 항상 네 곁에 있었어. 네가 죽는 그 자리에, 항상. 열네 번의 순간을 매번. 처음 여섯 번은 울더군. 한데 나중의 여섯 번은 울지 않았어. 그리고 마지막 두 번은….]

가느다랗고 풍성한 속눈썹이 옅게나마 파르르 떨렸다.

[그 얼굴은… 다신 보고 싶지 않네.]

거울 속에 비친 내 얼굴 위로 리히튼의 얼굴이 스쳐 지나갔다. 빌힐름을 죽이고 사형대에 올라갔을 때, 처음부터 다시 시작하면 된다고 말하던 그의 얼굴. 비비안느의 즉위식이 열리던 날, 발코니에서 추락하는 나로부터 눈을 떼지 못하던 얼굴. 그리고 나를 살리기 위해 나를 죽이던 얼굴까지. 무엇 하나 흐린 얼굴이 없었다. 전부 차가운 송곳이 되어 내 가슴을 후벼 파고 있었다.

[아그레인. 너는 다시 죽을까? 열다섯 번째 기회에서도 결국은 또 죽음을 선택할까?]

느리게 눈을 떴다. 거울 속 나의 시선은 바닥의 어딘가를 향해 멍하니 고정되어 있었다.

[리히튼은 지칠 만큼 지쳤어, 아그레인. 너는 마치 새 삶을 살아가듯 기억을 갈아 끼우지만… 그는 모든 날을 기억하거든.]

어느 순간부터 거울 속의 나는 내가 아닌 리히튼을 이야기하고 있었다. 나는 '나'를 걱정하지 않았다. 그렇다고 해서 이전처럼 '나'에게 복수를 강요한 것도 아니었다. 그것이 내 삶의 목적이며 내가 살아온 이유라고 설명하지도 않았다.

[아그레인. 나는 네 선택이 무엇이든 지지해. 너는 다름 아닌 나니까. 그건 당연한 일이지.]

…아, 이게 아닌가.

[그저, 죽기 전에 알려 주고 싶었을 뿐이야. 네 곁에는 항상 리히튼이 있다는 것을. 우리의 복수는 단순히 우리만의 것이 아니었다는 것을.]

나는 리히튼에 대한 이야기를 하고 있는 게 아니었다. '리히튼이 곁에 있는 나'를 이야기하고 있는 것이었다.

[열네 번째 삶의 어느 순간에서… 너는 지금의 나를 보겠지.]

고개를 든 내가 정면의 거울을 응시했다. 이상하게도 그제야 내 얼굴이 더 확실하게 보이는 듯했다. 거울 속의 나는 너무 어렸다. 지금의 나와는 비교도 안 될 만큼 너무나 어린 나이였다.

[그렇다면 나를 기억해 줘, 아그레인. 네가 있는 미래에서 더는 존재하지 않게 될 나를.]

그때 나는 차마 말로 표현 못할 극도의 황망함을 느꼈다. 쏟아지는 이 상실감의 홍수를 분출해 낼 구멍이 필요하다고 생각했다. 처음으로 아그레인 캐롤드라는 인물이 가엽고 기구해 보였다.

[안녕.]

어색하게 올라가는 입꼬리가 보였다. 거울 속 나의 감정이 지금의 '나'에게로 생생하게 전달됐다. 나는… 죽고 싶지 않았다.

나는 살고 싶었다.

꿈속에서 과거의 기억을 마주할 때마다 공통적으로 느끼는 감정이 있다.

바로 충격이다. 우연인지 아닌지는 몰라도, 나는 항상 적절한 시기에 적절한 꿈을 꿨다. 그 꿈의 기억들은 대개 내가 앞으로 움직여야 할 방향을 제시했다. 특히 충격적인 기억과 마주하는 날에는 긴 시간 숨을 참은 것처럼 머리가 어지럽고 심장이 빠르게 뛰었다. 그럴 때면 몸과 마음을 추스르기 위해 내 감정을 빠르게 정리해야 했다.

그러나 오늘만큼은 그럴 필요가 없었다. 오늘의 기억이, 아니 과거의 내가 준 이야기가 너무나 명료했기 때문이다. 나는 살고 싶다. 살기 위해서 과거의 내가 빌힐름을 죽인 후 느껴왔던 감정들과 정면으로 마주할 것이다. 이번에는 그 공허함에 패배하지 않을 것이다.

'오늘 안에 모든 일을 끝내자.'

빌힐름은 내가 그로 인해 고통 받는 이 시기 자체를 즐기고 있다. 그렇다면 나는 그 시기를 한나절 안에 마무리 짓겠다.

아침 식사 직전에 시종이 내게 말했다.

"아즈마리아 윌 영애가 곧 영지로 돌아간다고 합니다. 그 전에 아가씨를 만나 뵙고 싶다는 말을 전했습니다."

"바쁘니 다음 기회로 미루겠다고 답해."

고민하지도 않고 곧장 고개를 저었다. 동시에 식사하면서 가볍게 적고 있던 서신을 시종에게 건넸다.

"정오가 되기 전, 이 서신을 마가렛 헨서웨이에게 직접 전해라. 읽은 후 불에 태우는 모습을 확인하고 나와."

"알겠습니다."

아즈마리아가 가지고 있던 나의 기억은 황성에서 지냈던 시간에 머물러 있었다. 그렇다면 마가렛 역시 동일할 확률이 높았다. 그녀도 아즈마리아가 그러했듯, 리히튼과 자신이 특별한 유대감으로 묶여 있다고 믿을 게 분명했다. 만약 맞다면 원하는 방향으로 이용해 먹기 퍽 손쉬울 터였다.

"확인한 후에는 모리타트에게 가능한 빨리 나를 찾아오라고 전해. 아즈마리아를 배웅한 직후가 좋겠어."

"예."

시종이 방을 나간 후, 꽤 긴 시간동안 남은 빵을 느긋하게 뜯어먹었다. 나는 오늘 헨서웨이 부녀를 황성에서 내쫓을 것이다. 모리타트와 함께.

모리타트가 나를 찾아온 때는 무료함을 달래기 위해 후원으로 나간 정오였다.

컹컹!

하늘은 맑았고, 눈이 반쯤 녹은 땅 위에는 사냥개들이 쏘다녔다. 귀족들은 빌힐름의 즉위식을 기다리는 지루한 일상의 틈에서 또 다른 놀잇거리를 발견한 듯했다. 선택한 토끼가 사냥개에게 가장 늦게 사냥당해야 이기는 게임이었다. 나비 경주에 비하면 창의성이라고는 조금도 찾아볼 수 없는 놀이였다. 저 멀리서부터 걸어온 모리타트가 테이블에 앉아 멍하니 놀이를 구경하던 내게 다가왔다. 그는 품 안의 서신을 건넸다.

"아즈마리아가 전해 드리라더군요."

"더는 아즈마리아에게 볼일 없어."

"그래도 한 번은 읽어 주시죠. 윌 영지로 떠나기 직전에 급히 작성한 서신입니다. 내용이 궁금하지도 않으십니까?"

"그다지. 각하가 궁금해서 그런 거지?"

"네, 뭐…."

저 멀리서 누군가의 아쉬움 섞인 탄식이 들려왔다. 선택한 토끼가 개에게 사냥당한 듯 했다. 나는 모리타트의 바람대로 아즈마리아의 편지를 쭈욱 읽어 내렸다.

무려 두 장이나 되는 길이였다. 자신이 어째서 속죄해야 하는지, 어떤 방

식으로 속죄할 예정인지, 나의 가르침에 어떠한 깨달음을 얻었는지…. 서신은 처음부터 끝까지 공감할 수 없는 내용으로 채워져 있었다. 아버지를 죽인 원수에게 이리도 성실하다고? 이 정도면 성녀라 불러도 무방했다.

"그녀가 뭐랍니까?"

대답 없이 서신의 첫 번째 장을 건넸다. 끝까지 읽어 내린 모리타트의 표정은 더없이 만족스러웠다.

"아즈마리아는 이런 점이 참 귀엽지요. 그렇지 않습니까?"

"그쪽 혼자 실컷 귀여워하도록 해."

"흠. 허락만 해 주신다면 이 서신은 제가…."

"챙기든가. 가보로 간직하든지."

홀로 시시덕거리던 모리타트가 서신의 첫째 장을 소중히 품 안에 넣고선 내 맞은편 의자에 앉았다. 모리타트는 귀족들의 새로운 놀이에는 일말의 관심도 없는 듯했다. 그들 쪽으로는 눈길도 주지 않았다.

"그래서 절 찾으신 용건은 뭡니까?"

나는 모리타트의 호박색 눈동자를 지그시 바라보며 대답했다.

"내일 안으로 모든 일을 끝낼 거야."

잠시간 대답이 들려오지 않았다. 한참 턱을 쓸어내리던 모리타트는 조심스러운 어조로 내게 되물었다.

"설마 그분과 관련된 미래를 보신 겁니까?"

그에 나는 하마터면 조소를 참지 못할 뻔했다.

'빌헬름이 이런 식으로 나를 떠본 거구나.'

거짓말하지 않아도 알아서 착각해 주다니, 이토록 손쉬운 속임수가 없었다.

"즉위식은 열리지 않을 거야."

나는 짐짓 비장한 표정으로 무장해 아무렇지 않게 거짓말했다. 그의 말대로 미래를 봤다는 듯, 진중한 눈빛을 보냈다.

"그 말씀은…."

"다리 없는 말이 곧 죽는단 소리지."

말과 함께 검정색 레이스 장갑으로 가린 손을 흔들었다. 아마 모리타트는 예전처럼 내 손등에 보기 흉한 상처가 생긴 줄로 알 것이다. 고통을 통해서만 미래를 볼 수 있으니까. 그러나 기대와 달리 모리타트의 반응은 미적지근했다.

'흠.'

…아니, 미적지근하게 느껴지도록 얼굴 근육에 힘을 준 건가. 가만히 살피니 그의 낯에는 미약한 놀라움과 미약한 긴장감, 그리고 미약한 기대감이 감돌았다. 그에게서 시선을 떼지 않자 모리타트는 자연스럽게 고개를 돌려 뛰어다니는 사냥개들을 응시했다. 귀족들의 놀이에는 관심도 없는 주제에. 그가 이토록 티 나게 딴청 피우는 모습을 보는 건 처음이었다.

"제가 어떻게 하면 되겠습니까?"

하지만 목소리에서만큼은 흥분을 숨기지 못했다. 나는 그의 물음에 문득 의구심이 들었다.

그는 무얼 위해서 날 돕는 걸까? 정말 무엇 하나라도 얻기 위해 내게 달라붙은 게 맞는 것일까? 그럴 리가. 나는 모리타트를 신뢰하지 않는다. 아마 그 역시 마찬가지일 터였다. 하지만 예상 외로 우리 둘의 미묘한 관계는 별 탈 없이 유지되고 있지 않은가. 나는 모리타트를 조금도 신경 쓴 적이 없었다. 그 뜻은….

'모리타트가 나와의 관계에 용을 쓰고 있다는 뜻이겠지.'

목적이 무엇이든, 모리타트가 나를 배신할 가능성은 무궁무진했다. 그렇다면 배신하기 전에 눈앞에서 치워 버리는 게 옳을 터였다.

"자정에 마가렛 헨서웨이가 동쪽 숲의 예일 성으로 향할 거야. 예일 성이 어디인지는 설명하지 않아도 알겠지?"

모리타트는 『태양이 흐르는 강』 서약에 참여한 잭 가문의 가주였다. 내가 갇혀 있던 힐 성과 리히튼이 갇혀 있던 예일 성을 모를 리 없었다. 모리타트는 의아한 낯으로 입을 열었다.

"그 성은 무너진 지 오래일 텐데… 마가렛이 성의 위치를 알고 있기는 합니까?"

"모르겠지. 하지만 내 기억을 가지고 있으니 찾기 위해 고군분투할 거야."

그래도 명색이 아그레인의 기억을 지닌 여인이지 않은가? 내가 그러했듯, 마가렛 역시 결국에는 무너진 예일 성을 찾아낼 것이다. 그녀의 다리가 본능적으로 그곳을 향할 테니까.

"각하가 해야 할 일은, 예일 성에 도착한 마가렛 헨서웨이를 잡아가는 거야. 쉽게 말해서 납치지."

"지금 저보고 귀족 영애를 납치하란 소립니까?"

혼란스러운 눈이었다. 모리타트는 나비 경주에서 지나가는 말로 마가렛과의 친분을 내보인 적이 있었다. 그래서 꺼림칙하다 이건가? 낯선 하녀의 머리를 보고는 황제의 취향에 대해 운운할 수 있으면서, 낯이 좀 익은 여자는 납치조차 어렵나 보구나.

"왜. 알고 지내던 여동생을 죽이려니 동정심이 들기라도 해? 걱정 마. 나는 연좌제에 관심 없으니까."

비꼬려는 의도는 아니었다. 그러나 모리타트에게는 그리 들리지 않았는지, 내 말을 듣자마자 사람답던 표정을 버리고 계획에 염려를 표했다.

"헨서웨이 백작을 끌어내는 게 목적이시군요. 그러나 마가렛의 실종이 알려지면 황실 기사도 움직일 텐데요."

"각하가 그러지 못하도록 잘 끼어들어야지."

모리타트가 내 말에 귀를 기울였다. 나는 말을 이었다.

“마가렛이 『태양이 흐르는 강』 서약을 밝혀내려 한다고 몰래 흘려. 그 일을 빌미로 헨서웨이 백작을 위협해. 딸을 살리고 싶다면, 황자에게 알리지 않고 조용히 데려와야 한다고. 백작이라면 그의 미친 성정을 누구보다 잘 알 거 아니야?”

모리타트가 고개를 주억였다.

“그럴싸합니다. 사랑하는 인물의 목숨을 운운하면 이성적인 판단이 어려워지기 마련이니까요.”

“그리고 동쪽 숲으로 들어온 헨서웨이 백작을 죽여.”

모리타트는 잠시 주변을 살폈다. 내 직설적인 명령에 조심하는 눈치였다.

다행히 우리 주변에는 개미 한 마리도 오가지 않았다. 나를 호위하기 위해 따라 나온 황실 기사만이 멀찍이 서서 귀족들의 놀이를 질린 눈으로 관망할 뿐이었다. 목소리를 낮춘 모리타트가 의문을 나타냈다.

“마가렛을 어떤 식으로 동쪽 숲에 보내시려고요?”

“서신을 보냈어. 리히튼이 그곳에서 기다릴 거라고.”

“고작 그런 것으로 꼬셔낼 수 있겠습니까?”

나는 부드럽게 웃는 얼굴로 그에게 되물었다.

“각하. 아그레인을 가장 잘 아는 사람이 누구라고 생각해?”

“…그야 물론, 제 앞의 아그레인 양이겠죠.”

“그렇지? 마가렛은 반드시 나올 거야. 나의 한정적인 기억을 지녔다면 그럴 수밖에 없거든.”

황성의 새장에서 지냈던 그 지옥 같은 기억을 지녔다면, 내 서신을 절대 무시할 수 없을 것이다. 보지 않으려 해도 눈이 가고, 무시하려 해도 다리가 움직이겠지. 아즈마리아가 그러했고 내가 그러했다. 어떻게 보면 참 미련한 짓이었다. 아그레인이라는 인물을 더 알아내려 한다는 건, 더 깊은 고난으로 기어 들어가는 것이나 마찬가지니까.

"내 볼일은 이것으로 끝이야. 이번에도 각하만 믿을게."

기대가 서린 말과 함께 모리타트에게 손을 내밀었다. 그는 옅은 긴장이 느껴지면서 동시에 단단히 마음먹은 눈으로 내 손을 마주 잡았다. 대업을 앞둔 이의 눈이 이러할 것이다.

'이게 내 뒤에 서서 뭐 하나라도 거저먹으려는 남자의 눈이라고 할 수 있나?'

이윽고 나는 자리를 털며 일어선 모리타트를 다시 붙잡았다. 그리고 깜빡 잊을 뻔했다는 투로 제안했다.

"일을 마친 직후 백작의 머리가 든 상자를 들고 『태양이 흐르는 강』 앞으로 와. 아즈마리아에 대해서 할 말이 있으니까."

아즈마리아의 이름이 나오자 모리타트의 눈매가 달라졌다. 습관처럼 배어 있는 가벼움과 장난스러움이 코빼기도 보이지 않고 사라진 것이다.

"아즈마리아? 그녀에 대해서라면 그냥 지금 말씀해 주셔도 됩니다만."

"아니. 상자의 내용물을 확인한 후에."

작은 헛웃음 소리가 들려왔다. 모리타트는 내 제안의 의도를 알아챈 듯했다. 헨서웨이 백작의 목 없이는 아즈마리아의 정보도 없다는 내 속뜻을.

"허, 이거… 서운하다는 소리밖에 나오지 않는군요. 저를 못 믿으시는 겁니까? 함께 여기까지 온 마당에."

"어제 본 황자의 미래에는 아즈마리아도 있었어."

그의 낯이 대번 창백해졌다. 불안하겠지. 비비안느도, 힐마르티노도, 조나단 부인도 아닌 무려 빌힐름이잖아?

"현명하게 판단하도록 해. 내가 왜 아즈마리아로부터 받은 서신의 두 번째 장은 건네지 않았을 거라 생각해?"

가만히 손을 들어 기사를 불렀다. 나는 기척 없이 다가온 호위 기사에게 아즈마리아로부터 받은 서신의 두 번째 장을 건넸다. 그리고 명령했다.

"어디로든 가서 불에 태우고 돌아와. 내용은 절대 확인하지 말고."

"예."

기사를 시종처럼 부리는 건 보안 면에서 여러모로 신뢰 가는 일이다. 기사가 호기심에 서신을 펼칠 수도 있었지만, 걱정될 사안은 아니었다. 애초부터 모리타트에게 한 말은 거짓말이었으니까. 나는 빌힐름의 미래를 본 적이 없다. 애초에 손에 착용하고 있는 까만 레이스 장갑도 모리타트를 속이기 위해 착용한 물건이었다. 내가 미래를 보았다고 믿도록 만들기 위해서.

"하…."

짧은 한숨과 함께, 모리타트가 마른세수를 했다. 자리를 박차고 내 멱살을 잡지 않기 위해 가까스로 억제하는 모습이었다.

나는 웃음을 잃지 않은 낯으로 그에게 조언했다.

"앓는 소리하지 말고 내가 하라는 대로만 해, 모리타트. 설마 우리가 친우라고 생각하는 건 아니겠지? 나는 지금 그쪽에게 선의를 베풀고 있는 거야. 무려 사랑하는 여자의 미래를 보장해 주겠다잖아. 안 그래?"

모리타트가 말했던 대로다. 사랑하는 이의 목숨을 운운하면 이성적인 판단이 어려워진다. 그가 아무리 냉철한 인간이라고 해도, 지금 당장은 머릿속에 아즈마리아의 이름만이 떠돌고 있을 게 분명했다. 모리타트는 꽉 막힌 목소리로 내게 간청했다.

"그렇다면 하나만 여쭙겠습니다. 그녀가 위험합니까?"

아니, 전혀. 하지만 진실을 알릴 마음이 없었으므로, 나는 그 못지않게 딱딱해진 음성으로 답했다.

"글쎄. 각하가 내게 백작의 목을 가져오지 않으면 위험해질 수도."

모리타트는 곧장 타이를 끌어내리며 몸을 일으켰다.

"자정이 지난 후에 별채에서 뵙죠."

멀어지는 모리타트의 걸음이 몹시 바빴다. 새하얀 눈 위에 찍히는 발자국에서 그의 불안한 감정이 그대로 전달됐다. 저 정도로 신경 쓴다면… 아즈마리아가 안전하다는 사실을 알게 된 후에는 내게 속았다는 분노보다는 안도를 더 느끼겠어. 나는 기사의 복귀를 기다리며 사냥개의 뜀박질을 느긋하게 관람했다.

늦은 저녁부터 다시 눈이 내렸다. 두 명의 시종을 불러 밤 열 시 즈음부터 동쪽 숲 입구를 주시하도록 명했다. 그들 중 한 명이 다시 돌아온 건 한 시간가량이 흐른 뒤였다.

'검은 로브를 쓴 여자가 급히 뛰어가는 모습을 보았습니다.'

시종은 내게서 적지 않은 사례금을 받고 방을 나갔다. 이후 두 번째 시종이 방으로 돌아온 건 자정 즈음이었다.

'덩치가 작고 늙은 귀족이 홀로 말을 타고 동쪽 숲으로 향했습니다요. 아주 급한 눈치였습니다.'

두 번째 시종 역시 내게서 적지 않은 사례금을 받고 방을 나갔다. 시종이 사라진 직후 나는 외출을 준비하기 시작했다. 모든 일이 순조롭게 진행되고 있었지만, 머릿속은 이상하리만치 차분했다.

'말의 첫 번째 다리.'

크로허츠 후작은 친딸인 에리얼 크로허츠에게 죽었다. 크로허츠 가문의 새로운 가주가 된 장남은 영지에서 숨을 죽인 채 몸을 낮추고 있었다. 그 이유가 의문인 걸 봐선 백이면 백, 리히튼의 계략이었다.

'말의 두 번째 다리.'

윌 백작은 친딸인 아즈마리아 윌이 건넨 술을 마시고 호수에 빠져 죽었다. 모리타트에게 알리지는 않았으나, 아즈마리아는 그가 나를 도와 윌 전 백작의 죽음을 유도했다는 사실을 알고 있는 듯했다. 서신의 두 번째 장에서 유추할 수 있는 내용이었다. 나는 그녀의 필체에서 자신을 속였던 모리타트를 향한 강한 유감을 느꼈고…. 모리타트의 애절한 짝사랑은 물거품이 될 미래만을 앞두는 듯했다.

'말의 세 번째 다리.'

헨서웨이 백작은, 확신컨대 친딸인 마가렛 헨서웨이를 붙잡으러 가는 길에서 목숨을 잃을 것이다. 그래도 앞의 두 경우에 비해선 퍽 인도적인 결말이라 할 수 있었다. 적어도 핏줄의 손에 죽임을 당하진 않을 테니까.

'그리고….'

모리타트 잭.

서른도 되지 않은 나이에 잭 공작 가문의 가주가 된 남자. 부인은 있지만 아직 슬하에 아이는 없었다. 빌힐름을 친근하게 부를 정도로 가까운 사이나, 근래에는 내 옆에만 붙어 있는 듯했다.

'왜?'

그간의 경험에 따르면, 의문이 풀리지 않는 일에는 리히튼 아니면 빌힐름이 연관되어 있었다. 아마 이번 역시 그렇겠지.

도착한 별채는 늘 그래왔듯 어둡고 고요했다. 눈바람이 불기 시작하면서 여자의 울음 같은 음산한 소리가 내부를 울렸다. 그 사이에서 느릿한 걸음소리가 들려온 건 한참이 흐른 뒤였다. 작은 등불이 점차 가까이 다가왔다. 노란색 빛이 모리타트의 냉랭한 낯을 비추었다. 그는 서너 걸음을 사이에 두고 멈춰 서며 말했다.

"기분이 영 이상하군요."

"왜?"

"눈앞의 당신이 내가 아는 아그레인 양처럼 보이지 않아서."

무슨 의미냐는 얼굴로 쳐다보자, 모리타트가 한 박자 늦게 대답했다.

"두렵다는 소리입니다."

다소 뜬금없게 느껴지는 감상이었다. 그 역시 제 입으로 말하고도 기묘한 기분을 느꼈는지, 품 안의 상자를 덮고 있는 천을 거두었다. 그리고 나를 향해 상자를 천천히 기울였다. 그 안에 흐릿하지만 흰머리와 적발이 섞인 정수리가 보인다. 헨서웨이 백작의 머리였다.

"이왕이면 가까이 오셔서 만져 보시는 게 어떻습니까? 얼굴을 확인해도 좋고요."

"확인했으니 됐어. 마가렛 헨서웨이는?"

"손발을 묶어 둔 채 성 밖으로 옮겨 놨습니다. 그쪽도 가져와서 보여 드릴까요?"

"아니."

거절하자 모리타트가 다시 천을 덮으며 씨익 웃었다. 즐거워 보이지 않았다. 오히려 입매 끝이 덜덜 떨리는 것처럼 보였다. 공포로 인한 반응은 아니었다. 아즈마리아가 그렇게 걱정되는 것일까.

"각하. 정말 절절한 사랑인가 봐."

그는 내 비꼼의 의미를 곧바로 알아들었다. 웃는 얼굴 그대로 어느 때보다 빠르게 답하는 것을 보면.

"아시면 빨리 말씀해 주시는 게 어떻겠습니까? 제가 나름대로 평정심을 유지하고 있긴 합니다만, 오래가지 않을 것 같거든요."

그래 보이기는 해. 하지만 내게 중요한 것은 지금쯤 윌 영지로 향하는 마차 안에서 평화롭게 잠들어 있을 아즈마리아가 아니었다. 내가 궁금한 건 모리타트의 진심이었다.

"어쩌다 그 애를 사랑하게 된 거야? 아무리 그래도 부인의 여동생이잖아."

그의 목젖이 크게 울렁였다. 침 삼키는 소리가 귓가 바로 옆에서 울리는 착각이 들었다.

"응?"

재차 묻자 모리타트가 숨을 고르곤 대답했다. 평정심이 아직은 유지되는 모양이었다.

"처음부터 눈이 갔습니다. 기억도 나지 않는 애새끼 시절부터 그 애밖에 안 보였어요."

"포기할 생각은 안 해 봤어?"

"포기가 안 됩니다."

"세상에 안 되는 게 어디 있어? 헨서웨이 백작의 머리도 들고 있는 사람이."

모리타트는 조소했다.

"당신이 아즈마리아를 걸고넘어지지 않았더라면 혹시 모를 일 아니겠습니까?"

"날 배신했을 수도 있다는 소리인가?"

"뭐, 말이 그렇다는 거죠."

모리타트는 어떤 방식으로 마가렛 헨서웨이를 붙잡고, 헨서웨이 백작의 목을 따 왔을까? 그는 진정으로 유능한 자다. 월 전 백작의 죽음도 그렇고, 쉽지 않은 부탁을 무리 없이 소화했다. 그것으로 모자라 아즈마리아를 걸고넘어지는 그럴싸한 꼬드김에도 술술 넘어갔다. 협상할 의지 같은 건 조금도 느껴지지 않았다.

마치, 처음부터 날 돕기 위해 다가온 것처럼.

"거짓말. 나는 알아, 모리타트 잭. 너는 절대 나를 배신하지 못해."

호박색 눈이 얇아진다. 나는 그에게 물었다.

"언제부터였어?"

모리타트는 질린다는 얼굴로 눈을 질끈 감았다가 떴다.

"안 지겹습니까? 분명 처음부터 아즈마리아에게 눈이 갔다고…."

"언제부터 빌힐름을 배신하고 리히튼에게로 붙었느냐고."

높이 올라가던 모리타트의 목청이 단숨에 잦아들었다. 간간이 울리던 거친 숨소리가 멈추었다. 가늘어졌던 호박색 눈이 충격으로 크게 떠졌다.

"아니라고 거짓말할 생각 마. 이 세상에서 내게 숨길 수 있는 비밀은 존재하지 않아."

그가 다시 두 눈을 질끈 감았다가 떴다. 전에 없던 진득한 체념이 가라앉은 눈매에서 드러났다.

"그것도 미래를 보는 그 빌어먹을 힘으로 알아낸 겁니까?"

언뜻 자조하는 것처럼 들리는 음성이었다. 나는 천천히 고개를 저었다.

"아니, 이번에는 떠본 거야. 한데 아무래도 잘 찍은 것 같지?"

모리타트의 흰자가 뜨겁게 달아올랐다. 다나한 2세의 입관식에서 빌힐름의 눈에 비친 내가 저런 얼굴이었을 것이다.

"예민하게 반응하지 마, 각하. 그 질문에만 대답하면 아즈마리아가 어디 있는지 알려 줄 테니까."

우습게도 며칠 전 힐마르티노의 폭언이 이해되는 순간이었다. 나와 빌힐름이 닮았다는 그 개소리가. 얼마 지나지 않아서 모리타트의 입이 열렸다.

"『태양이 흐르는 강』 서약이 체결된 지 수백 년입니다. 그 후손들이 영원히 선조의 의사에 반하지 않을 거라 여기는 건 멍청한 생각이지요."

고작 두 문장에 불과했으나, 어쩐지 베르크네가 떠오르는 이야기였다. 그 역시 이 건물에서 자신이 그렌페르크 제국의 황실인 레그윈 가문이 아니라 리히튼을 선택하게 된 사정을 밝히지 않았던가?

"베르크네 카이로가 그러하고 아즈마리아 윌이 그러했듯, 저도 제 나름의 선택을 한 것에 불과합니다."

"서약을 무효화하려는 선택을 말하는 건가?"

모리타트가 메마른 웃음을 지었다.

"아그레인 양도 별채 지하에 무엇이 전시되어 있는지 아시지 않습니까? 저는 단지 아버지와 달리 레그윈 가문의 미친 짓을 납득하지 못했을 뿐입니다만…. 결과적으로는 아그레인 양이 말한 것과 유사한 뜻을 가지게 되었죠."

"부인을 죽이겠다던 소리도 거짓이었나?"

"제 부인 또한 리히튼 공작과 뜻을 함께하는 사람입니다. 굳이 표현하자면 전우애를 나누는 사이라고나 할까요."

하하. 이어지는 웃음은 웃음이라 표현하기 민망할 정도로 텅 비어 있었다. 모리타트는 리히튼이 내게 심은 사람이었다. 처음부터 단 한 번도 모리타트를 신뢰한 적 없었기에, 뒤로 넘어갈 만큼 놀라운 진실은 아니었다.

그러나 이 사실을 과연 빌힐름이 몰랐을까?

'알았어도 모르는 체했으려나?'

빌힐름은 자신의 턱 바로 아래까지 칼이 들어왔다는 걸 알고 있었을 것이다. 알았어도 아는 대로 즐겼겠지. 그는 내가 리히튼에게 배신감을 느꼈으면 하지 않았을까? 사념을 뒤로한 채 모리타트에게 물었다.

"내가 각하의 부탁대로 그 부인을 죽였으면 어쩌려고?"

"글쎄요. 리히튼 공작이 그리 두었을 거라 생각되진 않는군요. 공작이 복수에 자비를 베풀지 않기는 해도, 도우려는 이까지 죽이는 인물은 아니라."

글쎄. 그보다는 단순히 쓸모가 있어서 이용한다는 표현이 더 옳을 듯했다. 내 표정을 살피던 모리타트가 입술을 짓이겼다.

"아그레인 양."

그건 재촉이었다. 네가 원하는 모든 것을 이루었으니, 자신의 바람 역시 이루어 달라는. 나는 모리타트를 위해 준비한 거짓말을 능숙하게 내뱉었다.

"빌힐름이 아즈마리아를 암살하기 위해 사람을 보냈어. 그 애를 살리고 싶다면, 오늘 뜰 해가 지기 전까지 마차를 따라잡도록 해. 이왕이면 가는 길에 그 머리도 처리하고."

더 이상의 대화는 없었다. 모리타트는 눈짓 한 번 없이 내게서 몸을 돌렸다. 지금 당장 말을 타고 황성을 나갈 기세였다.

"아즈마리아는 반기지도 않을 텐데."

이것으로 말은 이제 몸통만 남았다. 나는 말로 설명하기 힘든 기묘한 기분을 느끼며 별채를 나왔다. 방으로 돌아가는 길의 걸음은 무겁지도, 가볍지도 않았다. 겨울 특유의 한기 역시 느껴지지 않았다. 그렇게 방으로 돌아왔을 때, 문 앞에는 리히튼이 나를 기다리고 있었다.

그는 유독 초췌해 보였다. 새벽이라 생각할 수 없을 정도로 단정한 차림이었지만, 어딘가 하나씩 어긋나 있었다. 주름 없이 빳빳한 상의는 그대로였으나, 늘 걸치던 베스트는 보이지 않았다. 셔츠 한 장만 걸친 상의, 평소와 반대쪽으로 다듬어진 가르마…. 잉고르드의 하녀로 지냈던 시간이 없었더라면 쉬이 알아채지 못할 차이였다. 그래서 기분이 이상했다. 무엇이 그리도 불안했기에, 리히튼에게 스스로를 신경 쓸 겨를이 없었던 것일까? 그런 와중에도 어째서 나를 찾아온 것일까? 등불을 들고 선 그에게 다가가 입을 열었다.

"모리타트에게서 전부 전해 들었나 봐. 그가 네게 이리도 충실한 개일지 몰랐는데."

모리타트는 리히튼의 눈이며 귀였을 것이다. 내가 모리타트와 나눈 이야기는 물론, 모리타트에게 보인 행동 모두가 리히튼에게 전해졌을 터였다. 그러니 내가 오늘 안에 모든 일을 끝내려 한다는 소식 역시 그의 귀에 들어갔겠지. 나는 가만히 입을 닫고만 있는 리히튼에게 물었다.

"잉고르드로 돌아가지 않은 이유가 뭐야?"

리히튼은 여전히 나의 눈을 내려다보기만 했다. 그에게 재차 물었다.

"단순히 내 곁에 남고 싶어서?"

어둠 속에서 정면으로 마주하는 그의 눈동자는 희미한 청회색이 아닌 염화의 불길처럼 선명한 주홍빛으로 빛났다. 반사되는 홍색 등불의 빛이 마치 온전한 그의 것처럼 느껴졌다.

"아니면 빌힐름의 즉위를 막기 위해서?"

리히튼은 숨을 쉬는지도 미지수인, 그 어느 때보다 정적인 모습으로 내 목소리에 귀 기울였다. 잠시라도 입을 열어 소리를 뱉어 이 침묵을 깬다면 그것이 죄악처럼 느껴질 정도였다. 그의 눈은 마치 연인의 마지막을 살피는 듯했다.

"그것도 아니면, 이제껏 그래왔듯 내 마지막을 함께…."

목 안으로 거친 모래가 쏟아져 들어오는 느낌이었다. 나는 무겁게 닫힌 목구멍에 더는 소리를 낼 수 없었다. 금방이라도 꺼질 불씨처럼 고요하게 선 리히튼이 너무나 슬펐다. 목 안의 고통이 심장과 얼굴로 쏠렸다. 나는 더 이상 그를 바라볼 수 없었다. 이곳에서 날 기다리고 있는 리히튼을 만난 후 확신했다. 그가 잉고르드로 돌아가지 않고 황성에 남은 이유는, 나의 마지막을 지켜보기 위해서였다는 것을. 리히튼은 내가 빌힐름을 죽이기로 마음먹었단 사실을 알고 있었다. 그가 아는 아그레인 캐롤드는 늘 빌힐름과 죽음을 함께해 왔다. 그가 아는 아그레인 캐롤드는….

"울지 마."

고개를 들어 올렸다. 흔들리는 시야 너머에 리히튼이 보였다. 그의 손이 내 뺨으로 다가오다가 코앞에서 멈춰 섰다.

"네가 우는 건 처음 봐, 아그레인."

나는 리히튼의 손이 제자리로 돌아가기 전에 그의 손바닥 위로 뺨을 묻었다. 그제야 느끼지 못했던 눈물의 감촉이 살갗에 짓눌리며 선명하게 닿아왔다. 단단한 엄지손가락이 내 눈 아래를 지긋이 쓸었다.

"아닌가? 어쩌면 묻힌 기억 저편에서 네가 한 번쯤은 울었을지도 모르겠군."

"리히튼."

리히튼이 다시 입을 닫았다. 비애와 허무에 젖은 시선이 내 얼굴을 느리게 훑었다. 눈, 코, 입 하나하나를 뜯어먹을 듯했던 예전의 기세가 아니었다. 그는 망막에 각인하듯 내 눈꺼풀의 움직임과 숨의 온기 전부에 집중하고 있었다.

"리히튼…."

곧 그의 눈이 닫혔다. 이미 모든 것을 내버린 표정이었다. 이만 포기하라고, 자신이 모든 것을 끝내겠다고, 빌힐름이 아닌 그를 선택하라는 설득도 없었다. 나를 길들이려 하지도 않았다. 리히튼은 내게 작별 인사를 하러 온 것이다. 그의 마음속에서, 나는 이미 빌힐름을 따라 열다섯 번째 죽음을 맞이한 뒤였다. 다시 눈을 뜬 그는 금방이라도 사그라질 것 같은 목소리로 말했다.

"우리에게 다음은 없어, 아그레인. 이번만큼은 너의 죽음을 이 두 눈으로 확인하지 않을 거니까."

나오지 않는 말 대신 그의 어깨를 잡아끌었다. 리히튼은 조금의 반항도 없이 끌려왔다. 숨이 닿을 거리가 되고 나서야 그의 눈동자가 제대로 보였다. 안개가 짙게 낀 호수처럼 오묘한 빛을 내는 청회색 눈동자가. 우리의 코끝이 맞닿았다.

"그 눈을 알아. 아주 익숙해. 너는 이미 모든 것을 결정했겠지…. 그 안에 나는 없을 테고."

고개를 저었다. 그러나 그의 눈에는 나의 부정이 보이지 않는 듯했다. 리히튼은 홀린 듯 내게 입을 맞추었다. 거칠거나 열정적인 입맞춤은 아니었다. 닿아 오는 입술은 모래성 위를 걷는 발걸음처럼 무척이나 조심스러웠다. 짧고 빠른 숨이 아닌 느리고 깊은 숨이 나를 삼켰다. 감기지 않은 눈꺼풀의 아래, 축축한 눈동자 속으로 울고 있는 내 얼굴이 비쳤다. 리히튼의 입술이 내 입술 위에서 무거운 숨과 함께 움직였다.

"네 죽음은 내게 트라우마야."

그가 뱉는 말 한마디, 한마디가 내겐 심장을 꿰뚫는 가시처럼 느껴졌다. 품에 갇힌 팔을 뻗어 그의 목을 감았다. 우리는 더 깊숙이 입을 맞추었다. 뜨거운 혀가 입 안을 옭아매듯 훑었다. 그의 몸이 내게로 더 바짝 붙자, 상체가 끌려 올라가 발의 뒤꿈치가 땅에서 떨어졌다. 미친 듯이 뛰는 리히튼의 심장소리가 나를 내리눌렀다. 거친 심호흡 사이에서 리히튼의 목소리가 드문드문 들렸다.

"비가 내릴 때마다… 악몽처럼 되살아나. 네 모든 마지막 순간들이…."

눈물은 어느새 멈춘 뒤였다. 그와 나의 입술이 천천히 떨어졌다. 리히튼의 목소리는 땅 아래를 기어가는 것처럼 무겁게 짓눌려 있었다.

"그리고 나는 영원히 이겨 내지 못할, 가장 고통스러운 정신적 충격을 통해서만 시간을 돌릴 수 있지."

그래서 너는 나의 마지막에서 항상 눈을 떼지 못했던 거구나. 다른 것도 아닌, 오직 시간을 돌리기 위해서.

'가장 고통스러운 정신적 충격….'

나의 죽음을 무려 열네 번이나 보아 온 그였다. 열네 번이나 봐 왔음에도, 리히튼에게 나의 죽음은 여전히 가장 고통스러운 충격인 것이다.

"그러니 가려거든 나를 죽이고 가."

리히튼이 나의 어깨에 이마를 기댔다. 지친 음성이 내 몸을 눌렀다. 아니야, 나는 너를 죽일 생각이 추호도 없어. 절대 그러지 못해.

"언제나처럼 너는 못 그러겠지만."

그가 천천히 허리를 폈다. 텅 빈 눈이 긴 시간 나를 응시했다. 마치 시간이 멈춘 것 같았다. 그 틈 속에서 나는 수백, 수천 번 입을 열기 위해 숨을 골랐다. 나는 죽지 않아. 하지만 이번에는 지금까지와 다를 거란 다짐이 죽어도 혀 위에 올라가지 못했다. 리히튼을 안심시키고 싶었으나 그리하지 못했다. 그에게 내가 지닌 살 의지를 보이고 싶었으나 보이지 못했다.

'입 밖으로 내뱉으면 이루어지지 못하고 사라져 버릴 거야.'

안 돼. 나는 리히튼을 밀어내고 뒤돌아 달렸다. 계단을 따라 내려가 황성을 나갔다. 어느새 강해진 눈발이 시야를 어지럽히고 있었다. 내일 밤까지 기다릴 수 없었다. 당장 빌힐름과 얽힌 모든 일을 청산하고 이 지긋지긋한 관계를 끝마치고 싶었다. 끝마친 후에 리히튼과 마주 서고 싶었다. 더는 그런 표정을 지을 필요 없다고. 이기지 못할 고통을 견디지 않아도 된다고. 추위는 극심했다. 나는 성 앞에서 보초를 서는 기사에게로 달려갔다. 머리 위의 눈을 털어 내는 팔을 잡고 협박하듯 명령했다.

"빌힐름 황자에게 올라가 전해. 지금 당장 별채의 '그 방'으로 찾아오지 않는다면, 아그레인 캐롤드가 목을 매고 죽어 버릴 거라고."

그리고 '그 방'으로 향하기 위해 눈 속에 뛰어 들어갔다. 얼마 지나지 않아 뒤늦게 좇아온 기사가 내 어깨를 돌려 세웠다.

"캐롤드 영애, 잠시…!"

"손대지 마!"

나도 모르게 발작하듯 기사의 손을 치워 냈다. 움찔한 기사가 다시 말을 이었다.

"캐롤드 영애. 어떤 끔찍한 일을 겪으셨는지는 모르겠지만, 부디 진정하시고…."

"진정할 거야. 경이 빌힐름 황자를 내게 데려오기만 한다면."

"우선 성안으로 들어가 말씀을…."

"보호를 명목으로 날 끌고 간다면, 유서에 경의 이름을 적고 혀를 씹어 죽겠어."

그러자 기사는 더 이상 내게 손을 뻗지 못했다. 나는 천천히 뒷걸음질 치며 단호한 목소리로 명령했다.

"빌힐름을 별채로 데려와. 가서 내가 기다리고 있다고 전해."

등불도 없었다. 나는 보이지도 않는 밤하늘 아래를 오직 본능에만 의존해 걸었다. 내가 기억하는 이 방향의 끝에 별채가 있기를 바라며.

시간이 어떻게 흘렀는지 모르겠다. 정신을 차렸을 때, 나는 이미 '그 방' 안에 있었다. 지하로 내려가는 통로가 연결된 그 방에. 내 선조들의 머리가 전시된 그 공간 위 침실에.

타닥타닥.

벽난로의 나무가 타들어 가는 소리가 들렸다. 나는 퍼뜩 정신을 차리곤 쥐고 있던 찻주전자를 내려다봤다. 내가 물을 어떻게 구했더라? …아아, 눈을 퍼 담아 사용했었지. 멈춰 있던 걸음을 다시 이었다. 나는 테이블 위에 놓인 두 개의 잔에 차를 따랐다. 채워진 첫 번째 잔을 상대방의 앞으로 천천히 밀어냈다. 그리고 의자에 앉아서 고개를 들자, 맞은편 자리에 빌힐름의 얼굴이 보였다. 그가 속삭였다.

"마치 헛것을 본 얼굴이야, 아그레인."

느리게 눈을 감았다가 떴다. 그가 꿈결처럼 몽롱한 목소리로 말을 이었다.

"날 초대한 사람이 보일 표정은 아닐 텐데. 뜬눈으로 잠에 들었다가 깨기라도 한 걸까?"

빌힐름의 옅은 웃음이 수증기처럼 나타났다가 사라졌다. 끔찍할 정도로 다정한 목소리가 내 등을 쓸었다. 동시에 잠깐이나마 끊겨 있던 짧은 기억들이 파도처럼 몰려왔다. 나는 방에 도착한 즉시 서랍 안에 마련된 장작으로 벽난로의 불을 켰었다. 그리고 쌓인 눈을 모아 물을 끓였으며, 장식장에 놓인 홍차로 차를 끓였다. 그사이에 빌힐름이 나를 찾아왔다. 그래… 그게 전부였다.

"정말 꿈을 꾸기라도 한 건가? 아니면 반대로 지금 이 순간이 꿈처럼 느껴지는 걸까, 아그레인."

빌힐름의 손끝이 찻잔을 쓸었다. 그의 음성에는 처음부터 끝까지 선명한 웃음이 배어 있었다.

"마땅히 그럴 만할 테지. 나 또한 너와 마주 보고 앉아 있는 지금이… 믿기지 않거든."

머릿속이 점차 또렷해졌다.

"아그레인, 네가 결국 내 곁으로 돌아온 지금이 말이야."

시야 역시 마찬가지였다. 극도의 긴장으로 굳어 있던 몸이 안정을 찾기 시작했다. 빌힐름의 추측대로, 선 채 꿈을 꾼 건 아니었다. 다만 앞으로 벌어질 일을 눈앞에 그리자 머릿속이 텅 비어, 움직이지 못했을 뿐이다. 그가 무슨 말을 했더라? 딴 생각을 한 탓인지 빌힐름의 말이 떠오르지 않았다. 그가 하는 개소리는 며칠 내내 되새길 수 있을 만큼 내게 강렬하게 다가오곤 했는데. 처음 있는 일이었다. 나는 화제를 끌고 오기 위해 무작정 아무 웃음이나 흘리곤 말했다.

"잊었어, 빌힐름? 내일이 다리 없는 말 경주를 하는 날이잖아."

빌힐름은 대답 없이 나를 물끄러미 쳐다봤다. 나는 그와 눈을 마주치며 말했다.

"처음으로 주도해 여는 모임인 만큼 꼼꼼하게 준비하려 했지. 귀부인들의 사랑을 받아야 앞으로의 황성 생활이 평탄하지 않겠어?"

"귀부인들의 사랑을 받는단 표현은 옳지 않아. 그들이 네 사랑을 갈구한다면 모를까."

담담한 대꾸에 싱긋 웃어 보였다.

"그래, 네 말대로 귀부인들이 나의 사랑을 더욱 갈구하도록 멋진 모임을 준비하는 중이었는데…."

갈증을 해소하기 위해 뜨거운 차를 한입 삼키고 말을 이었다.

"말에 오를 사람들이 사라졌네?"

모리타트도, 헨서웨이 백작도, 윌 백작도. 이제 더는 황성에 없었다. 아니, 여전히 황성에 남아 있었으나 산 채는 아니었다. 눈을 내리깐 채 가만히 듣고 있던 빌힐름이 입을 열었다.

"아그레인, 네 말은 헨서웨이 백작도 곧 이곳에서 사라질 예정이란 뜻이로군. 그렇지? 네가 본 미래에서? 아니면…. 이미 사라진 후인가."

나는 아무렇지 않은 척 대꾸했다.

"너 정말 내 표정을 잘 읽는구나. 그 부분은 도저히 이길 자신이 없어."

빌힐름은 순수하게 즐거워하는 얼굴이었다.

"축하해, 아그레인. 네 덕에 내가 다리를 모두 잃었군. 이제 어찌할까? 내가 어찌해야 네가 원하는 걸 모두 얻을 수 있지?"

그는 가장 중요한 것을 모른다. 아니면 모르는 척하는 걸까? 네가 죽어야 내가 원하는 모든 것을 얻을 수 있는데.

"그런 선의는 필요 없어. 어차피 너는 더 이상 아무것도 이루지 못하고 허무하게 끝날 테니까. 그게 리히튼의 바람이잖아? 이 세상에서 그가 바라는 대로 이루어지지 않는 건 없지."

"계속 해 봐."

빌힐름은 내 말에 충분히 귀 기울일 마음이 있다는 듯 눈을 맞추었다. 그에 나는 진심을 담아 의문을 표했다.

"너는 대체 무엇을 위해 사는 거야, 빌힐름?"

황위조차 그에게 중요하지 않다면, 숨통이 조여지는 와중에도 대체 무엇으로 살아간단 말인가.

"어째서 발버둥 치지 않아? 왜 내가 네 다리를 자르도록 지켜보기만 해? 왜 내 힘을 막으려 하지 않는 거지? 너는…."

무엇을 물어야 할까. 이대로 죽어도 상관없는 거냐고? 대체 무슨 꿍꿍이를 가지고 있는 거냐고? 정말 내게 고통을 안기는 것만이 삶의 이유냐고?

"어린아이 같구나, 아그레인. 너는 어릴 때부터 그랬지. 목표를 위해선 그 무엇이든 불살라 버리는… 불나방. 어여쁘니 나방보다는 나비가 어울리겠어."

나는 겨우 웃고 있던 낯을 포기하고 얼굴 근육에 힘을 풀며 대답했다.

"개소리하지 마."

하하. 빌힐름이 소리 내서 웃고는 어쩔 수 없다는 양 고개를 저었다.

"아직도 모르겠어? 네가 힘을 쓸 수 있느냐 마느냐는 중요하지 않아. 그건 정말 아무것도 아니야."

"아무것도 아니라고?"

"네 말대로 이 세상은 리히튼 잉고르드가 바라는 방향으로 흘러가지. 지겹도록 능력을 사용해 오며, 그가 그리 설계해 두었으니까. …마치 신 같군."

그의 손끝은 계속해서 찻잔을 매만지고 맴돌았다. 나는 애써 그쪽에서 눈을 떼 그의 뺨 근처로 시선을 고정했다. 빌힐름의 잔을 채운 홍차에는 내 혈액이 담겨 있었다. 덕분에 그가 아무렇지 않게 찻잔을 건드릴 때마다 등 뒤에 식은땀이 맺히는 기분이었다. 빌힐름이 차를 들이키지 않는 시간이 길어질수록 그가 이미 눈치챈 게 아닌가 싶어 심장박동이 빨라졌다.

"그 신에게도 과연 약점이 존재할까? 존재한다면 그건…."

이어서 빌힐름의 눈동자에 서린 감정은 눈에 띄게 무감각했다.

"누가 봐도 너일 수밖에 없어, 아그레인. 그는 자신이 만든 이 세상에서 오직 네 말에만 복종해. 네가 없으면 스스로 머리를 베고 죽을 남자지."

나는 당연하다는 듯 주장하는 빌힐름의 발언에 반박할 수 없었다. 부정하기 힘들다. 리히튼이 어떤 사람인지에 대해, 그동안 보아 온 과거들이 존재했기 때문이다.

"리히튼 잉고르드는 너 없이 살 수 없다는 걸, 네 스스로도 잘 인지하고 있겠지."

리히튼을 입에 담는 그의 얼굴에는 아무런 감정도 꽃피지 않았다. 자신의 관심사 외엔 언급도 달가워하지 않는 눈치였다. 그런 빌힐름이 날 마주할 때만은 생기가 돌았다. 눈의 깜빡임과 두 손을 이용한 크고 잦은 반응이 가라앉았다.

'주인을 맞이하는 개처럼.'

빌힐름도 그러한 사실을 알까? 알겠지. 아마 그 누구보다 잘 알 것이다. 그는 곧 의자에서 느릿하게 몸을 일으켰다. 차에는 일말의 눈길도 주지 않고서.

"그렇다면 아그레인 캐롤드는 과연 어떨까? 그녀는 과연 리히튼 잉고르드가 없어도 아무렇지 않게, 충만하고 영화로운 삶을 영위할 수 있을까? 물론 가능할 테지."

내 신경은 온통 그와 그의 앞에 놓인 찻잔으로만 향했다. 빌힐름이 이미 내 의도를 알아챘으면 어쩌지? 내 몸에 독이 돌고 있단 사실을 알고 있으면? 다른 이들에게 복수했던 방법으로는 그를 죽일 수 없는 걸까? 그렇다면 어떤 방법을 사용해야 하지?

이번만큼은 몸도, 마음도 진정되지 않았다. 무언가에 계속해서 휩쓸리고 있는 기분이었다. 누가 내게 칼을 들이민 것도, 절벽 앞까지 내몬 것도 아닌데 마치 그런 상황에 처한 것 같은 착각이 들었다. 빌힐름은 나의 이러한 불안을 알까? 그는 언제나 내 표정을 잘 읽곤 했다. 하지만 이번에는 몰라야 했다. 모르길 바랐다.

"하지만 너는 나 없이 살 수 없어."

그러나 여상한 미소가 떠올라 있는 얼굴을 보고 있으면, 그런 바람도 폭풍 앞의 들풀처럼 힘없이 뿌리 뽑히고 말았다. '너는 나 없이 살 수 없어.' 그의 말이 옳았다. 빌힐름 조나단 레그윈이 없으면 나도 없다. 열네 번이나 반복된 시간 속에서 나는 빌힐름이 죽고 나면 미련 없이 생을 버리곤 했으니까. 나는 피곤한 눈가를 손등으로 내리누르며 입을 열었다. 손끝이 미세하게 떨리고 있었다.

"네 바람이겠지."

정확하게는 그의 바람이길 바라는 나의 바람이었다.

"아그레인. 이제 인정해, 나는 네 삶의 이유야. 나는 네 인생의 주인이며 목적이고 네가 살아 숨 쉬게 하는 심장이자 폐야."

"제발, 빌힐름. 그런 끔찍한 소리를 하려면 차라리 입을 닥쳐 줘…."

그의 말에는 오점이 없었다. 모두 내가 인정할 수밖에 없는 진실이었다. 그 사실이 나를 이 방에서 도망치고 싶게 만들었다. 하지만 나는 그러고 싶지 않았다. 이곳에 도달하는 것만으로도 내게는 큰 용기였음을, 나는 아니까.

"내가 널 그렇게 만들었어, 아그레인."

등 뒤로 다가온 빌힐름이 내 목을 다정히 매만졌다. 엄지는 내 귀 아래를 지그시 눌렀고, 검지는 내 턱 아래를 조심히 쓸었다. 조금의 악력도 느껴지지 않았으나, 나는 숨이 막혔다. 젖어 든 낮은 목소리가 내 귓가에 속삭였다.

"그러니 리히튼 잉고르드는 나를 절대로 죽일 수 없을 거다. 그가 미쳐 사는 아그레인 캐롤드가, 빌힐름 조나단 레그윈 없이는 못 살아가니까. 그렇지?"

빌힐름은 내 팔을 끌어 올려 손등에 입을 맞추었다. 붉은 눈동자가 내 얼굴을 핥듯이 훑었다.

"그래… 내가 널 그렇게 만들었어. 너는 내가 만든 최고의 개야."

뜨거운 입술이 손가락 안쪽을 천천히 더듬었다. 그가 고개를 꺾을 동안 홍련처럼 붉은 눈길은 내게서 한시도 떨어지지 않았다. 나는 두 팔과 두 다리가 속박된 것처럼 꼼짝할 수 없었다. 빌힐름이 내뱉는 단어 하나하나가 송곳처럼 내 귓가와 심장과 머리에 박혔다.

"이 나를 허울뿐인 황제로 부릴 거라면 그리 하라고 해. 그렌페르크? 누구의 발아래에 있든 상관할 바 아니야. 나는 너를 가진 것으로 충분하니까."

내 목을 쓸던 뜨거운 손은 이제 내 뒤통수를 받치고 있었다. 나를 향한 그의 눈과 목소리와 날숨에서 숨겨지지 않는 욕망이 느껴졌다.

"나는…."

"네게는 오직 나만이 의미 있는 거야. 제아무리 발버둥 쳐도 나를 죽일 수 없을 테지. 그러니 나를 받아들이고 마음을 편히 해, 아그레인."

파도가 나를 삼키기 위해 등을 굽혔다. 빌힐름의 얼굴이 순식간에 가까워졌다.

"서로가 없으면 존재할 가치가 없으니…."

그의 온기가 내 입술 위로 떨어졌다.

"우리, 영원히 하나가 되자."

벌어진 숨이 나를 삼켰다. 그는 오랜 인내를 지금 막 끊어 낸 사람처럼 게걸스럽게 내 입술을 탐했다. 호흡할 틈도 없었다. 떨쳐 낼 수 없는 단단한 힘이 나를 끌어올렸다. 머리와 허리 모두 완벽하게 빌힐름에게로 얽혀 들어갔다. 나는 반쯤 의자에서 몸을 일으키고 있었다. 빌힐름이 다시 한번 속삭이듯 내 이름을 불렀던 것 같다. 그가 뱉은 나의 이름은 뜨거운 온기에 녹아 흩어졌다. 입 안을 헤집는 움직임이 점차 거칠어졌다.

이 순간 나는 이제껏 느끼지 못한 엄청난 흥분으로 머리가 터져 버릴 것 같았다. 마침내 빌힐름의 턱 아래로 칼을 꽂아 넣었다는 고양감이! 빌힐름이 나를 욕망해서 다행이었다. 정신뿐만 아니라 육체마저 집어삼키길 원해서 미치도록 다행이었다. 공들여 준비한 쥐덫을 밟지 않아도, 알아서 걸려 들어오니까. 언제부터였을까? 내 몸을 가두고 있던 그의 두 팔에 힘이 빠졌다. 열기가 멈추고 입술이 떨어졌다. 용암처럼 들들 끓던 빌힐름의 눈동자가 찬물을 맞은 듯 딱딱하게 굳었다.

"아그레인."

쉰 목소리였다. 미세하게 흔들리는 그의 음성에 가슴이 터질 것만 같았다. 내내 얼어 있던 두 다리를 움직여, 빌힐름에게서 천천히 멀어졌다. 그의 숨이 점차 거칠어진다. 나 역시 마찬가지였다.

아아, 드디어…. 입 안을 지배하고 있는 짙은 피 맛을 목 뒤로 삼켰다. 어금니에 짓뭉개진 입 안쪽 살이 아렸다. 날 부른 이후에도 빌힐름은 아무런 말이 없었다. 그런 그를 대신해 내가 입을 열었다. 의식하지 않아도 절로 입이 열렸다.

"그렇게 나를 가지고 싶었니? 네 눈앞에서 열심히 재롱떠는 내가 그렇게 탐났어?"

도무지, 웃음을 참을 수 없었다. 고통에 온몸을 뒤틀던 다른 이들과 달리, 빌힐름은 고요하게 멈춰 서 있었다. 너무나 고요해 언뜻 보면 사람과 닮은 동상처럼 착각할 정도였다.

"나를 가지고 싶었다면 계속해서 리히튼을 주시하고 끊임없이 발버둥 쳤어야지, 빌힐름."

"…아그레인."

"그를 끊임없이 견제하고 파헤쳐서, 내가 몸 안에 어떤 독을 삼키고 있는지 알아 두었어야지."

대단해! 내벽과 장기가 녹는 와중에도 멀쩡히 서 있는 그에게 갈채를 보내고 싶었다. 아무렇지 않게 내 이름을 읊는 정신력이 도저히 믿기지 않았다. 그 정신력이 과연 어디까지 갈까. 지금부터 산 채로 녹아 가며, 아주 천천히 죽어갈 텐데.

"내가… 어떤 방식으로 황제를 죽였는가에 대해 끝까지 물어 늘어졌어야지. 응? 그랬어야지, 빌힐름.”

빌힐름에게는 충분히 그럴 기회가 있었다. 크로허츠 후작가에서 내가 젬벨 자작을 테라스 아래로 밀던 장면도 목격한 그이지 않은가.

‘그리고 이런 빌힐름의 성정을 이용한 것 역시….’

모두 리히튼의 계획이었겠지. 전부, 이 모든 게. 빌힐름이 느리게 입을 벌려 혀로 입술을 쓸었다. 붉은 피가 입가에 번졌다.

“아그레인.”

세 번째 부름은 한숨과도 같았다. 이윽고 번들거렸던 그의 눈이 천천히 닫혔다. 빌힐름은 비틀거리듯 의자로 걸어가 조심스럽게 몸을 기댔다. 그것이 끝이었다. 나를 지옥으로 몰아넣은, 빌힐름의 끝.

“하, 하하.”

정말…. 끝이 맞는 걸까.

“아니야, 이렇게 끝일 리 없어.”

본능적으로 고개를 저었다. 고양감이 서서히 수그러들었다. 그 빌힐름이 이렇게 허무하게 끝날 리 없었다. 다나한 2세와 빌힐름은 다르다. 그는 잉고르드의 독을 제외하고 나의 모든 것을 알고 있지 않았는가? 황실의 적자는 어린 시절부터 독에 면역을 기른다고 했다. 제아무리 잉고르드 독의 존재를 몰랐다 하더라도, 이리 쉽게 눈감을 수 없었다.

“빌힐름.”

따라서 그는 곧 이따위 방법으로 자신을 죽이려 했냐는 듯 아무렇지 않게 몸을 일으킬 것이다.

“눈을 떠, 빌힐름.”

이가 갈렸다. 이런 순간까지 나를 조롱하려 하다니! 나는 악에 받쳐 소리쳤다.

“눈을 뜨라고! 아그레인 캐롤드가 아직도 너의 사랑스러운 개인 줄 알았어? 너의 사랑스러운 개라서, 네가 없으면 안 돼서 네게 돌아온 줄 알았던 거야? 결국 모든 걸 포기하고 네게 다시 복종할 줄 알았느냐고!"

나는 코앞에서 죽은 듯 쓰러진 빌힐름의 멱살을 쥐었다. 그의 몸은 무겁고 뜨거웠다. 굳게 닫힌 입가로 피가 흘러내리고 있었다.

"그럴 거였으면…."

손의 떨림이 심해졌다. 그가 찻잔에 손을 대지 않을 때보다도 훨씬 더 격한 떨림이었다.

"그럴 거였으면 끔찍했던 잉고르드에서의 가을과 혹독했던 황성의 겨울을 버티지도 않았는데…."

빌힐름은 대답하지 않았다. 죽어 가고 있었으니까. 심장이 멈춰가고 있으니까. 머릿속이 새하얘졌다. 빌힐름이 죽는다. 하지만 당장 황성으로 달려가 도움을 요청한다면 그를 살릴 수도 있었다. 그를 살려야 하나?

"아아, 아니야. 멍청한 생각하지 마, 아그레인. 살릴 이유가 하등 없어…."

그럼 죽도록 내버려 두어야 하나?

"그게 옳아. 그게 네 오랜 염원이잖아…. 그를 죽이고 황성을 나가자. 황성을 나가서…."

황성을 나가서, 그다음은? 그 다음에는? 등 뒤로 차가운 벽이 닿았다. 나도 모르게 계속 뒷걸음질 치고 있었던 것 같다. 곧이어 무언가 발아래로 떨어졌다. 떨어진 물건의 정체는 새것처럼 먼지 하나 없이 빳빳한 융단이었다. 황실의 주인인 레그윈 가문의 휘장이었다. 몸을 돌려 휘장이 가리고 있던 벽을 올려다봤다.

"아."

그곳에는 초상화가 걸려 있었다. 굽이치는 기다란 갈색 머리칼과 새하얀 얼굴. 부드럽게 웃고 있는 선명한 녹색 눈동자. 복숭아처럼 불그스름하게 달아오른 두 뺨. 흐드러지게 핀 아카시아 숲의 배경까지.

그림 속에 앉아 있는 소녀는, 바로 나였다. 수잔이 아닌 내가 맞았다. 확실했다. 이 초상화를 그렸던 날의 기억이 흐릿하게나마 머릿속에 남아 있었다.

'빌힐름. 왜 하필 갈색 머리일 때 초상화를 남기는 거야?'

장마가 끝나고 하늘이 갠 지 얼마 안 된 날이었다. 늦여름의 끝에서 나는 빌힐름의 명령으로 아카시아 숲을 배경으로 몇 시간을 내리 앉아 있어야 했다. 힐 성으로 끌려온 지 일 년이 채 되지 않은 시기였다.

'이제 더는 그 모습을 보지 못할 테니까. 그림으로라도 기록해 두어야지.'

빌힐름은 내 물음에 대수롭지 않다는 듯 대답했다. 나는 눈알만 굴려 갈색으로 염색한 머리칼을 힐긋 바라봤다. 이 머리색은 순전히 빌힐름의 장난이었다. '수잔과 네가 정말 자매처럼 닮았을까?' 에서부터 시작된 장난. 하지만 질문의 답에 대해, 빌힐름은 긴 시간 답을 내지 않고 있었다.

'나는 이 머리색이 마음에 들지 않아. 어서 내 붉은 머리로 돌아가면 좋겠어. 그때도 초상화를 그려 줄 거지?'

'아니.'

즉답과 함께 빌힐름은 가만히 책을 읽던 시선을 내게로 돌렸다. 그리고 선한 웃음을 지으며 담담하게 말했다.

'너는 죽고 나서도 이 힐 성에 묻힐 테니, 굳이 그려 둘 필요 없지. 그림이 아니어도 내 곁에 있을 거잖아?'

초상화를 그리는 황실 화가의 표정이 좋지 않다. 하지만 나는 끝까지 초상화를 위한 미소를 유지했다. 빌힐름은 내가 웃는 얼굴을 좋아하니까.

'그래도 바다에는 가 보고 싶어.'

'하면 바다를 그려 주면 되겠군.'

간결한 명령이었다. 이곳에서 나갈 생각은 추호도 하지 말라는. 그 명에 굴복했다면 나는… 아마 내 선조들이 그러했듯, 그 작은 새장에서 평생을 보냈어야 했을 것이다.

'그래, 여기까지 와서 머저리같이 굴지 말자. 황성을 나간 다음 같은 건 생각할 필요 없어. 빌힐름의 죽음에 불안해할 필요 없다고. 그게 진정으로 내가 바란 거잖아.'

불안이 점차 가라앉기 시작했다. 그러자 점차 머릿속에 선명해지는 얼굴이 있었다.

"리히튼."

살아야 할 이유는 없다. 그러나 죽지 않아야 할 이유는 있었다.

'리히튼이 나로 인해 회귀하는 일은 더 이상 없어야 해.'

이곳으로 오기 직전에 만났던 리히튼의 파리한 낯이 떠올랐다. 그가 더는 나로 인해 닳지 않도록, 여기서 눈을 감는 일은 없어야 했다. 그리 마음먹고 문을 열었다. 복도로 첫 발을 떼는 그 순간이 내게는 말로 표현할 수 없을 만큼 고역이었다. 방을 나서자 빌힐름의 호위 기사가 허리를 숙였다. 나는 최대한 아무렇지 않은 얼굴로 위장하여 기사에게 명령했다.

"빌힐름 전하께서는 지금 막 잠드셨다. 근래 많이 피곤하셨던 듯해. 내가 다시 찾아와 전하를 깨우기 전까지는 문도 두들기지 말도록."

"예."

계단을 내려가기 직전까지, 그의 죽음을 다시 확인하고 싶은 욕구를 몇 번이나 참았는지 모르겠다. 별채를 나온 직후에는 걸음을 빨리해 미친 듯이 뛰었다. 눈바람이 거세게 몰아치는 와중에도 등에 땀이 났다. 눈 위에 새겨지는 발자국이 내가 황자의 살인범임을 알리는 듯해 마음이 졸았다.

'어디로 가야 하지?'

당장 떠오르는 이름은 리히튼이었다. 나와 함께 동쪽 숲에 갇혀야 했던 그. 나를 위해 열 번이 넘도록 시간을 되돌린 그. 하지만 내 다리는 리히튼이 아닌 다른 방향을 향하고 있었다. 머릿속으로는 리히튼의 얼굴을 그리면서도, 나의 목적지는 이미 다른 곳으로 정해져 있었다. 나는 곧장 문을 열었다. 자정이 넘은 시각임에도 방의 주인은 의자에 앉아 손님을 맞이하고 있었다.

"아그레인?"

방의 주인, 비비안느는 내 얼굴을 확인하자마자 즉시 몸을 일으켰다. 맑은 두 눈동자에는 당혹스러운 감정이 한가득했다.

"이렇게 늦은 시각에 무슨…. 안색이 좋지 않아, 어서 안으로 들어와."

급히 다가온 비비안느가 안절부절못하며 내 어깨를 더듬었다. 나는 벌어지지 않는 입을 겨우 열어 대답했다.

"비비안느. 내가 빌힐름을 죽였어."

"뭐?"

잘못 들은 건가, 싶은 얼굴이었다.

"무언가 잘못 안 걸 거야. 그가 죽을 리…."

한참 동안 멍하니 눈을 깜빡이던 비비안느는 금세 제정신을 차렸다. 이전에 본 적 없는 냉랭한 시선이 내게 물었다.

"빌힐름의 시체는?"

"별채에. 기사가 방을 지키고 있으니 들키는 건 금방이야."

나는 왜 리히튼이 아닌 비비안느에게로 왔을까.

'어차피 비비안느를 통해서 그도 알게 될 텐데.'

하지만 무서웠다. 내가 살아감으로써 변하게 될 리히튼과의 관계가. 정확히 왜 두려운 건지는 모른다. 이제는 모른다는 사실마저 두려웠다. 곰곰이 무언가를 생각하던 비비안느는 이내 천천히 등을 돌렸다.

"바라던 대로 당신을 쓸모 있게 사용할 수 있겠군요, 킨 경."

"…킨?"

비비안느의 목소리는 나 이전에 그녀가 맞이하고 있던 손님에게로 향했다. 한데 그녀의 입에서 나온 이름이 영 이상하다. 그가 이곳에 있을 리 없는

데. 그러나 의자에서 일어나 다가온 남자는, 내게도 충분히 낯익은 인물이었다. 눈에 띌 정도로 큰 신장과 선명한 적발, 짙은 눈썹에 짧은 턱. 비록 내가 알던 장난기 있는 얼굴은 아니었으나, 남자는 킨이 분명해 보였다.

"킨, 네가 어떻게 여기에…?"

그는 다소 허탈한 얼굴을 하고 있었다. 허탈하면서도 무언가 진득이 후회하는 듯한, 고통스러운 눈이었다. 킨이 대답했다.

"너는 몰랐겠지만… 빌힐름 황자가 황후 내정자를 맞이했단 소문이 잉고르드의 저택 앞까지 자자했지. 나는 그 여자가 누구인지 확인해야만 했어. 리히튼 공작 각하께선 내 동행을 마뜩잖게 여기시니, 도착한 즉시 비비안느 전하에게 들른 거다."

"소문?"

"캐롤드 가문의 아그레인이 차기 황후에 오른다는 소문."

킨의 음성은 몹시 지쳐 있었다. 단기간에 잉고르드로부터 황성까지 달려온 탓일 터였다.

"한데 설마 네가…."

킨은 긴 한숨과 함께 자신의 얼굴을 쓸어내렸다.

"아니, 이런 소릴 할 때가 아니지. 너는 마차를 타고 황성을 벗어나도록 해. 그리고 오늘 일은 잊어."

고개를 튼 그가 비비안느에게 말했다.

"전하, 제가 아그레인을 대신해 빌힐름 황자의 시해범이 되겠습니다."

"안 돼."

곧장 거부했으나 비비안느는 아니었다. 그녀가 손짓하자 방 안에 대기하고 있던 기사들이 내게 달라붙었다. 이럴 순 없어. 이러려고 이곳에 온 게 아니었다. 나는 미친 듯이 발버둥 쳤다.

"안 돼, 비비안느. 킨은 나와 아무런 관련 없어! 그를…!"

기사의 거친 손이 내 입을 막았다. 나는 그렇게 억지로 황성 밖까지 끌려 나가, 준비된 마차에 구겨 넣어졌다.

손아귀의 힘이 약해진 틈을 타 손을 치워 내고 킨에게 외쳤다. 그는 내가 아는 잉고르드의 기사, 킨의 얼굴을 하고 있었다. 그 무엇도 두려워하지 않는 얼굴을.

"스스로를 과대평가하지 마, 킨! 네가 뭘 할 수 있다는 거야? 빌힐름은 황위에 오를 사람이야. 그를 시해했다는 죄를 덮어쓰면 살아남을 수 있을 것 같아?"

하지만 그는 쌓인 피로에 벌게진 눈으로 고개를 저었다.

"누군가 덮어쓰지 않으면 안 돼. 황자가 죽은 날, 황자를 독대하자마자 황성에서 사라진 널 모든 사람이 의심할 거야."

"의심하라고 해. 살아남기 위해서라면 지옥 끝까지 도망갈 테니까."

대답을 들은 킨의 얼굴이 거칠게 일그러졌다. 그는 심장에 화살을 맞은 양 괴로운 얼굴이 되어 소리쳤다.

"멍청한 소리 좀 하지 마, 아그레인! 황실 기사단이 널 쫓으면 넌 도망칠 수 없어. 일주일, 아니 나흘도 되지 않아 잡힐 거란 말이다!"

"차라리 그게…."

몸이 휘청거리며 눈앞이 캄캄해졌다. 킨이 내 몸을 껴안은 것이다.

"제발, 제발 아그레인."

내 어깨를 감싼 손길이 애절했다.

"이번에는 내가 널 지키게 해 달라는 소리야…. 이렇게 말해도 모르겠어?"

나에게는 네 보호 같은 건 필요 없어. 그리 말하고 싶었으나, 어째서인지 목구멍이 열리지 않았다. 이상했다. 리히튼이 아닌 비비안느를 찾아온 것도 그렇고, 내 마음과 몸이 반대로만 움직이고 있지 않은가. 나는 가만히 킨의 가슴에 기대어 그의 목소리를 들었다. 킨은 거의 울고 있었다. 그의 소리 없는 울음에서 비참함이 느껴졌다. 추위에 얼어붙은 팔이 자신의 품 안으로 나를 더 깊숙이 끌어안았다. 킨에게선 날 리 없는 오래된 라벤더 향이 났다. 캐롤드 저택의 정원에서 키우던 그 라벤더의 향이.

"지금까지로 충분해, 아그레인. 너는 할 만큼 했어. 캐롤드를 지킬 만큼 지켰다고. 나도 캐롤드의 일원이야. 이제는 내가 네 오라비 노릇을 하게 해 줘."

충분하다고? 충분하지 않아. 네가 돌아왔어도 아버지와 가솔들은 모두 불에 타 죽었잖아. 나는 캐롤드를 지키지 못했어. 다 죽었단 말이야.

"아니야. 네 말은 틀려, 아그레인."

킨은 거세게 고개를 저었다. 내 생각을 입 밖으로 꺼내어 말하고 있던 걸까. 그는 곧 외투를 벗어 내 머리와 등을 덮었다. 들이닥치는 눈이 그의 외투 위로 녹아내렸다.

"충분해. 아니, 충분하다 못해 넘쳐서 내가 돌아온 거야. 그러니 어서 멀리 떠나."

마차가 닫히기 전, 크고 차가운 손이 내 뺨을 쓸었다.

"그리고 언젠가는… 캐롤드로 돌아와 줘."

기다릴게. 그 한마디를 끝으로 마차의 문이 닫혔다. 회색 눈이 비바람처럼 불던 그날의 새벽. 나는 늦가을에 홀로 황성에 들어왔듯, 한겨울에 홀로 황성을 떠났다.

그해 겨울 중에서 가장 추운 날이었다.

-3권에서 계속-